Tegenwind

Linda Chaikin

Tegenwind

Roman

Vertaald door Roelof Posthuma

uitgeverij

KOK

Tegenwind is het tweede deel in de serie *Hawaï* en het vervolg op *Geliefd door Eden.*

© Uitgeverij Kok – Utrecht, 2011
Postbus 13288, 3507 LG Utrecht
www.kok.nl

Oorspronkelijk verschenen onder de titel *Hawaiian Crosswinds* bij Moody Publishers, 820 N. LaSalle Boulevard, Chicago, IL 60610, USA
© Linda Chaikin, 2011

Vertaling Roelof Posthuma
Omslagillustratie Moody Publishers
Omslagontwerp Bas Mazur
ISBN 978 90 435 1937 3
NUR 302

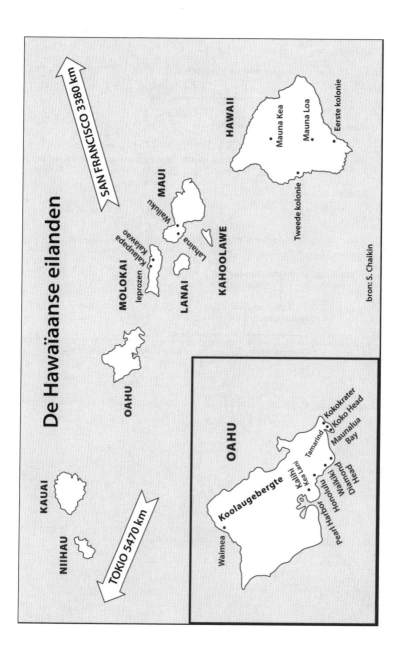

De Hawaïaanse eilanden

SAN FRANCISCO 3380 km

TOKIO 5470 km

NIIHAU

KAUAI

OAHU

MOLOKAI
Kalaupapa
Kalawao
leprozen

MAUI
Wailuku
Lahaina

LANAI

KAHOOLAWE

HAWAII
Mauna Kea
Mauna Loa
Eerste kolonie
Tweede kolonie

bron: S. Chaikin

OAHU

Koolaugebergte

Waimea

Pearl Harbor

Honolulu
Kalihi
Kea Lani
Tamarind
Waikiki
Diamond Head
Kokokrater
Koko Head
Maunalua Bay

Stamboom van de familie Derrington (fictieve personages)

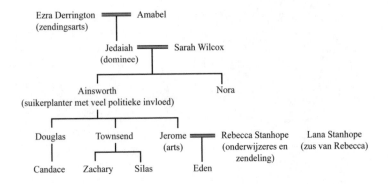

Ezra Derrington (zendingsarts) ══ Amabel

Jedaiah (dominee) ══ Sarah Wilcox

Ainsworth (suikerplanter met veel politieke invloed)

Nora

Douglas — Candace

Townsend — Zachary — Silas

Jerome (arts) ══ Rebecca Stanhope (onderwijzeres en zendeling) — Eden

Lana Stanhope (zus van Rebecca)

Stamboom van de familie Easton (fictieve personages)

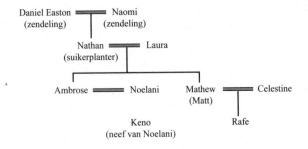

Daniel Easton (zendeling) ══ Naomi (zendeling)

Nathan (suikerplanter) ══ Laura

Ambrose ══ Noelani — Keno (neef van Noelani)

Mathew (Matt) ══ Celestine — Rafe

Historische personages

Veel figuren in Tegenwind zijn niet fictief. In de verhalen van de families Derrington en Easton zijn veel historische figuren verweven die een belangrijke rol speelden in de geschiedenis van het negentiende-eeuwse Hawaï. De volgende lijst noemt een aantal van de kleurrijkste personages uit het rijke verleden van de eilanden (historische plaatsen, gebouwen en voorwerpen zijn niet opgenomen).

Claus Spreckels – de suikerkoning uit Californië.

Hiram Bingham – een van de eerste zendelingen op Hawaï die hielp het Hawaïaanse alfabet te ontwikkelen dat gebruikt werd om de Bijbel in het Hawaïaans te vertalen.

John L. Stevens – Amerikaanse minister van Buitenlandse Zaken voor Hawaï.

Kamehameha I monarchie – Kamehameha de Grote veroverde de andere onafhankelijke eiland-koninkrijken om er één koninkrijk van te maken dat hij naar zijn eiland Hawaï noemde.

Koning David Kalakaua – regeerde zeventien jaar over Hawaï tot zijn dood in 1891; hij was de tweede verkozen vorst en de eerste die de Verenigde Staten bezocht.

Lorrin Thurston – lid van de Hawaïaanse Liga en kleinzoon van een van de eerste zendelingen, Asa Thurston.

Priester Damiaan – Belgische priester die in Honolulu werd gewijd en op eigen verzoek in 1873 naar de leprakolonie op Molokai werd overgeplaatst, waar hij in 1889 overleed als leprapatiënt.

Koningin Emma Kaleleonalani – zij had rond 1870 een neef die als leprapatiënt op Molokai verbleef.

Koningin Liliuokalani – de laatste regerende monarch van Hawaï, afgezet in 1893; ze was een getalenteerde zangeres en songwriter die het bekendste lied van Hawaï schreef: *Aloha Oe.*

Walter Murray Gibson – de controversiële premier van koning Kalakaua, die uiteindelijk van Hawaï werd verbannen en onderweg naar San Francisco overleed.

Verklarende woordenlijst

alii – leiders, prinsen

aloha – tot ziens, hallo, vaarwel

auwe – uitdrukking van pijn of leed; ach, ach!

haole – buitenlander, vooral blanke

hapa-haole – persoon van gemengd bloed; Hawaïaans-blank

hoolaulei – plechtige festiviteit

kahu – verzorger, verpleger

kahuna – medicijnman of priester van het oude inheemse geloof

kokua – helper; iemand die een leprapatiënt helpt en met hem/haar leeft

lanai – open veranda of portiek

luna – opzichter

makua – ouder of verwant van iemands ouders

muumuu – schort, voorschoot

Pake – Chinees

wahine – vrouw

1

Hawaï
Oktober 1892

Er is storm op komst voor Honolulu, stelde Rafe Easton vast. De oceaan murmelde rusteloos en de silhouetten van de rafelige kokospalmen bogen in de opstekende wind. Hun lange, dunne stammen tekenden zich scherp af tegen de verduisterende hemel. Wolken tuimelden over elkaar alsof ze een wedstrijd hielden. De gewoonlijk milde passaatwind stortte zich op het eiland, een duidelijke voorbode van een tropische storm.

Rafe verliet Aliiolani Hale, het overheidsgebouw van de Legislatuur, de wetgevende vergadering, waar hij nu deel van uitmaakte omdat hij de zetel van Parker Judson bezette, die in San Francisco verbleef. Hij liep door de smalle King Street naar het Royal Hawaiian Hotel waar hij in een ruime suite van meerdere kamers verbleef.

De lange dag in de Legislatuur was geëindigd met een persoonlijke overwinning die de legale adoptie van Kip mogelijk maakte. 'Dank U, God, voor Uw genade en deze overwinning,' zei Rafe, die zich gesterkt voelde door het verhoor van zijn gebed.

Het politieke gevecht om Kip was achter gesloten deuren gevoerd. Dankzij de macht en invloed die Parker Judson, Ainsworth Derrington en nog een stuk of wat Hawaïaanse grootheden uitoefenden had Rafe, ondanks juridische tegenslagen, de overeenkomst met de autoriteiten kunnen tekenen, zodat hij Kip nu kon adopteren. Binnenkort zou de baby die hij meer dan een jaar geleden had gered Daniël Easton worden genoemd, naar Rafes overgrootvader, een van de eerste missionarissen op de eilanden.

De wind geselde de bomen en rukte kwaadaardig aan zijn hoed en jas. Opgelucht stapte hij het Royal Hawaiian binnen, liep door de lobby met zijn fraaie tapijten, kroonluchters en weelderige plantengroei en nam de trap naar zijn suite.

Rafe besloot de baby bij zijn moeder Celestine in San Francisco te laten en hem niet onmiddellijk naar Hawaï terug te halen. Het zou nog een jaar duren voordat hij met Eden zou trouwen en Celestine had hem geschreven dat ze van plan was in Nob Hill te blijven, het landhuis van Parker Judson. Er was dus geen reden om Kip halsoverkop terug te halen naar Hanalei. Bij zijn besluit dacht Rafe ook aan zijn aanstaande reis naar Washington. Celestine zou Kip beschermen en goed verzorgen tot hij zijn prachtige Eden met haar groene ogen naar het altaar kon leiden.

Hij had tegenover haar nog niet veel losgelaten over zijn succes in de Legislatuur, of over wat dat zou betekenen – niet alleen voor Kip, maar ook voor haar. Als ze gingen trouwen, zouden ze al een kind van twee jaar hebben. Natuurlijk zou het geen verrassing zijn, want ze had vanaf het begin heel goed geweten wat hij met Kip van plan was.

Met een frons op zijn gezicht deed hij zijn modieuze jas uit en maakte de smetteloos witte kraag om zijn nek los.

Nauwelijks had hij zijn overhemd opengeknoopt of er klonk een roffel op de deur. In de deuropening verscheen Ainsworth Derrington, naar de laatste mode in Honolulu gekleed in een verblindend wit linnen pak, met een witte hoed op en een zwarte wandelstok in zijn hand. Hij was bijna even lang als Rafe, maar zo slank en recht als een lantaarnpaal. Hij keek ondoorgrondelijk, zoals zo vaak, en zijn diepliggende blauwe ogen onder de borstelige, witte wenkbrauwen namen Rafe nauwkeurig op.

'Ik zal je niet lang ophouden,' zei hij, terwijl hij de kamer met de lenigheid van een kat binnenliep. Rafe deed de deur dicht.

'Geen moeite, geen drankjes, mijn jongen. Ik ben op weg naar het diner.' Ainsworth keek hem aan en ging op zachte toon verder. 'Ik kom je eigenlijk alleen vertellen waar de geheime vergadering van de Annexatie Club vanavond wordt gehouden. Je wordt om zes uur in het huis van Hunnewell verwacht, aan het strand van Waikiki.'

Bij Hunnewell? Daar was Rafe niet blij mee.

'Als ik zo vrij mag zijn, meneer, er zijn wel veiliger plaatsen te vinden, hier in het hotel bijvoorbeeld, of op Hawaiiana.'

'O zeker, absoluut. Maar Thaddeus is het manifest aan het schrijven dat we naar Washington meenemen en hij heeft geen zin om het huis uit te gaan. Je weet hoe die schrijvers zijn, jongen, vreemde snuiters. Als ze eenmaal aan de gang zijn, kan geen tornado ze achter hun bureaus vandaan krijgen.'

Rafe onderdrukte zijn ongeduld. 'Dat is precies wat ik bedoel,' zei hij, iets te rustig. 'Aangezien Hunnewell het manifest schrijft, ligt zijn bureau waarschijnlijk bezaaid met belangrijke papieren en namen die beter geheim kunnen blijven. En hij is niet iemand die erg op risico's let.' Hij drukte zich bijzonder diplomatiek uit. 'Een huis vol gasten die zich vrij kunnen bewegen, is de perfecte gelegenheid voor een spion.'

'O nee, het is volkomen veilig, Rafe. Geen probleem. Maak je geen zorgen.'

'Als hij de dingen die hij schrijft net zo op een stapel op zijn bureau laat liggen als de wetsteksten in Aliiolani Hale, is het een goudmijn aan informatie voor tegenstanders. Nogmaals, we mogen ons gelukkig prijzen met Hunnewell aan onze kant, en ik ben dankbaar voor zijn invloed met betrekking tot Kip, maar u weet ook hoe nonchalant hij is.'

'Toegegeven, soms zijn mensen niet even discreet als intelligent.'

'Misschien dat hij naar u luistert als u hem vraagt om in elk geval de deur van zijn kantoor op slot te doen.' Rafe onderdrukte de bitse ondertoon in zijn stem.

'Dat zal ik doen. Maak je geen zorgen, Rafe, maar je voorzichtigheid is lovenswaardig. Ik weet alleen zeker dat er vanavond geen Benedict Arnold tussen zit. Allemaal betrouwbare mannen.'

Het was zinloos. In sommige opzichten liep de strenge en ervaren Ainsworth Derrington over van al te veel goed vertrouwen.

'Trouwens, ik heb nog eens nagedacht over die jongen, Keno. Ik weet dat hij een goede vriend van je is.'

Dat Ainsworth over Keno begon, was zo ongewoon dat Rafe sprakeloos was van verbazing. Hij keek de patriarchale man aan die over zijn zilvergrijze sikje streek en op zijn beurt hem aankeek.

'Ik neem aan dat hij het moeilijk heeft met het verlies van mijn kleindochter Candace.'

'Ongetwijfeld,' antwoordde Rafe minder bars dan hij zich voelde. 'Hij is verliefd op haar. Al jaren. Hij en ik hebben gemeen dat we geen van beiden die ene vrouw naar het altaar kunnen leiden met wie we willen trouwen,' voegde hij er met enige zelfspot aan toe.

Ainsworth grijnsde. 'Ja, mijn medeleven wat Eden betreft. Als ik het voor het zeggen had, zou ze nu met je trouwen. Ik zou het nog steeds kunnen forceren...' Hij keek hem neutraal aan. 'Maar zoals je al zei, Eden moet haar tijd op Molokai krijgen, samen met Jerome en Rebecca. Ik heb de zaak dus laten rusten, uit respect voor jouw wensen, hoewel ik denk dat het een vergissing is van Jerome om haar bij hem te laten werken.'

'Ik denk dat het nodig is voor haar. Het is voor haar bestwil, niet de mijne. Als Eden geen tijd met haar vader krijgt, zoals u het noemt, werkt dat door in onze gezamenlijke toekomst. Het is iets wat ze zelf zal moeten ontdekken. Ik ken haar al vanaf haar vijftiende. Vanaf die tijd is ze al geobsedeerd door Rebecca. U herinnert zich ongetwijfeld nog dat ze geloofde dat haar moeder was vermoord.'

Ainsworth huiverde en schudde zijn zilvergrijze hoofd. 'Afschuwelijk. En helemaal mijn schuld. Sindsdien heb ik altijd spijt gehad van mijn zwijgen over Jerome en Rebecca. Ik had Eden beter moeten begrijpen en moeten zien waar het toe zou leiden, en…' Hij zuchtte schuldbewust.

Ainsworths emoties waren oprecht, zag Rafe. 'Ik zeg het alleen om aan te geven hoe belangrijk Molokai is. Het drong ook pas kort geleden tot mijzelf door. Ik wil niet dat ze over tien jaar denkt dat ik haar iets heb ontnomen wat zo belangrijk voor haar is.'

Ainsworth knikte. 'Heel wijs. Je hebt een goed stel hersens. Dat heb ik altijd al gedacht. Daarom wilde ik dat je met Candace zou trouwen.' Hij keek hem direct aan met zijn koele, blauwe ogen.

Rafe bleef ondoorgrondelijk.

'Je zou eerder met haar kunnen trouwen, en je zou je geen zorgen hoeven te maken over Molokai.'

'Er is maar één vrouw die ik wil.'

'Eden, ja, een uitstekende keus. Edelmoedig… en bijzonder mooi. Nou ja, het zij zo. Wat Keno betreft…' Hij liep een halve cirkel door de kamer met een arm op zijn rug, zijn duim en wijsvinger nadenkend aan zijn kin. 'Ik heb eens nagedacht. Het is een prima jongen. Een van de besten, zelfs,' zei hij met slepende stem. 'Ik voel me een beetje schuldig aan zijn ongeluk. Ik zou iets… iets voor hem willen doen – iets om de schade een beetje te herstellen, zogezegd, en de toekomst weer wat zonniger voor hem te maken. Maar ik wil niet dat hij weet dat ik dat doe, zoals je begrijpt. Hij is nog jong en een gebroken hart kan weer helen. Ik zou graag iets voor hem doen en ik heb nagedacht…' Hij tikte tegen zijn kin.

Rafe voelde een vage argwaan. Ainsworth was in veel opzichten een oprecht man met een sterk en fatsoenlijk karakter. Waarom voelde hij dan die onrust? Je bent gewoon te cynisch, leek een andere inwendige stem te zeggen.

'Iets voor hem doen?'

'Ik denk aan land. Suikerriet. Een eigen plantage met op termijn plantage-arbeiders.'

Rafe keek hem verrast aan.

'Ik heb ook al het land voor de plantage op het oog, op het Grote Eiland, zodat jullie buren kunnen worden... en aangezien jullie als broers zijn, zou het naar mijn idee uitstekend moeten uitpakken. Misschien ken je het stuk land dat ik in gedachten heb, bij Hilo.'

Rafe kende het land inderdaad en wist dat het veel suikerriet zou opleveren.

'Ik weet zeker dat Keno een uitstekend bedrijf op dat stuk land zou kunnen opbouwen. Hij heeft het in zich. Hij is toegewijd, slim en deugdzaam. Hij zou u niet teleurstellen.' Ainsworth keek weg, draaide nog een halve cirkel op het tapijt en keek naar de vloer alsof hij iets had laten vallen.

Rafe nam de lange, gedistingeerde figuur in het wit op. 'Over Keno gesproken, ik moet ook iets bekennen,' zei hij. 'Ik denk er al een paar weken over na om met Parker Judson te gaan praten. Ik wil mijn aandeel in Hawaiiana aan Keno overdragen.'

Ainsworths adem stokte van verbazing.

'Ik heb het er nog niet met Keno zelf over gehad. Volgens mij is Judson wel bereid om dat idee over te nemen. Ik heb Keno een jaar of twee geleden beloofd dat ik hem zou helpen met zijn eigen plantage, zodra ik de financiën zou kunnen regelen. Ik was van plan om er in San Francisco met Judson over te praten. Maar dat land op het Grote Eiland is om een aantal redenen een beter idee – en ik geef toe dat ik ook niet staat te juichen om Hawaiiana over te dragen. Ik heb een emotionele band met die plantage, omdat het mijn eerste succes was.'

Ainsworth keek eerst geschokt en vervolgens gepijnigd. Hij bleef.

'Ik wist niet dat jouw band met Keno zo hecht was!'

'Hij is een broer voor mij. We hebben samen alles meegemaakt, het beste en het ergste. Ik wil dat hij slaagt in het leven.'

De oudere man ijsbeerde weer door de kamer, zoals zijn gewoonte was, deze keer met zijn slanke hand tegen zijn voorhoofd, diep in gedachten. Opnieuw kreeg Rafe het gevoel dat hij op zijn hoede moest zijn. Hij hield zijn donkere hoofd schuin.

'Maar hoe wilt u uw plannen eigenlijk financieel organiseren?'

'Keno mag niet van mijn betrokkenheid weten, anders zou hij het natuurlijk afslaan.'

Rafe dacht na. Zou hij dat doen? Misschien wel, na Ainsworths weigering om hem met Candace te laten trouwen.

'Ik denk dat ik hem wel tot rede kan brengen,' zei hij.

Het onbewogen gezicht was terug. 'Het lijkt mij het beste dat ik er helemaal buiten blijf, Rafe. Het land, de plantage, alles moet via een derde partij worden geregeld zodat hij nooit zal weten dat ik iets met zijn toekomstige succes te maken had.'

Rafe keek hem lang aan.

'Ik dacht dat jij de beste derde partij zou zijn om alles in goede banen te leiden. Ik zal het land op jouw naam laten zetten en jij zorgt ervoor dat Keno het beheer erover gaat voeren. Als mijn aanstaande kleinzoon door je huwelijk met Eden kan ik je natuurlijk volkomen vertrouwen. Bovendien garandeert je vriendschap met Keno dat hij zich veilig kan ontwikkelen tot beheerder, en later tot eigenaar van de plantage. We regelen de zaken met advocaat Withers, zoals we ook de teruggave van Hanalei hebben geregeld. Te zijner tijd zal Keno met een goed, christelijk meisje trouwen, een gezin stichten en een tevreden man zijn.'

Rafe antwoordde na een lang stilzwijgen. 'Dat is bijzonder gul van u. Maar Keno wil natuurlijk weten wie de man is die hem die schat bezorgde.' Een ongemakkelijk gevoel maakte zich van hem meester. 'Hij is cynisch. Hij gelooft evenmin in Sinterklaas als ik.' Hij keek Ainsworth aan.

'Maar naar jou zal hij wel luisteren.'

'Daar durf ik niet van uit te gaan als het om een zo groot geschenk gaat, zonder dat er een naam aan verbonden is.'

'Hij vertrouwt jou. Als iemand hem kan overtuigen om dit gulle gebaar te accepteren, dan ben jij het.'

Rafe begon zich zorgen te maken. Keno vertrouwde hem inderdaad en hij zou het aanbod waarschijnlijk accepteren als Rafe hem dat adviseerde. En als het om een oprecht gemeend gebaar ging, was dat ook in orde. Maar als er een sluwe streek achter Ainsworths vrijgevigheid zat, zou die de vriendschap tussen Rafe en Keno kapot kunnen maken.

★

Schemering… Op de eilanden van Hawaï viel de duisternis snel. Een felle, vermiljoenkleurige lucht botste op het staalblauw aan de verre horizon van de Stille Oceaan.

Keno liep over het zandpad vanaf het strand naar het binnenland, naar een vertrouwde groep oude palmen. De zendingskerk ertussen, met zijn witte kruis op het dak, was gesticht door dokter Jerome Derrington en zijn vrouw Rebecca en werd nu geleid door dominee Ambrose Easton.

Zoals hij verwachtte, was er achter het raam in de voorgevel een geruststellende gouden gloed te zien. Tante Noelani, die al haar grote en kleine taken altijd plichtsgetrouw vervulde, had de lamp achter het kerkraam ontstoken – zoals ze elke avond had gedaan zolang Keno het zich kon herinneren. 'Wie weet?' zei ze steeds weer tegen hem toen hij nog een kleine jongen was. 'Dat licht is misschien net wat iemand nodig heeft om hem eraan te herinneren dat Jezus het Licht van de wereld is. En de wereld waarin we leven wordt steeds donkerder.'

Als tienjarig jongetje zonder vader, de halfblanke nakomeling van een Britse man, voelde Keno zich in zijn jeugd een buitenbeentje tussen de talrijke Polynesische tantes, ooms, neven en nichten. Hij beschouwde Ambrose als de ware spirituele leidsman in zijn leven. En hij wist dat Rafe het net zo voelde.

Niettemin bleef zijn diepgewortelde verlangen naar acceptatie en het gevoel erbij te horen nog altijd aanwezig. Maar niet alleen hij had te maken met teleurstelling in een aardse vader of het verlies van een geliefde. Zachary Derrington was de emotioneel beschadigde zoon van een *moordenaar* en Eden Derringtons vader werd zo in beslag genomen door zijn persoonlijke missie dat hij bijna vergeten was dat zijn jonge, kwetsbare dochter verlangde naar ouderlijke steun... totdat hij een paar maanden geleden naar Hawaï was teruggekeerd. En nu lieten al die gehavende emoties ook hun invloed gelden in Edens relatie met Rafe Easton. Trouwens, Rafe was ook niet immuun. De woede over het onrecht dat zijn vader was aangedaan smeulde diep in hem, hoezeer hij die ook probeerde te verdringen. En de koele, mooie vrouw op wie Keno verliefd was, Candace Derrington, verloor haar vader op zee toen ze een klein meisje was, zodat haar grootvader Ainsworth haar toekomst nu bepaalde – vooral in zijn eigen belang.

Toen was deze kleine kerk met zijn glimlachende halfblanke dominee in Keno's jeugd gekomen en werd hij in de armen van de grote Schepper God opgenomen. Dankzij zijn vriend Rafe Easton leerde Keno dat hij God mocht kennen als Vader, door het verlossende werk van Zijn Zoon, Jezus.

Het was dezelfde geestelijke les die Rafe leerde na de dood van zijn vader, Matt Easton: dat God ons als Zijn kinderen heeft geadopteerd door Jezus Christus.

Keno bleef op het zandpad naar de kerk staan, op een steenworp afstand van de knusse bungalow van Ambrose en Noelani. Het was geen landhuis, maar wel de warmste plek in heel Honolulu als je een vriend nodig had die je kon vertrouwen. Ambrose was die vriend.

Keno keek op naar de donkere hemel. Hoeveel dankbaarheid hij ook in zijn hart voelde, hij was ook diepbedroefd. Die avond straalden de sterren niet vriendelijk, maar zag hij alleen wolken en ondoordringbare duisternis.

O God, Vader, ik denk niet dat ik zonder Candace kan leven, bad hij vertwijfeld. *Wat moet ik doen?*

Deze avond zou hij elke druppel hoop en genade nodig hebben die hij uit de wekelijkse Bijbelstudie op maandagavond kon halen.

Rafe was er gewoonlijk ook, maar die avond – hij hoopte dat Ambrose hem niet zou vragen *waar* Rafe was.

Hij liep de bungalow achterom binnen, via de keukendeur. Noelani was nergens te zien, maar ze kon niet ver uit de buurt zijn. Er stond iets op het fornuis dat hem hongerig maakte; het rook naar oesters van het parelbed. Ook Rafes favoriete kokosnoottaart stond op het aanrecht, een teken dat Noelani hem na de bijeenkomst nog verwachtte. Ze was altijd dol geweest op Rafe als jongen en had hem waar ze maar kon beschermd tegen de pesterijen van zijn stiefvader, Townsend Derrington. Keno herinnerde zich nog hoe overstuur ze was geweest toen Rafes mooie en zachtmoedige moeder Celestine na de dood van Matt met Townsend trouwde.

'Het is een keuze die haar nog eens zal berouwen. Makua Townsend is knap, maar zijn hart moet gereinigd en hersteld worden – of eigenlijk heeft hij een heel nieuw hart nodig.'

Noelani's moederliefde voor Rafe bracht haar er ook toe

om Kip te verzorgen totdat Rafe de baby uit Hawaï kon wegsmokkelen.

Dominee Ambrose stond midden in de woonkamer met een bijbel onder zijn arm klaar om naar de kerk te lopen voor de Bijbelstudie van de mannen. Hij was een forse man met brede schouders, een dominee die sterk de nadruk legde op de Bijbel en het gebed. Maar ondanks zijn verschijning weerhield een hartprobleem hem van het ruige Hawaïaanse kajakvissen dat hij in zijn jongere jaren zo graag deed. Het uitgooien en binnenhalen van de grote netten was nu te zwaar. Vroeger was hij het geweest die Rafe en Keno bij hun zwem- en duikprestaties aanmoedigde.

Even dacht Keno dat Ambrose aan het bidden was, want hij stond stil, met zijn hoofd gebogen. Het verbaasde hem altijd hoeveel de dominee bad. Hij had zelfs een gebedslijst die hij werkelijk gebruikte! Hij maakte vaak lange wandelingen over het strand en bad dan voor degenen die hij op een kaartje had geschreven. Keno hoopte vaak dat hij ook op de lijst stond, en voor zover hij Ambrose kende, was dat waarschijnlijk ook zo.

Maar deze keer was de dominee niet aan het bidden. Keno zag een diepe rimpel op zijn zonverbrande voorhoofd. Hij wierp een sombere blik op een blad in zijn hand.

Buiten de bungalow maakte de stormachtige wind zijn opwachting. De bomen en struiken bogen door en de verweerde bamboeluiken ratelden als skeletten.

Ambrose was zo geconcentreerd dat hij Keno niet had horen binnenkomen.

'Is er iets mis, Makua Ambrose?'

Hij draaide zich om, maar de frons bleef op zijn verweerde gezicht. In zijn donkere, starende ogen was iets te zien van wat Rafe een morele intensiteit had genoemd. De ogen van de dominee zochten Keno op en knipperden plotseling, alsof ze ontwaakten.

'Mis, jongen? Er is te veel mis. Als het Licht willens en wetens wordt afgewezen, is dat weer een bolwerk voor de duisternis.'

Had hij het over iemand in het bijzonder?

'Komt Rafe vanavond nog?' vroeg Ambrose terwijl hij het papier drie keer vouwde.

Keno haalde zijn vingers door zijn golvende bruine haar, een nerveuze gewoonte die hij maar niet leek te kunnen onderdrukken. Hij liet zijn hand in zijn broekzak glijden. Daar kwam het, het onderwerp dat hij had willen vermijden.

Hij en Rafe waren elkaar zo na als bloedbroeders en zijn loyaliteit bezorgde Keno nu een dilemma; hij had Rafe zo goed als beloofd dat hij zijn mond zou houden over de zaken die hem die avond naar Waikiki Beach hadden geroepen. En hoewel Rafe Ambrose vertrouwde, wist Keno dat de dominee het zou afkeuren, waardoor hij nog steeds met een probleem zat.

Ambrose keek hem aan alsof hij de mentale touwtrekkerij in zijn hoofd kon volgen. Wat hij zag, beviel hem kennelijk, want hij keek aanmoedigend. Vaak zei hij dat spirituele groei het resultaat was van beproevingen. 'Geen enkele beproeving is te klein wanneer Gods waarheid in het geding is, mijn jongen. Wacht niet op de grote beproeving, de leeuwenkuil of de Romeinse arena, want de meeste uidagingen zitten in de kleine dingen. Als de kleine waarheden je niet toevertrouwd kunnen worden, wie zal je dan de grote waarheden toevertrouwen?'

Keno schraapte zijn keel. Het was in deze dagen van politieke verdeeldheid haast een tweede natuur geworden om eerst naar deuropeningen en lanai's, de open Hawaïaanse veranda's, te kijken of er geen vijandige oren meeluisterden. Hij begon zacht te praten.

'Rafe is naar een geheime vergadering.'

'Zoiets dacht ik al. Over annexatie, neem ik aan?'

'Ze vergaderen in het huis van Hunnewell.'

Keno wist niet of Ambrose voor annexatie door de Verenigde Staten was, of voor een voortzetting van het Hawaiaanse koninkrijk. De dominee had zijn mening zorgvuldig voor zich gehouden. In zijn gemeente zaten zowel voor- als tegenstanders en hij hield het erop dat het zijn roeping was om het Woord te verkondigen. 'De Bijbelse waarheden geven, indien nageleefd, wijsheid op alle gebied... inclusief cultuur en politiek. De trotse zondaren nemen al aanstoot aan het Woord, dus ik hoef geen extra hindernissen op te werpen.'

'Thurston keert terug naar Washington,' zei Keno. 'Ainsworth Derrington en een paar andere grote kahuna's gaan ook. Het is de bedoeling dat zelfs Rafe met hen meegaat omdat hij in de Legislatuur de zetel van Parker Judson bezet.'

'Als Rafe verwacht mee te gaan met de groep van Thurston, is dat misschien de verklaring. Ze blijven een paar dagen in San Francisco voordat ze de trein naar Washington nemen.'

'De verklaring?' vroeg Keno verwonderd. 'Verklaring voor wat?'

Ambrose tikte op het papier in zijn hand en keek Keno ernstig aan. 'De verklaring voor dit telegram. Zijn moeder stuurde het uit San Francisco. Ze wist dat ik het hem veilig zou bezorgen. Die bijeenkomst waar je het over had, Keno? Kun jij dit telegram nu naar hem toe brengen? Het is belangrijk.'

Keno keek op zijn horloge. 'Ik ga meteen. Meestal duren die vergaderingen tot een uur of tien. En als hij daar niet meer is, zoek ik hem op Hawaiiana op of in het hotel. De laatste tijd gebruikt hij beide.'

Ambrose had niet gezegd wat er in het bericht stond en Keno vroeg er niet naar, maar hij vermoedde dat het hem grote zorgen baarde.

Noelani verscheen uit de keuken met een verleidelijk bord

vol kleine gebakjes. Ze was een stevig gebouwde vrouw, sterk en gezond, met wit haar dat in keurige vlechten om haar hoofd lag. Om haar nek droeg ze een kruisje aan een gouden ketting. Haar vader was een walvisvaarder uit Boston Harbor geweest, haar moeder een Polynesische. Ze droeg altijd een ouderwetse, lange jurk met schort, deze keer blauw.

'Ga je nu alweer? En waar is Rafe? Komt hij weer niet?'

'Keno komt later terug,' zei Ambrose. 'Misschien komt Rafe ook nog op tijd. Bewaar die heerlijke gebakjes maar, lieverd. We hebben geen tijd meer. Ik moet over tien minuten in de kerk zijn.'

Keno voelde de donkere blik van zijn tante. 'Heb jij je oom verteld wat je oude grootmoeder je toefluisterde over je *haole* vader?'

Ze behandelde hem vaak als een kleine jongen. Meestal vond hij dat vermakelijk, maar deze avond niet.

Hij deed onverschillig en probeerde te lachen. 'O, dat. Ik heb het te druk gehad om erover na te denken, tante Noelani. Maar ik moet gaan…'

Ze keek ongelukkig met haar donkere ogen. 'Het was verkeerd van grootmoeder Luahine om het je na al die tijd te vertellen. Het is een last die je mee moet dragen. Ze is oud en ze praat te veel.' Ze keek naar de dominee. 'Nu komen er nog meer moeilijkheden.'

Keno voelde de spanning in de kamer stijgen als een thermometer in de middagzon.

Ambrose bleef staan en keek hem meelevend aan. Hij wist kennelijk waar Noelani het over had, hoewel Keno er niets over had verteld.

'Wanneer heeft Luahine het je verteld, jongen?'

Keno bleef zich onverschillig voordoen. 'O, een paar dagen geleden. Ik heb haar opgezocht op haar verjaardag. Luister, ik wil niet dat jullie je zorgen maken. Begrepen? Het maakt mij niet uit. Ik ga hem nooit opzoeken. Hij heeft me verwekt – meer niet.' Maar hoe hij zich ook inspande, er klonk iets van bitterheid door in zijn stem. En dus deed hij nog beter zijn best. 'Ik zal jullie zeggen hoe het zit. Als er iemand als een vader voor mij is geweest, dan ben jij het, oom Ambrose. Ik zal nooit vergeten wat je voor mij hebt betekend. En wat die ander betreft, ik heb niet veel stilgestaan bij het verhaal van grootmoeder.' Maar niettemin deed het er wel toe, diep in zijn ziel. Sterker, het maakte hem kwaad.

Ambrose liep naar hem toe en legde een hand op zijn schouder. Hij zei niets, maar de kracht van zijn greep vertelde Keno alles wat hij weten moest. Daarna keek hij zijn vrouw aan.

'Ik moet nu naar de kerk, Noelani. Ze wachten op me. Over ongeveer een uur zijn we allemaal terug om wat te drinken.' De dominee liep de voordeur uit en Keno voelde een golf warme, vochtige lucht.

'Dergelijke uitspraken kunnen alleen ontevredenheid oproepen,' herhaalde Noelani. 'En waar ontevredenheid heerst en het onrecht wortelschiet, daar krijg je *pilikia* – moeilijkheden.'

Keno glimlachte gemaakt toen ze het woord 'moeilijkheden' herhaalde. Hij tikte op zijn borst. 'Deze jongen niet, Noelani. Ik houd niet van moeilijkheden. Je hoeft je nergens zorgen over te maken. Mijn leven gaat gewoon door.' *Ik heb al datgene verloren wat meer voor mij betekent dan wat dan ook*, wilde hij eraan toevoegen. *Er is weinig meer waarmee het kwaad me kan treffen.* Dat hoopte en bad hij in elk geval.

Hij liep naar de vrouw toe, sloeg zijn armen om haar schouders, kuste haar op haar wang en vertrok, de deur achter zich dichttrekkend. Buiten beukte de tropische wind op hem in, rukte aan het gebladerte en raasde verder om elders verwoesting te brengen.

Keno verliet de veranda en de beschermende omgeving van de bungalow, een schuilplaats voor de kille wind van de realiteit die al te vaak met orkaankracht blies. Hij haastte zich over het pad naar Waikiki Beach en het huis van weduwnaar Thaddeus P. Hunnewell, de financieel en politiek invloedrijke vader van Oliver P. Hunnewell, die binnenkort de verloofde van Candace zou worden.

De golven sloegen schuimend over de zwarte rotsen en kwamen soms tot vlak voor zijn voeten. Hij sprong met de kracht en behendigheid van een acrobaat van de ene rots naar de andere.

Hunnewell, dacht hij smalend. *Keno Hunnewell.* De namen versmolten niet met elkaar als ze naast elkaar werden gezet. 'En Keno *P.* Hunnewell, is dat dan beter?' mopperde hij hardop tegen de wind. Nee. Hij verwierp het met minachting, zoals hij wist dat de Hunnewells ook zouden doen, als ze het wisten.

Het feit dat Philip Hunnewell, de oom van Oliver, zijn biologische vader was, zou ook niets uitmaken voor Ainsworth Derrington of Candace. Candace met haar vlammende haren en koele blauwe ogen had hem twee maanden geleden een brief gestuurd die ze in het huis van haar oudtante op Koko Head had geschreven. In de brief had ze 'uitgelegd', of liever *meegedeeld*, dat ze besloten had te buigen voor alle druk van de familie om met Oliver P. te trouwen. Ze deed het om pater familias Ainsworth een plezier te doen, die haar tot zijn voornaamste erfgename zou maken als zij zo 'wijs' zou zijn om zich te schikken.

Keno gromde. En dus had ze zich geschikt. Dat was dus de Candace die hij dacht te kennen, die een en al integriteit uitstraalde als ze langskwam, die zijn gebrek aan geboorterechten binnen de grote Hawaïaanse suikerfamilies negeerde, die het feit dat hij half Hawaïaans was zo leuk had gevonden en die in het maanlicht had gezegd dat zijn karige bankrekening voor haar niets betekende afgezet tegen zijn christelijke karakter – en hij had haar geloofd.

Hij had geprobeerd haar te spreken, en was kort nadat hij die afschuwelijke brief had ontvangen met de boot van zijn neef Liho naar Koko Head en Tamarind House gevaren. Maar ze had hem niet willen zien. Haar oudtante Nora Derrington was met een stoïcijnse houding naar de salon gekomen en had verteld dat 'mejuffrouw Candace', haar achternicht, 'erg druk is met het redigeren van mijn manuscript dat in november voltooid moet zijn en ingeleverd bij de uitgever. Zij wil u niet zien.' Ze had er net zo goed 'nooit meer' bij kunnen zeggen.

Hij had Candace nog een paar brieven geschreven sinds die dodelijke afwijzing in de salon, maar ze waren ongeopend in een grote envelop teruggestuurd. Zelfs Rafe had haar niet kunnen overreden om hem te ontmoeten.

Candace had de laatste twee maanden in relatieve afzondering doorgebracht. Ze hield haar oudtante gezelschap die langzaam herstelde na de emotionele schok van de ontdekking dat haar neef Townsend roekeloos met haar medicatie had gerommeld.

Nora was naderhand hersteld en op Kea Lani, de suikerplantage van de Derringtons, aangekomen, met Candace in haar kielzog. Intussen werd de verloving van Candace met Oliver gepland. Die moest plaatsvinden voordat grootvader Ainsworth aan boord zou stappen van de boot naar San Francisco. Aan de viering zouden een grote fanfare en een reusachtige *hoolaulei* te pas komen.

Keno voelde woede en pijn. Er was die avond geen tropische zonsondergang, er waren geen bloesems die zwaar geurden van liefdesbeloften en de wind vanaf de oceaan was zilt en vochtig. Hoopvol keek hij op naar de sterrenhemel, maar die was bedekt met laaghangende wolken.

2

Rafe Easton stond dicht bij de open veranda van het landhuis aan het strand waar suikerplanter Thaddeus P. Hunnewell woonde. De zilte geur en vochtige wind vanaf Waikiki
waaiden naar binnen. Hij leunde met zijn armen over elkaar
tegen de wand en keek verveeld de grote, langwerpige kamer in die gemeubileerd was met zeldzame, inheems houten
meubelen en gedecoreerd met varens in potten. Met een half
oor luisterde hij naar Ainsworth Derrington, die bezig was
met de afronding van zijn lange politieke verhaal voor een
groep mannen die de nieuwe Annexatie Club vormden, kort
daarvoor opgericht door de vastberaden Lorrin Thurston. In
Rafes ogen was Thurston wellicht de meest rechtlijnige be-
pleiter van het ingewikkelde doel dat de voorstanders van
annexatie nastreefden. Het waren mannen die vochten voor
het lot van de eilanden, allemaal loyaal, althans volgens Ainsworth. Rafe was daar niet zo zeker van. Terwijl hij de ernstige gezichten bekeek van de verschillende heren die in de
kamer zaten of stonden, bleef hij erbij dat er een spion in
hun midden verkeerde. Niet dat hij iets kon bewijzen. De
geestdrift van de mannen bevestigde in elk opzicht dat ze
waarachtige voorstanders van annexatie waren.

Wat Rafe nerveus maakte, was het volkomen gebrek aan
waakzaamheid bij Thaddeus Hunnewell. Eerder, toen de
reis naar Washington werd gepland, hadden de meest voor-
aanstaande leden van de Reform Party Hunnewell de taak
toevertrouwd om het document te schrijven dat ze aan de
Amerikaanse minister van Buitenlandse Zaken Blaine zouden aanbieden. Blaine zou het manifest op zijn beurt op het
bureau van president Harrison leggen, die bekendstond als

voorstander van annexatie van de Hawaï-eilanden.

Rafe begreep dat het zeven pagina's tellende manifest tot in detail elke stap beschreef die de Annexatie Club voorbereidde voor een snel succes, zodat president Harrison nog voordat hij zijn ambt neerlegde een wet ter ratificatie naar het Congres kon sturen.

Thaddeus Hunnewell was een briljante advocaat, een kundige politicus en een formidabele spreker, maar net als alle gevallen kinderen van Adam had ook hij zijn tekortkomingen. Zo nu en dan leek het of hem de wijsheid ontbrak om uit te maken of iemand vertrouwd kon worden of niet. En als het verraad de kop opstak, was hij het soort man dat altijd geschokt was.

Het had Rafe geen enkele moeite gekost om erachter te komen dat het belangrijke manifest die avond in het huis aanwezig was. Had Hunnewell voorzorgsmaatregelen genomen? Was het document waaraan hij werkte veilig opgeborgen? Of geloofde hij, net als Ainsworth, dat er op die winderige avond alleen maar 'betrouwbare mannen' in het huis rondliepen?

De stem van Ainsworth dreunde verder naar zijn politieke einddoel.

'En dus, heren, om deze eilanden een fundament van vrijheid en gerechtigheid te verschaffen, *moeten* we de zekerheid hebben die stoelt op de Amerikaanse grondwet en de *Bill of Rights*. Kortom, we moeten tot annexatie overgaan. Dat is de beste keus.'

De vertrouwde gouden ketting van Ainsworths zakhorloge glinsterde in het licht van de lamp die boven hem hing, net als de trouwring die nog altijd aan zijn slanke, bruine hand prijkte, hoewel hij al langer weduwnaar was dan Rafe zich kon herinneren.

Aan het eind van zijn toespraak boog hij zijn grijze hoofd met een 'dank u voor uw aandacht'. Snel verzamelde hij zijn stapel handgeschreven notities op de tafel voor hem en ging weer zitten in de halfronde kring van mannen. Met zijn benen over elkaar geslagen keek hij naar zijn smetteloos witte schoenen.

In reactie op het sombere beeld dat Ainsworth had geschilderd van Hawaï's toekomst bleef het stil in de kamer. Een bamboeluik ratelde in de vlagerige wind. Alsof het een teken was, begonnen verschillende aanwezigen tegelijk te praten. Er volgde een gefrustreerde discussie over de 'koppigheid van de koningin' die niemand van hun Reform Party een plaats in haar nieuwe kabinet had gegeven.

Rafe bedacht dat de moeilijkheden van de laatste tijd al snel begonnen waren nadat Liliuokalani in januari 1891 op de troon kwam, na de dood van haar broer, koning David Kalakaua. Toen ze eenmaal koningin was, stond ze erop dat Kalakaua's kabinet, voornamelijk bestaande uit mannen van de Dole en de Thurston Reform Party, zou aftreden zodat ze haar eigen vertrouwelingen zou kunnen benoemen. Bij sommige leden van het hervormingskabinet van Kalakaua wekte ze de indruk dat ze herbenoemd zouden worden. Maar hun verwachtingen kwamen niet uit en een lijst met andere namen, voorstanders van een nieuwe grondwet, werd ter ratificatie naar de Legislatuur gestuurd. In de Legislatuur hadden mannen als Dole en Thurston echter voldoende stemmen weten te bemachtigen om de door de koningin voorgedragen kandidaten af te wijzen, en dus kreeg het politieke schaakspel een vervolg.

Thaddeus Hunnewell liep weer op en neer en zijn lage leren schoenen kraakten op de gepolijste houten vloer. Zijn zoon Oliver, een agressieveling die bekendstond als iemand die te weinig interesse voor de Hawaïaanse politiek toonde, was te laat die avond.

'Liliuokalani is een koppige vrouw,' zei advocaat Withers hoofdschuddend. 'Zij zal de Legislatuur blijven bestoken met lijsten waarop kandidaten staan die de grondwet van 1887 ongedaan willen maken.'

Hunnewell keek de advocaat ernstig aan. 'Als ze wint, verdampen onze rechten. Wij zijn geen Polynesiërs, dat is waar, en dat is het hoofdbezwaar van de autochtone Hawaïanen. Maar wij zijn ook op deze eilanden geboren. Vergeet dat nooit, heren! Wat kan de huidige generatie van autochtonen meer claimen dan dat? Zij zijn hier niets langer dan wij. Dat onze voorvaderen haole waren, doet niets af aan het feit dat ook wij ware Hawaïanen zijn. Sommigen van ons zijn van de derde generatie, zoals de Derringtons en Rafe Easton hier.' Hij wees. 'Moeten we dan maar gewoon aan de kant gaan staan en de huizen en bedrijven die wij met ons zweet hebben opgebouwd overleveren aan de grillen van een vergulde troon?'

'Nee!' riepen alle stemmen in koor. Een paar van de mannen die zaten, kwamen overeind.

'Dan blijven we haar lijsten van nieuwe kabinetten afwijzen,' zei Hunnewell. 'Ze heeft maar één ding voor ogen met het kandideren van deze mannen: de grondwet van 1887 afschaffen, en daarmee onze rechten als Hawaïanen uitwissen.'

'Het ontbreekt ons aan de benodigde stemmen, heren,' zei Ainsworth, die tot de serieuzere en meer realistische leiders behoorde. 'Misschien kunnen we de volgende lijst die ze ons stuurt niet meer wegstemmen.'

'En ik zeg je dat we het kunnen redden als we een paar leden van de liberale partij weten over te halen.'

Ainsworth tuitte zijn lippen. 'Een hele uitdaging. Acht je dat mogelijk?'

Hunnewell grijnsde met dunne lippen. 'Wilcox en Roxbury kunnen overgehaald worden.' Zijn ogen glommen. 'Ik ken Wilcox door en door. Als er iets te winnen valt dat zijn ambities kan bevorderen, zal hij de Reform Party steunen. En hij kan nog een paar anderen meenemen ook.'

Rafe wist niet precies waarom, maar iets trok zijn aandacht naar de overkant van de ovale kamer, naar het bamboegordijn.

Ergens voorbij de schemerige uithoeken van de kamer, op de open veranda, brandde een eenzame lamp op een victoriaanse tafel, terwijl de schaduwen donkerder en donkerder werden naarmate de zon verder naar de horizon zakte. Een gordijn schermde een bordes af vanwaar een trap afdaalde naar een kleine inham. Hij keek op zijn horloge. Het was nog steeds laag tij en de baai was bereikbaar. Vroeger in de middag was hij de trappen afgelopen toen Hunnewell verfrissingen naar het strand had laten brengen door zijn bedienden.

Rafe bleef naar het gordijn staren, op zoek naar... hij wist niet precies wat. *Iets daar. Op de lanai, achter het bamboegordijn? Een heimelijke beweging. Of was het alleen de wind die de bamboe liet bewegen?*

De anderen praatten opgewonden door elkaar, met emoties zoals alleen Thaddeus Hunnewell ze kon opzwepen. Ze merkten niets vreemds. *Precies zoals een luistervink zou willen,* dacht Rafe sarcastisch. Als acteurs die op het podium volkomen in hun rol opgingen, stonden ze in de lichtcirkel, soms te zelfverzekerd, terwijl een publiek van één persoon onopvallend meeluisterde van achter de donkere hoeken van de kamer.

Daar was het weer... een zacht geratel van bamboe en een zuchtje wind dat de kamer binnendrong.

Rafe bewoog zich onopvallend naar de lanai en naar het afgeschermde bordes met de achtertrap. Was het de speelse wind of een spion? Hij wilde het weten.

★

Toen Keno bij het huis van Hunnewell in Waikiki aankwam, versperden de sierlijke gietijzeren hekken de doorgang naar de oprijlaan. De laatste stralen van de zon verlichtten Diamond Head, terwijl de snelle tropische duisternis over de golven daalde die vanaf het koraalrif naar Waikiki rolden. De slagschaduwen van de kokospalmen werden donkerder.

Hij bleef even staan en keek met een mengeling van frustratie en droefheid naar het grote huis. Hij had vrijwel nooit last van jaloezie, maar nu stak het monster zijn weerzinwekkende kop in hem op, tegelijk met de gedachte aan Candace.

Als ik een gerespecteerde persoon met een goede familienaam was geweest, had ik met haar kunnen trouwen. Maar welke rijke erfgename zou alles willen laten schieten om een hapa-hoale met een karige bankrekening te trouwen?

De jaloezie werd al snel gevolgd door zelfmedelijden.

Geen wonder dat Ainsworth zijn lieftallige Candace met de zoon van de oude Hunnewell wilde laten trouwen. Kijk eens even wat ze zou erven. Geld, schitterende huizen, en land om nog meer suikerriet te verbouwen teneinde de goederen van de Hunnewells te onderhouden. *En ik, Keno? Ik heb een hut op Hanalei en een koffer vol kleren, bijbelboeken en hoop! Niet genoeg verfijnd 'have en goed' in dit leven om indruk te maken op wie dan ook, laat staan op de heer Ainsworth Derrington.*

Het zelfbeklag ging over in woede. Woede jegens het familiehoofd van de Derringtons dat erop stond dat de deugdzame Candace zou trouwen om buit en achting van de elite te verwerven. Ja, 'buit'! Bakken vol. Opgehoopt bij de bank, waar het veel rente opleverde.

Het monster van de woede gromde ook tegen Candace, die boog voor haar grootvaders wensen terwijl ze Keno meer dan eens had gezegd dat ze liever op blote voeten door het zand liep met hem, 'haar knappe hapa-hoale', dan met een zoon van Hunnewell.

Hij schudde zijn hoofd en stond nog steeds voor het indrukwekkende hek dat de weg versperde. Hij greep het koude smeedijzer vast en liet het rammelen.

Wacht… wat was dat? Was daar iemand? Hij tuurde naar de schaduwen tegen de binnenmuur van de tuin, achter het ijzeren hek. Gewoon de schaduw van een boom die bewoog in de wind.

Het was niets voor Candace om zo te doen. Hij kon haar beslissing niet begrijpen, zo kil en berekenend, plotseling zo onverschillig tegenover hem terwijl ze van hem had gehouden. Ja, ze *had* van hem gehouden. Hij wist het zeker. En nu wilde ze niet eens meer met hem praten. Na haar terugkeer uit Tamarind House had hij erop gewacht tot ze in haar rijtuig uit zou gaan, zodat hij haar op zijn paard zou kunnen inhalen. Maar in plaats van hem ook maar die kleine gelegenheid te gunnen, ging ze overal heen in gezelschap van Oliver.

Ja, ze hield van *hem*, Keno. Maar de prachtige vrouw die hij zo hoog en edel had geacht, zo vroom in haar godvrezende hart, had hem de rug toegekeerd voor rijkdom en prestige. Dat had ze hem gezegd in de brief die ze hem bijna twee maanden geleden had geschreven.

'Ik heb in alle vrijheid de keuze gemaakt om de verantwoordelijkheid op mij te nemen die ik als Derrington draag. Ik heb gekozen te doen wat mijn grootvader van mij vraagt en met Oliver te trouwen. De verloving volgt binnenkort. Ik ben ervan overtuigd dat je uiteindelijk zult begrijpen dat dit de beste beslissing is voor ons beiden…'

De overbodige en zich steeds herhalende uitleg was als een maalstroom van loze woorden in de donkere diepte verdwenen. Dat hij nu voor het hek van de Hunnewells stond, maakte zijn frustratie alleen maar groter.

Hij balde zijn sterke vuist en sloeg zacht tegen de palm van zijn andere hand. Zijn oude, zondige natuur zou Oliver het liefst een dreun verkopen. Ja, een *keiharde* dreun. Hij was verwend en egoïstisch, kreeg alles op een presenteerblaadje, alles wat hij wilde — maar als hij zijn rijke papa niet had gehad, zou junior helemaal niets hebben — *stop daarmee, Keno!*

Zijn vuist was niet van hemzelf. Hij had hem aan zijn Verlosser gegeven, zoals Rafe had gedaan toen hij tegenover zijn agressieve stiefvader Townsend Derrington stond.

Vermoeid schudde Keno zijn hoofd. Alleen de genade en de kracht van de heilige Geest konden zijn op hol slaande emoties intomen. Hij fronste tegen zichzelf. *Soms heb ik het idee dat mijn emoties erger zijn dan die van alle andere mensen.*

Misschien had ik hier vanavond niet naartoe moeten gaan. God! Help me!

Hoe makkelijk kon je dankbaarheid vergeten. Zelfs de Heer zelf had geen plaats om Zijn hoofd neer te leggen toen Hij op aarde kwam. *De vossen hebben holen en de vogels hebben nesten, maar de Mensenzoon kan Zijn hoofd nergens te ruste leggen.* Een onvoorstelbare gedachte. *En ik durf te klagen?*

Hij kneep zijn ogen iets dicht en zette zijn handen op zijn heupen, in een houding die hij zo vaak had gezien van zijn zielsverwant Rafe als hij kwaad was.

Maar toch… ondanks de vulkaanexplosie die al zijn dromen vernietigde, hield Keno zichzelf voor dat hij moest denken aan wat hij niet mocht vergeten. De Ene door wie alle dingen bestonden en in stand werden gehouden heerste ook over de innerlijke aardverschuivingen van degenen die bij Hem hoorden. *Wanneer Hij opendoet, kan niemand sluiten, wanneer Hij sluit, kan niemand openen.*

Er is een andere Poort, de allerbelangrijkste Poort, en die staat wijd open voor mij.

De woorden van Ambrose galmden na in zijn oren. 'God staat niet onverschillig tegenover de pijn en het verlies dat je voelt. Een discipel zijn betekent je overgeven aan wat Zijn doel ook mag zijn. Ook al begrijpen wij het misschien niet, uiteindelijk zal alles ten goede keren, zo niet in dit leven, dan in de eeuwigheid.'

Keno boog zijn hoofd en gaf zich opnieuw over aan Jezus Christus.

Even later deed hij het hek open en liep erdoor. Hij nam het verharde pad dat om de zijkant van het huis naar een van de achteringangen liep. In zijn positie – of liever vanwege het gebrek aan positie – zou hij geacht worden via de personeelsingang te komen, meende hij.

Mijn persoonlijke strijd duurt slechts korte tijd, maar op een dag zal ik het huis van mijn Vader binnengaan en over gouden straten lopen. 'En dan kom ik niet via de achterdeur,' zei hij hardop.

Hij hoorde geen andere geluiden in de winderige avond, en begon te fluiten, met zijn handen diep in zijn broekzak. Hij liep naar het pad achter het huis totdat een beweging bij de gele hibiscusstruiken een paar meter verderop hem de pas liet inhouden. *Wat was dat?*

'Zeg! Wat moet *jij* hier?'

Die stem! Die kende hij. Tot zijn grote verdriet was het die van Oliver P. Hunnewell in persoon. O nee... *God, help me.*

Keno kneep zijn ogen half dicht en wilde zich ervan vergewissen dat het geen inbeelding was en dat hij de stem die hij steeds meer ging verachten echt had gehoord. De schaduwen waren diep. Hij zou Oliver niet hebben opgemerkt bij de struiken als hij niets had gezegd.

Oliver Hunnewell kwam recht op hem af. *Als dit Spanje was, zou hij een stier met bloeddoorlopen ogen zijn geweest,* bedacht Keno bezorgd.

Oliver droeg gewoonlijk een dure, witte jas en broek, een zijden vest met diamanten dasspeld en een al even dure bolhoed.

Maar deze avond had hij donkere kleding aan. Hij was groot, met brede schouders, en zijn uiterlijk paste bij zijn naam Hunnewell, 'honingbron': alles was honingkleurig aan hem, zijn haren, zijn ogen en zijn snor. Het was een van die verfijnde snorretjes die eruit zagen alsof hij er elke ochtend een uur aan besteedde om hem volgens de regels der kunst in de was te zetten. Hij kwam kordaat naar voren en vermorzelde de gevallen bladeren onder zijn voeten.

Keno bleef staan. *Echt weer iets voor mij,* dacht hij. Daar kwam de rijke prins die zojuist naar zijn vaders kasteel was teruggekeerd om de vrouw op te eisen van wie Keno hield. Hij zou haar het liefst naar zijn eigen kasteel ontvoeren, maar de bruid in spe maakte niet direct een wanhopige indruk alsof ze tegen haar wil zou worden vastgehouden.

Jammer dat de riddertijd voorbij is. Ik zou hem tot een duel hebben uitgedaagd om haar terug te winnen. Het leven is zo oneerlijk.

Oliver bleef op een goede meter afstand voor hem staan en nam hem op. Keno keek hem neutraal aan. *Ga je gang, knul,* dacht hij, *probeer het maar.* Maar het volgende moment voelde hij een stekend schuldbesef. *Heb je niet net gebeden en jezelf aan God overgegeven? Onthoud wie je bent.*

Hij haalde diep adem, schraapte zijn keel en probeerde te glimlachen. 'Kijk eens aan, het is Oliver! Hallo,' zei hij onbeholpen, terwijl de lettergrepen bijna in zijn keel bleven steken.

Oliver keek hem aan als een havik die een mus opnam. 'Het is *meneer*,' zei hij, met grote nadruk als een welbewuste belediging. 'Maar voor jou is het Makua Hunnewell.'

Keno beet zijn kiezen op elkaar. *Dat dacht je maar, rijkeluiszoontje.*

'Wat doe je op het privéterrein van Hunnewell?' vroeg Oliver met zijn ronde kin arrogant geheven.

Die kin. Wat een perfect doelwit. Keno stak zijn rechterhand veilig terug in zijn broekzak.

Privéterrein van de Hunnewells? Mijn moederskant van de familie liep hier al lang voordat jouw voorvaderen hier ooit verschenen. Maar Keno slikte de woorden in voordat hij ze onbesuisd aan de wind zou prijsgeven. Elke generatie moest zijn eigen bestaansrecht bewijzen. Verantwoordelijkheid was doorslaggevend, niet louter afkomst.

'Luister, ik wil geen moeilijkheden. Ik moet Rafe spreken, het is belangrijk. Is hij hier nog? Dominee Ambrose Easton, zijn oom, heeft me gestuurd.'

Oliver vertrok zijn mond en zijn kille ogen keken beschuldigend.

'Kom mij niet met die onzin aanzetten. Jij bent op zoek naar juffrouw Derrington.'

Keno knarste met zijn tanden en voelde de woede opkomen. 'Als ik hier was gekomen om met Candace te praten...' – hij gebruikte welbewust haar voornaam – '...dan was ik wel openlijk overdag gekomen. Ik wist niet dat ze hier was. Ik kom voor Rafe. Er is hier toch een vergadering van de mannenclub, nietwaar?'

'Dat gaat je niets aan. Jij zou openlijk komen? Onzin. Je sluipt om het huis om door de ramen te loeren...'

'Wacht even! Probeer me niets in de schoenen te schuiven!'

'Nu moet je eens goed luisteren,' snauwde Oliver terug. 'Denk nu niet dat ik niet weet hoe jij jezelf *openlijk* voor gek hebt gezet met die brieven die je haar hebt geschreven. En je bent ook elke keer dat je haar naar Honolulu zag gaan achter haar rijtuig aan gereden. Het zou mij niet verbazen als je ergens in de struiken lag te wachten totdat ze langs zou komen. Ze zegt dat je haar lastigvalt en in verlegenheid brengt.'

Had zij hem dat verteld? Bijna geloofde hij hem, maar uiteindelijk wist hij wel beter. Candace zou niet prat gaan op de liefde die een andere man voor haar koesterde. Zo was ze niet.

'Als ik erachter kom dat je haar weer hebt lastiggevallen, laat ik je door sheriff Harper oppakken wegens pesterij,' waarschuwde Oliver. 'Denk niet dat ik het niet doe. Ik heb wel enige invloed hier in Honolulu en in San Francisco,' schepte hij op. 'Je zou er goed aan doen dat te onthouden.'

Oliver draaide zich om op zijn dure hakken en liep naar

de bordestrap, zijn armen zwaaiend langs zijn lichaam.

Keno voelde het bloed in zijn slapen kloppen.

'Wat je bedoelt, is dat je vader invloed heeft. Jij hebt alleen maar het voordeel van je familienaam.'

De aangesprokene bleef staan, draaide zich met een ruk om en keek hem opnieuw aan. Zelfs in het gedempte licht van de Chinese lantaarns liet zijn hoekige gezicht niets te raden over. Met zijn open jas fladderend om zijn heupen rende hij terug naar zijn rivaal.

Op dat moment dacht Keno aan zijn laatste gebed. Zijn gebrek aan zelfbeheersing bezorgde hem een golf van frustratie. *Ik heb er een puinhoop van gemaakt.* Hij haalde diep adem, deed bewust een stap achteruit terwijl Oliver op hem afstormde en stak zijn hand op. 'Wacht. Het was niet mijn bedoeling om beledigend te zijn…'

Oliver grijnsde smalend. Zijn ogen verrieden dat hij van het moment genoot. 'Wegwezen hier.' Hij gebaarde naar de weg. 'Ga, voordat ik vergeet dat ik een heer ben en je over de muur smijt. En blijf bij Candace uit de buurt. Zij wil niks meer met jouw soort te maken hebben. Ik wil dat je een straatlengte bij haar uit de buurt blijft, begrepen? En als ik je toch betrap, zorg ik ervoor dat je je brutale hoogmoed zult berouwen.'

Keno's beledigde trots voerde een titanenstrijd met zijn zelfbeheersing. Zijn woede laaide op en zijn hart bonkte als een oorlogsdrum.

Oliver trok zijn mond laatdunkend omlaag. 'Ga terug naar je eigen soort.'

Naar je eigen soort! 'Helaas sta ik op dit moment bij iemand van mijn eigen soort.'

Oliver grijnsde kil. 'Hoe sneller een hond leert dat hij een hond is, hoe gelukkiger hij zal zijn.'

'Het wordt geloof ik tijd dat ik je, van de ene hond tot de andere, eens vertel dat wij wat het bloed van de Hunnewells betreft elkaars gelijken zijn. Hang bij mij dus niet de kasteelheer uit.'

De scheve grijns op Olivers verbijsterde gezicht was verstard. Hij staarde Keno aan, volkomen van zijn stuk gebracht. 'Dat lieg je.'

'Ik ben de biologische zoon van jouw oom Philip Pepperidge Hunnewell uit Burlington, Engeland.'

'Jij bent een leugenachtige hapa-hoale.'

'Maar jouw oom Pepperidge bleef niet lang op de eilanden. Hij keerde terug naar zijn *beschaafde* Engeland toen hij ontdekte dat mijn moeder zwanger was. Maar ik ben dus wel een Hunnewell, vriend. Noem mij maar Keno *P*. Hunnewell.'

Olivers gezicht kwam weer tot leven toen zijn emoties opnieuw oplaaiden. Hij werd rood.

'Jij opgeblazen hond. Denk maar niet dat je indruk kunt maken op Candace met zulke faliekante onzin. Daar kijkt ze dwars doorheen. Daar gaat het allemaal om, nietwaar? Een list om een goede naam voor jezelf te veroveren. Wat zou jij haar in een huwelijk ooit kunnen geven? Als jij echt het beste met haar voor had, zou je niet willen dat ze er op blote voeten vandoor ging om in een hut te gaan wonen. Maar de naam *Hunnewell* zul je niet stelen, in geen honderd jaar.' Hij had zijn witte handschoenen nog steeds in zijn hand en liet ze tegen Keno's wang knallen.

Keno knipperde met zijn ogen en draaide zijn hoofd weg, verrast door de onverwachte beweging.

Het victoriaanse gebaar, hoe fatterig ook in Keno's ogen, was bedoeld als de ultieme vernedering. Een klap in het gezicht met de handschoen van een adellijke tegenstander was even beledigend als wanneer je midden in een volle balzaal in je gezicht werd gespuugd. Keno had liever een klap met de vuist gekregen.

Hij rukte de handschoenen uit de hand van Hunnewell.

'Vergeet die handschoentjes maar, maat.' Hij gooide ze

in de struiken en haalde uit met zijn vuist die al zijn verbittering in een vernietigende dreun samenbalde. Hunnewell wankelde met een zucht achterover en viel op een bed van takken en gele bloemen. Daarna werd het stil.

★

De uitnodigende bungalow van Ambrose wachtte verderop, maar Keno voelde dat hij daar nu niet naartoe kon. Hoe zou hij kunnen, met zijn zonden en falen? Hoe zou hij Ambrose kunnen teleurstellen? En niet alleen Ambrose – om over God maar te zwijgen.

Hij kreunde en struikelde voorover. De schuld hing als een zwarte sluier over zijn ziel. *Ik heb de heilige Geest verdriet gedaan.*

De lucht was inmiddels een zwarte deken zonder een sprankje licht. *Net als ik. Ellendige dwaas dat je bent. Waarom heb je het gedaan, waarom? Je wist toch beter? Je wist dat je daar niet naartoe zou moeten gaan, je kent je zondige impulsen toch?*

Dwaas, schold hij opnieuw op zichzelf, uithalend naar zijn impulsive temperament. *Je hebt anderen een stok in handen gegeven om christenen mee te slaan.* Oliver was misschien een gelovige, zoals de Derringtons volhielden, maar hij was lauw. Nu had hij nog een excuus om zijn gebrek aan belangstelling voor de Bijbel te rechtvaardigen.

De woede van een mens brengt niets voort dat in Gods ogen rechtvaardig is. Zijn hand deed zelfs pijn, hield Keno zichzelf voor – dezelfde hand die zijn bijbel vasthield als hij een Bijbelstudie gaf.

En Candace zal de vreselijkste details van Oliver horen. Hij zal mij afschilderen als de grote schuldige aan het hele incident en hij zal alles overdrijven. En ik? Ik krijg geen gelegenheid om zijn beschuldigingen bij haar te weerleggen. Wat zou ik trouwens kunnen zeggen als ik het deed? Dat mijn actie gerechtvaardigd was omdat hij me beledigde?

Je hebt niets bewezen, behalve dat je een dwaas bent, zei een smalende stem die met hem mee leek te zweven. *De prins heeft het land, het geld en de vrouw. En jij? Ha! Zelfs je reputatie zal aan duigen liggen als dit naar buiten komt.*

Je bent weer tekortgeschoten tegenover Hem. Je bent een ellendige mislukkeling, Keno. Jij… de pastorale helper van Ambrose? Schaam je diep. Dit kom je nooit meer te boven… nooit.

3

De wind liet wasachtige groene bladeren bewegen, suisde door de palmbomen en verzachtte het geruis van de branding. Rafe sprong soepel over de balustrade en landde met zijn voeten op het zand.

De wind liet zijn loshangende overhemd fladderen, de maan bleef vaag. De kleine, schuimende golven van het lage tij begonnen net aan hun opmars over het witte zand.

Hij liep langs de zijkant van Hunnewells grote huis naar de achtertuin en een tweede veranda met een deur. Wat er achter de ingang lag, wist hij niet. Aan weerszijden van de trap schemerden Chinese lantaarns. De deur was dicht en de twee ramen die op de veranda uitkwamen waren donker.

Hij bleef staan. Een silhouet op de veranda bewoog van de deur in de schaduw naar de balustrade naast de trap. Daar, beter zichtbaar in het schemerlicht van de lantaarns, herkende Rafe Eden. Eden Derrington, jongste kleindochter van familiehoofd Ainsworth en de vrouw met wie hij nog steeds verloofd was – althans, min of meer. Er was geen datum vastgesteld, er was alleen een verlovingsring die verscheen wanneer het nodig was en die daarna als bij toverslag verdween.

Rafe kon niet uitleggen waarom, maar het frustreerde hem enorm om haar hier nu te zien. Hij stond bekend om zijn milde en zachtaardige natuur, maar Eden kon hem als geen ander irriteren. *Wat deed ze hier in vredesnaam?* Hij zette zijn handen op zijn heupen en kneep zijn ogen half dicht. Kon zij mogelijk de spion op de lanai zijn geweest, achter het bamboegordijn?

Hij wist dat Eden de monarchie steunde, zoals ook hij ooit Liliuokalani's recht op de troon had verdedigd. Maar waar hij goede redenen had om van gedachten veranderd te zijn, was hij er beslist van overtuigd dat Eden royaliste bleef omwille van haar vader, dokter Jerome Derrington, de jongste zoon van Ainsworth. Nora, haar oudtante, was niet alleen eigenaresse van de *Gazette*, een krant die de monarchie sterk verdedigde, maar ze was ook een vriendin van koningin Liliuokalani. Zij zou zelfs kunnen regelen dat Edens vader met de koningin zou kunnen spreken over de opzet van een onderzoekskliniek op Molokai, waar de leprakolonie gevestigd was.

Rafe vermoedde dat Eden misschien informatie over de leden van de Annexatie Club verzamelde voor Nora's *Gazette*. Wellicht gaf ze de informatie zelfs direct door aan de koningin. Er was maar weinig wat Eden niet zou doen voor haar vader of zijn droom om een kliniek op te zetten.

Als dat zo is, Eden, kan ik je heimelijke acties niet goedkeuren.

Zijn verloofde sprak zacht met iemand die buiten het zicht in de struiken naast het pad moest zitten. Rafe kon niet verstaan wat er gezegd werd en liep naar voren.

De jonge vrouw draaide zich met een ruk om en keek hem verschrikt aan.

'Ik stoor toch niet, hoop ik?'

'O! Rafe. Hallo. Wat een verrassing om jou te zien.'

Zijn mond vertrok in een scheve grijns. 'Een aangename verrassing, ongetwijfeld.' Hij keek naar de struiken. 'Wie speelt daar verstoppertje in de hibiscus?'

Een man kwam overeind en keek over zijn schouder in zijn richting.

'Ben jij dat, Rafe? Ik kan wel wat hulp gebruiken. We hebben een probleem.'

Hij herkende Silas Derrington, een buitenechtelijke zoon die Townsend Derrington tijdens zijn escapades op het vasteland verwekte. Silas leek op zijn vader, hoewel hij niet blond was. Hij was in april in Honolulu aangekomen en was een splijtzwam in de familie Derrington. Zijn aanwezigheid op Kea Lani bleef vragen oproepen en wekte de wrok van zijn jongere halfbroer Zachary.

Rafe liep naar Silas toe, die naar de struiken knikte. Oliver Hunnewell zat op de grond, met zijn hoofd in zijn handen. De twee mannen keken elkaar aan.

'Hij was volledig buiten westen toen ik hem vond,' zei Silas. 'Maar het komt wel goed.'

'Hoe weet jij dat?' snauwde Oliver. 'Ik wil een dokter. Die krankzinnige hapa-hoale probeerde me te vermoorden.'

Rafe keek met een ruk naar hem op. Hapa-hoale?

Eden was inmiddels aangekomen en duwde Rafe en Silas opzij om naast Oliver te knielen. 'Ik ben verpleegster,' zei ze bits. 'Laat mij maar even naar hem kijken. Mijn vader is niet ver weg als we hem nodig hebben. Hij werkt vanavond in het ziekenhuis in Kalihi.'

Rafe merkte met enige bitterheid op dat Hunnewell zich gedwee aan haar onderzoek overgaf – waarschijnlijk omdat ze zo aantrekkelijk was. De gedachte ergerde hem.

Met zijn handen op zijn heupen keek hij laatdunkend neer op Oliver. 'Volgens mij is alles in orde. Ik heb wel erger gezien. Je hoeft niet vertroeteld te worden, Oliver. Vertel ons wat er gebeurd is.'

Het slachtoffer keek woest naar hem op. Zijn tanden blikkerden. 'Nog één zo'n opmerking van jou, Easton, en…'

'Rustig, Oliver,' suste Eden. Ze draaide haar donkere hoofd om en keek Rafe met haar groene ogen kil en verwijtend aan. 'Even geduld alsjeblieft, als je dat kunt opbrengen, meneer Easton. Ik weet hoe ik dit moet behandelen. Hij heeft misschien een hersenschudding.'

Hij keek haar onaangedaan aan.

Eden draaide zich weer om en stond plotseling op. 'We brengen hem naar binnen en geven hem iets te drinken – warme thee lijkt me het best.'

Thee. Rafe zocht haar afhoudende blik op.

'Ik wil helemaal geen thee,' snauwde Hunnewell, deze keer tegen Eden. 'Ik wil een dokter – en een borrel.' Oliver kwam overeind en zwaaide een beetje op zijn benen. Rafe pakte hem vast, maar hij rukte zijn arm los en streek zijn honingkleurige haar van zijn bezwete voorhoofd. Hij keek Silas aan.

'Wat doe jij hier?'

Hunnewell die argwaan koesterde jegens Silas? Interessant.

De aangesprokene trok zijn wenkbrauwen op. 'Ik? Ik ben hier eerder op de avond met Ainsworth Derrington gekomen, mijn grootvader. Hij wilde dat ik hier vanavond zou zijn.'

Rafe hoorde de verdedigende ondertoon in de woorden van Silas, en de verwijzing naar *mijn grootvader*. Ainsworth en de naam Derrington waren op Hawaï even belangrijk als die van Hunnewell, en misschien nog belangrijker. Silas herinnerde Oliver daar fijntjes aan en gebruikte zijn nieuw verworven positie ten volle. Zelfs de jonge Hunnewell leek een beetje in te binden.

Rafe wilde het niet zeggen omdat hij Oliver niet wilde helpen, maar hij had zich ook al afgevraagd of het wel wijs was van Ainsworth om Silas deze avond mee te nemen. Hij was tenslotte geen Hawaïaan en verbleef pas sinds de lente op het eiland. Zijn loyaliteit kon nooit zo groot zijn als van degenen die op de eilanden geboren waren. Ainsworth probeerde Silas waarschijnlijk tot het soort kleinzoon te kneden dat hij in zijn lijn van erfgenamen wilde hebben, zoals hij ook uit politieke en economische overwegingen zijn wil aan Candace oplegde.

Olivers beschuldigende blik zwierf van Silas naar Eden, maar zodra hij haar trekken zag, smolt hij.

'Ik had niet verwacht dat ik jou hier vanavond ook zou

zien. Ben je met Rafe meegekomen?'

Rafe was benieuwd wat ze zou zeggen en hij nam haar nauwlettend op, met zijn armen over elkaar geslagen.

Eden bleef uiterlijk volkomen rustig. 'Kalihi is niet ver hier vandaan. Ik had een uurtje vrij en besloot grootvader Ainsworth op te zoeken.'

Oliver nam de uitleg kennelijk voor lief, maar Rafe niet. Hij had haar kunnen vragen hoe ze wist dat Ainsworth hier was, maar nu niet. Hij wilde dat ze zo snel mogelijk van het onderwerp zou afstappen.

'We brengen hem naar binnen. Daarna kan hij uit de keuken bestellen wat hij maar wil drinken.'

'Ik heb geen hulp nodig,' gromde Oliver. Hij keek hen stuk voor stuk kwaad aan, alsof zij schuld hadden aan zijn pijnlijke kaak en gekrenkte trots. 'En zodra ik Candace zie, zal ik haar vertellen dat er in de oude missionarisfamilies van Hawaï meerdere hypocrieten te vinden zijn.'

Waarom die aanval op het christendom?

Eden hief haar kin al strijdlustig omhoog, maar op dat moment interesseerde het Rafe meer waarom Hunnewell over hypocrisie begon.

'Ik geef toe dat er hypocrieten zijn, maar wat brengt jou ertoe om daar nu over te beginnen?' vroeg hij ronduit.

'Wat mij ertoe brengt? Die krankzinnige hapa-hoale vriend van jou. Hij is een hypocriet en hij is gevaarlijk.'

Rafe nam hem onderkoeld op. 'Misschien is het toch wel goed om naar een dokter te gaan. Dan kan hij je iets geven om te slapen, zodat je morgenochtend weer bij zinnen bent.'

Olivers gezicht liep rood aan. 'Geen leuk grapje, Easton. Toevallig was het wel jouw vriend die mij vannacht besprong.'

'Ik neem aan dat je het over Keno hebt.'

'Ja. Keno. Ik liep door de achtertuin toen iemand me plotseling besprong. Ik ben er zeker van dat hij me iets wilde aandoen. Hij is gevaarlijk. Hij heeft Candace ook achtervolgd. Daar moet iets aan gedaan worden. Hij moet worden opgesloten, en ik ben de man die dat gaat aankaarten.'

Hij liegt. 'Keno zou je nooit aanvliegen als je hem niet zou provoceren, en zelfs dan zou hij niet van achteren aanvallen. Hij heeft geen greintje lafheid in zijn lijf, daar ken ik hem te goed voor.'

'En ik zeg je dat hij hier als een krankzinnige in de struiken op de loer lag.'

'Wil je zeggen dat je Keno hebt gezien?' vroeg Silas.

'Hij kan hem niet gezien hebben,' sneerde Rafe.

'Ik had hem nog niet gezien. Ik hoorde iets hier buiten en ging kijken wat het was.'

Zijn woorden maakten Rafe extra alert. Hij bestudeerde zijn gezicht. Vertelde hij de waarheid?

'Er sloop iemand rond op het terrein.'

Rafe keek op naar Eden maar zag niet de uitdrukking die hij verwachtte.

'Ik was laat voor de vergadering, omdat ik met Candace over ons verlovingsfeest van volgende week had gepraat. De vergadering was al volop aan de gang. Ik bleef even voor de deur aarzelen omdat ik geen opvallende entree wilde maken. Daarom koos ik ervoor om via de lanai aan de achterkant naar binnen te gaan.'

'En ben je daar heen gegaan?' vroeg Rafe nieuwsgierig.

'Nee. Ik zag iemand door een raam loeren en…'

'Aan de voorkant van het huis?' vroeg Rafe weer.

Oliver keek hem hard aan. 'Door een zijraam, maar wat maakt het uit? Er sloop hier iemand rond.'

'Hij kan er nog steeds zijn. Moeten we meneer Hunnewell niet waarschuwen?' merkte Silas op.

'Hij is er niet meer. Keno sloeg me buiten westen en moet er daarna vandoor zijn gegaan.'

'Het was Keno niet,' zei Rafe.

'Ik zal toch zeker wel weten wie mij aanviel?' snauwde Oliver. 'Het was Keno.'

'Het klinkt alsof er misschien wel twee mannen waren,' zei Eden snel. 'Keno, maar ook nog iemand anders.'

Rafe keek haar aan. Hij wilde niet dat ze iets zei wat haar in verband zou kunnen brengen met Oliver of Silas.

'En?' drong hij aan. 'Wat deed je toen?' Hoe meer hij uit hem kon trekken, hoe groter de kans was dat hij in de details verstrikt zou raken als hij loog.

Oliver keek hem laatdunkend aan. 'Ik ben er natuurlijk op af gegaan om te zien wie het was. Denk je soms dat een Hunnewell laf is?'

'Ik denk helemaal niets! Ik probeer alleen maar vast te stellen wat er gebeurd is.'

'Ik dacht aan de geruchten over spionnen voor de monarchie,' ging Oliver verder. 'Toen ik het raam naderde, riep ik. Ik verraste hem en hij rende weg naar deze struiken.'

Rafe twijfelde aan zijn woorden.

'Dat maakte me natuurlijk heel argwanend, zoals je kunt begrijpen. Ik wilde beslist zien wie het was. Toen ik over het pad langs deze struiken rende…' – hij gebaarde naar waar hij bewusteloos was gevonden – '… sprong Keno op me af. De lafaard gaf me niet eens de tijd om mezelf te verdedigen. Hij sloeg me neer met iets. Een knuppel, denk ik.'

Rafe voelde een golf van woede opkomen. Als er iets was waar het Keno niet aan ontbrak, dan was het moed.

'Keno zou je niet in het donker bespringen, laat staan met een knuppel. Ik denk ook niet dat hij de man bij het raam was.' *Als er al een man bij het raam is geweest.*

'Mee eens,' zei Silas. 'Ik ken Keno nog niet zo lang, maar ik moet toegeven dat ik wel een beetje onder de indruk ben van zijn karakter.'

Olivers gezicht werd paars. 'Karakter! Zoals hij op mij inbeukte? En hij werkt voor de zendingskerk. Hypocriet, dat is het. Staat hij niet klaar om de opvolger te worden van dominee Ambrose Easton? Maar deze avond had hij mij kunnen vermoorden. En hij heeft zelfs jullie alle drie om de tuin geleid.'

'Mijn nicht Candace zou ook weleens iets hypocriets in jou kunnen ontdekken, Oliver,' zei Silas met zijn slepende, zuidelijke stem. 'Ik denk niet dat ze die *borrel* die jij wilt hebben op prijs zou stellen.'

Olivers mond vertrok. 'Als ik jou was, zou ik maar niet het heilige boontje uithangen, Silas. Ik heb gehoord dat New Orleans een ware kolonie van dronkaards en gokkers is.'

'Alsjeblieft,' kwam Eden tussenbeide. 'Moeten jullie elkaar als heren onderling echt zo beledigen?'

Rafe was echter geïnteresseerd in de onderlinge reacties en sloeg geen acht op de opmerking. Wat bracht Silas ertoe om Keno te verdedigen?

Hoewel Oliver onmiskenbaar geslagen was, kon Rafe het verhaal dat hij over Keno ophing niet geloven. En als Keno hier werkelijk was geweest, was de vraag waarom. Niet om te spioneren, en al zeker niet om Hunnewell een klap te verkopen. Er moest iets anders achter zitten.

'Heeft hij niets tegen je gezegd? Heeft hij niet gezegd waarom hij hier was?'

Oliver streek het haar ongeduldig van zijn voorhoofd. 'Ik heb je al gezegd waarom hij zich in de struiken verborgen hield. Ik zeg helemaal niets meer. Je gelooft me toch niet. Ik praat er wel verder over met sheriff Harper!'

Rafe keek op naar Silas die fronste en in de richting van het strand keek.

'Heb je iets op je hart, Silas?'

'Ik had het niet willen zeggen, maar misschien kan ik het beter wel doen. Ik heb vanavond ook iemand gezien. Hij rende naar de poort, maar ik geloof niet dat het Keno was.'

Rafe nam hem even op.

'Wanneer was dat?'

'Ongeveer twintig minuten geleden. Ik ging naar buiten om een sigaret te roken. Even later hoorde ik een groot tumult uit deze richting. Zeer waarschijnlijk van de plek waar we nu staan. Ongeveer een minuut later verscheen er iemand tussen de bomen aan de voorkant van het huis. De gestalte sloop als een kleine vos op fluwelen voeten rond. Hij – of zij – zag me eerst niet.'

Rafe merkte op dat Eden iets verstrakte. Met een gebaar dat hij goed kende schoof ze een donkere haarlok van haar wang achter haar oor... dat deed ze altijd wanneer ze zich niet op haar gemak voelde.

'Ik maakte een fout met mijn sigaret. De kleine vos moet de gloeiende punt hebben gezien en zette het vervolgens op een lopen in de richting van het strand. Tegen die tijd leek het me goed om poolshoogte te nemen op de plek waar ik het tumult had gehoord. Daar vond ik Oliver.'

'En Eden?' vroeg Rafe nonchalant.

Ze keek hem aan en haar ogen werden kleiner. 'Ik kwam net aan.'

'Ja, Eden kwam van het pad hier,' beaamde Silas.

Maar waar vandaan? vroeg Rafe zich af. Hij zou het later vragen.

'Eden liep naar de achterveranda om hulp te halen, maar de deur zat op slot. En toen kwam jij, Rafe.'

Edens gezicht bleef verborgen in de schaduwen van de avond, zodat Rafe niets kon zien. Hij was er zeker van dat ze allemaal meer wisten dan ze vertelden. Dat gold ook voor hemzelf. Hij was niet van plan te vertellen over zijn vermoeden dat er iemand achter het bamboegordijn had gestaan. Nog niet.

Oliver rechtte zijn schouders. 'Ik heb genoeg van het detectiefje spelen. Ik ga naar binnen. En ik zeg jou één ding, Easton: ik dien een aanklacht tegen Keno in bij sheriff Harper. Met dit soort gedrag komt hij niet weg. Dat mag je hem van mij vertellen.'

Hunnewell draaide zich om en pakte Edens arm vast. Rafe wilde tussenbeide komen, maar bedacht zich toen ze Oliver ondersteunde.

'Ik zal mijn vader vragen naar je verwondingen te kijken,' zei ze. Silas liep achter hen aan, ongetwijfeld om zich weer bij zijn grootvader te voegen en verdere vragen te vermijden.

Rafe zag hen gedrieën naar de voorkant van het huis lopen.

Als Oliver al iemand door een raam had zien kijken, kon Keno het niet geweest zijn. En het was al helemaal uitgesloten dat Keno zich op de lanai zou verstoppen om de vergadering achter het gordijn af te luisteren.

Waarom was Eden deze avond vanuit het ziekenhuis in Kalihi hierheen gekomen? Hij glimlachte vaag. Was ze geschokt toen ze hem tussen al die aanhangers van annexatie zag? Wat zou ze met die informatie doen? En was het haar bedoeling geweest om ongezien te blijven? Hij dacht van wel. Er was iets misgegaan. Zeer waarschijnlijk was het de ruzie tussen Oliver en Keno – of wie het ook was geweest – die haar dwong om zich aan Silas te vertonen. De verpleegster in haar kon niet wegsluipen en Oliver bewusteloos laten liggen. Misschien dacht ze dat hij ernstig gewond was.

Ze had die avond in het ziekenhuis gewerkt, zei ze. En dokter Jerome was er ook. Interessant... hoe dacht Jerome eigenlijk over annexatie? Wat zou hij er eventueel bij kunnen winnen om informatie voor de monarchie te verzamelen?

Stel dat Eden haar vader had zien vertrekken en hem gevolgd was, en dat ze zich niet realiseerde wat hij van plan was totdat ze ontdekte dat hij op de lanai voor luistervink speelde? Het kostte minder dan vijftien minuten om van

Kalihi naar Waikiki te lopen. Voor de lange, slanke dokter Jerome was het hooguit tien minuten.

Maar zou Jerome tegen zijn vader, Ainsworth, samenspannen?

Als het om de opening van zijn kliniek op Molokai ging, zou hij tot het uiterste gaan. Ja, besloot Rafe ernstig. Dokter Jerome stond ook op de lijst van mogelijke spionnen voor de monarchie – als hem dat de toestemming van de koningin zou opleveren om zijn kliniek te openen.

Hij liep in de richting van het gietijzeren hek aan de weg. Wat hem het meest bezighield, was welke reden Keno gehad kon hebben om hier te verschijnen. De rest kon tot later wachten, tot hij Eden gesproken had.

Keno was geen dwaas als het op de geestelijke worsteling met de zonden aankwam. Hij zou vanaf het begin hebben beseft dat hij een goede kans liep om Oliver bij het huis van de Hunnewells tegen het lijf te lopen. Wat had hem er dan toe gebracht om dat te riskeren?

Rafe liep het ijzeren hek uit. Parallel aan de onverharde weg liep een kleiner pad dat hij vaak gebruikte. Het kronkelde door groepjes wuivende palmbomen en verspreide lavaformaties naar de Wai Momi – Parelrivier – waar de marine van de Verenigde Staten met interesse naar keek. Pearl River zou een uitstekende marinebasis kunnen zijn, dacht hij, maar daarvoor zou eerst heel wat ingenieurswerk verricht moeten worden. Als annexatie inderdaad de toekomst was voor Hawaï, zou Pearl River Harbor een waardevolle aanwinst zijn.

Hij wist waar hij Keno waarschijnlijk kon vinden. Op de plek die zij beiden opzochten in tijden van spirituele nood.

4

Rafe liep in looppas langs de waterkant, over een breed gedeelte van het witte zandstrand. Er was geen maanlicht en de sterren die meestal zo schitterden, waren verduisterd. De golven dreunden op de kust, sloegen over de lage rotsen en bespatten alles binnen hun bereik. Hij nam het pad dat wegliep van de kust, omzoomd door grote wilgachtige bomen die ruisten in de wind en naderde even later de zendingskerk en de bungalow van zijn oom Ambrose. De lampen gloeiden achter de ramen van de kerk waar Ambrose zijn wekelijkse Bijbelstudie voor de mannen hield.

De kerk was voor Rafe synoniem aan rust en vrede, want binnen haar muren rustte de schat van de waarheid die alle discussies beantwoordde en alle ruzieachtige, zelfzuchtige stemmen tot zwijgen bracht.

Even verderop zag hij Keno. Hij was niet naar de kerk gegaan, maar zat op enige afstand op een grote zwarte lavarots, bovenop een kleine heuvel met uitzicht over de kerk, de bungalow en het witte zand van het strand in de verte. Rafe kon zien dat Keno met zichzelf worstelde.

Hij zuchtte, wachtte nog een minuut en klom vervolgens de heuvel op, naar de lavarots. Zijn vriend keek in zijn richting en hield vervolgens zijn hoofd vast alsof hij een zware hoofdpijn had. Rafe bleef staan, leunde tegen een glad gedeelte van de steen, zette zijn voet tegen de rots en keek naar de donkere, rusteloze zee. Hij hoorde de golven en de wind terwijl boven de rots de donkere palmbomen ruisten en schudden. Hij bedacht hoe ze als jongens dezelfde rots beklommen om met verrekijkers naar de schepen op zee te kijken. Ze droomden ervan op een dag zelf een schip te bezitten om vrij over de zeeën te zwalken.

Onder hem lag de zendingskerk in een schilderachtig tafereel, wit afstekend tegen de donkere silhouetten van de tropische begroeiing. Hij merkte de open deur op en het lamplicht dat erdoor naar buiten viel en dacht aan de haast spreekwoordelijk geworden uitdrukking, toegeschreven aan dokter Jerome Derrington die de kerk hier bouwde. De naar verhouding grote deur werd in het midden geplaatst, want 'Jezus is de ware deur die opengaat voor vergeving en toegang tot de Vader.'

Rafe dacht vaak dat Jerome een grote vergissing in zijn leven had begaan toen hij, nadat Rebecca naar Molokai was overgebracht, de beslissing nam om op zoek te gaan naar een remedie tegen lepra. De beslissing had hem weggevoerd van zijn dochter Eden en de Derringtons en had hem de exotische uithoeken van de Oosterse wereld laten verkennen. De ontberingen van het reizen vervreemdden hem van het werk dat hij met zoveel hartstocht had gedaan. Als hij in Honolulu was gebleven om te prediken, was zijn leven misschien veel bevredigender geweest – en zijn gezondheid sterker. Rafe had er niets over tegen Eden gezegd, maar Jerome zag er afgeleefd uit. Niettemin was het eenvoudiger om een groep op hol geslagen wilde hengsten tegen te houden dan Jerome te stoppen in zijn streven naar een medische onderzoekskliniek op Molokai.

Na een tijdje kwam Keno in beweging. 'Heeft Hunnewell je verteld wat er gebeurd is?'

'Hij heeft zijn verhaal gedaan. Wat is het jouwe?'

'Ik dacht dat ik nederig was door naar de ingang voor de bedienden te lopen, aan de achterkant van het huis. Maar toen liep ik Oliver tegen het lijf. Hij beschuldigde me ervan dat ik op het terrein rondsloop en hij bleef me maar beledigen. Ik heb het geprobeerd, maar ik kon het niet aan. Kennelijk ben ik toch niet zo nederig, maar trots. Ik heb hem een dreun verkocht. Achteraf begreep ik dat ik mijn reputatie verspeeld had, en dus ging ik er vandoor. Ik ben hier naartoe gegaan om er met Ambrose over te praten, maar ik kon niet zomaar bij de Bijbelstudie met al die godvrezende mannen binnenlopen.' Hij kreunde, schudde zijn hoofd en liet het weer op zijn handen rusten. 'Hij zal zich enorm schamen voor zijn "beschermeling".'

'Je kent hem wel beter.'

'Natuurlijk schaamt hij zich. Als dit naar buiten komt...' Keno keek naar de verlichte ramen van de kerk. 'Ik ben zijn medewerker – of ik was dat. En nu breng ik hem alleen in verlegenheid.'

'Ambrose is geen dominee die overal zijn reputatie moet verdedigen. Hij is een van de hulpherders van de Grote Herder. Het enige waar hij zich zorgen over zal maken, is hoe hij een gewond schaap kan helen.'

'Uiteindelijk ben ik tekortgeschoten tegenover God.'

'God is genadig. We hebben een pleitbezorger bij de Vader. Hij maakt werk van het schoonwassen van voeten, weet je nog?'

'Goed, maar mensen bewusteloos slaan!'

'Het zou niet gebeurd zijn als je niet al met je woede aan het worstelen was geweest. En ik kan het weten, want dat is ook één van mijn oorlogsterrein op geestelijk gebied.'

Keno wist alles van Rafes lange geschiedenis met woede jegens Townsend Derrington. Als jongen van twaalf had hij hem al de schuld gegeven van de dood van zijn vader. Kort nadat Townsend met zijn moeder was getrouwd had hij voorgesteld om Rafe te adopteren en een Derrington van hem te maken, maar Rafe had zo fel geweigerd dat zelfs Celestine de moed had gehad om nee te zeggen tegen haar nieuwe man – iets wat ze niet vaak genoeg deed als het ging om Townsends dwingelandij en pesterijen. Rafe had moeten toekijken hoe de man uiteindelijk zijn egoïstische zin kreeg door met Celestine te trouwen en de controle over de bezittingen van de Eastons te verwerven, die hij in de loop van de jaren verkwanselde. Toen Rafe een jongeman werd, smeulde hij van woede en afkeer.

'Ik ben niet in de positie om jou de les te lezen,' zei Rafe ernstig. 'Maar ik weet hoe gevaarlijk woede kan zijn als die niet onder controle blijft. Het kan een van de bolwerken van de duivel worden, in zijn strijd tegen ons.'

Keno bleef in de schaduw zitten, met zijn hoofd nog steeds in zijn handen.

'Bolwerken maken het de vijand makkelijker om hinderlagen op ons pad te leggen. Wij moeten allebei onze kwetsbaarheden in de gaten houden. We weten dat de zonde als een leeuw voor de deur rondsluipt, klaar om te springen.'

'Ik kon de sluipende leeuw voelen toen ik kwaad werd, en hij heeft zijn prooi deze keer behoorlijk te grazen genomen.'

'En nu wil hij je weg zien kruipen naar de woestijn van het schuldbesef en de wanhoop, waar je je wonden kunt likken. Als je dat doet, heeft hij opnieuw gewonnen. Als we eraan twijfelen dat Christus ons werkelijk kan reinigen van al onze onrechtvaardigheid, heeft hij ons van het rechte pad in de greppel laten belanden.'

'Je hebt gelijk… ik moet verder. Ik moet het incident rechtzetten met God en doorgaan.'

Rafe viel stil. Ze keken naar de activiteiten bij de kerk onder hen, waar de Bijbelstudie was afgelopen. Een paar mannen kwamen naar buiten en liepen naar de bungalow om Noelani te begroeten en te genieten van haar kleine kokosgebakjes.

'Maar weet je,' ging Keno verder, 'die mannen daar beneden zullen het horen over mij en Hunnewell.'

'Ze kennen jou. Ze kennen Hunnewell niet. Ze zullen jouw kant kiezen. Als ze dat niet doen, stelt hun broederschap weinig voor, vind je niet?'

'Candace zal erover horen.'

'Candace zal haar eigen conclusies wel trekken. Maar reken maar dat Oliver haar allerlei leugens op de mouw spelt. Hij beweert nu al dat je je in de struiken schuilhield en hem met een knuppel besprong. Hij heeft het er zelfs over om sheriff Harper in te schakelen.'

Keno kreunde opnieuw. 'Alles om me als misdadiger af te schilderen.'

'Luister, Keno, het wordt ook tijd om de pijnlijke waarheid onder ogen te zien dat je Candace kwijt bent. De verloving wordt volgende week gehouden. Ze zet het door.'

Hij sprong overeind en begon te ijsberen. 'Dat kan ze niet doen!'

'Maar ze doet het wel. Ze is iemand die op blote voeten over gloeiende kolen zou lopen als dat van een aanzienlijke vrouw verwacht zou worden. Hetzelfde geldt voor Eden. Je weet zelf hoe irritant Eden kan zijn.' Rafe bukte, raapte een stukje zwarte lava op en gooide het weg. 'Ze gaat met haar vader naar Molokai, ongeacht hoe of wat. Ik heb dus maar besloten dat dit de weg van haar emotionele bevrijding moet zijn. Maar het vergt wel veel geduld.'

Keno was diep in zijn eigen strijd verwikkeld. 'Er moet meer achter die plotselinge beslissing van Candace zitten dan dat ze haar grootvader wil gehoorzamen.'

'Er is ook meer, ik ben er zeker van,' mopperde Rafe. 'Eden weet wat het is.'

Keno keek hem aan. 'Hoe weet jij dat?'

'Ze kijkt altijd weg als ik haar naar Candace vraag.'

Hij zakte weer als een hoopje ellende in elkaar op de rots. '*Vrouwen!*'

'Je bent niet de enige. Je weet wat ik allemaal heb meegemaakt met juffrouw Groenoog.' Hij probeerde de stemming te verlichten voor Keno. 'Ik heb eens nagedacht. Als we in een andere tijd hadden geleefd, had ik Eden op de *Minoa* gezet en was ik naar de Caraïbische Zee gevaren. We zouden aan boord getrouwd zijn en ze had er niets tegen kunnen ondernemen.'

Keno glimlachte. 'Dat zou een idee zijn, jongen. Voor ons allebei.'

'Precies. We nemen ze mee en zeilen naar Jamaica. Ik heb gehoord dat het land daar goedkoop is, en de suiker groeit er even goed als op Hawaï. We stichten onze eigen plantages en krijgen elk zes zonen om ze aan na te laten.'

'Een schitterend plan.' Keno stond op. 'Als we nog in de zeventiende eeuw leefden, zouden we er nog mee wegkomen ook.'

'Ach ja, die goede oude tijd.'

'En zouden we er nu nog mee wegkomen...?'

Rafe keek hem aan, zag zijn serieuze uitdrukking en begon te lachen.

De maan kwam onverwachts tevoorschijn vanachter een wolk en goot een zilveren gloed over het terrein rond de kerk. Het witte gebouw en het kruis glansden als een baken van hoop, als een vuurtoren op een rots, in de stormachtige nacht.

'We gaan erover nadenken. Maar eerst wil ik weten waarom je vanavond naar het huis van de Hunnewells bent gegaan.'

Keno's betere stemming zonk onmiddellijk weer weg en zijn voorzichtige uitdrukking was een waarschuwing voor Rafe. *Moeilijkheden op komst.*

Zijn vriend haalde een opgevouwen papier uit zijn zak en gaf het hem.

'Het spijt me, jongen. We waren zo druk met mijn problemen dat ik die van jou was vergeten. Ambrose kreeg dit telegram vanavond van je moeder in San Francisco. Hij zei dat het belangrijk was. Daarom ben ik je gaan zoeken en zo kwam ik uiteindelijk op gevaarlijk terrein terecht.'

Toen de stad San Francisco werd genoemd, staken de stormen van het conflict onmiddellijk weer op.

Rafe nam het papier aan, vouwde het open en las in het zilveren maanlicht de woorden die een alarmsignaal uitzonden.

'Townsend is hier. Ik denk dat hij het huis in de gaten houdt. Parker Judson heeft de politie laten roepen maar Townsend was verdwenen tegen de tijd dat ze kwamen. Hij is nog steeds in San Francisco. Parker heeft beloofd dat hij Kip en mij zal beschermen, maar ik voel me toch niet op mijn gemak.'

Hij las de boodschap een paar keer en gaf hem toen aan Keno te lezen. Er viel een gespannen stilte. Rafe liep naar de rand van de heuvel en keek in gedachten verzonken naar beneden. Het tafereel onder hem zou een pittoresk schilderij kunnen opleveren dat het aan elke wand goed zou doen. Statige palmen, een mooi wit kerkje, het kruis dat Gods vergeving verkondigde en mannen die met bijbels in hun handen huns weegs gingen. Ambrose stond in de deuropening, zijn robuuste silhouet tekende zich scherp af tegen het licht dat vanuit de kerk kwam. De bries vanaf zee over de rots voerde lachende stemmen mee. Alles is in orde, leek het tafereel te verkondigen.

Behalve dat Townsend in San Francisco is.

Townsend, die Rafes vader had laten sterven na een val van een rots, om zijn vrouw en zijn land te kunnen inpikken. Townsend, die geprobeerd had het landgoed van tante Nora in handen te krijgen door haar geest en lichaam met een drug te vergiftigen. Townsend die de Gezondheidsraad op Kips achtergrond op Molokai had gewezen, om wraak te nemen op Rafe die Hanalei weer in handen had gekregen. Townsend die de hut van Ling Li op Kea Lani in brand had gestoken omdat hij vermoedde dat Ling weet had van de schurkachtige daad die hij jaren geleden tegen Matt Easton had begaan.

De woorden *Townsend is hier* waren als met bloed geschreven en Rafes eerste emotie was dat hij hem hoe dan ook moest tegenhouden. Alleen de wetenschap dat zijn moeder en Kip veilig in het huis van Parker Judson verbleven, weerhield hem ervan om onmiddellijk zijn koffers te pakken.

De stormen van het conflict staken weer op, deze keer niet bij Keno maar in zijn eigen gemoed. Hij voelde dat de orkaan een paar op zand gebouwde huizen zou vernietigen voordat de stormwinden zouden kalmeren, als ze dat al zouden doen.

Keno kwam naast hem aan de rand van de heuvel staan en gaf hem het telegram van Celestine terug. Zijn ogen stonden ernstig toen hij Rafe aankeek.

'Je had het toch over die leeuw voor de deur? Volgens mij is die zijn klauwen weer aan het likken,' zei hij.

5

De mannen van de Bijbelstudie waren naar huis en in de bungalow van Ambrose heerste nu een gespannen stilte. Voor de deur en de ramen rukte en trok de woeste wind aan de tropische begroeiing. In de keuken deed Noelani de afwas na het vertrek van de mannengroep, haar toegewijde bijdrage aan het werk van Ambrose.

Rafe liep op en neer in de woonkamer en wreef met een hand in zijn nek. Hij voelde hoofdpijn opkomen. Keno leunde met zijn schouder tegen de muur en staarde mistroostig naar de vloer. De ramen rammelden en een tak van een boom sloeg tegen de zijmuur van de bungalow.

Ambrose was bezorgd om zijn neef.

'Laat de politie in San Francisco hem oppakken, Rafe.'

'Zodat ze het net zo kunnen verprutsen als de politie in Honolulu?'

Hij voelde frustratie. De politie kwam mensen te kort en was langzaam. Townsend was hun makkelijk te slim af geweest. Hij moest een vermomming hebben gebruikt om aan boord van de boot te kunnen komen.

'Ainsworth wilde Townsend van de eilanden laten ontsnappen,' stelde Rafe. 'Hij wilde niet dat hij ondervraagd zou worden, uit angst dat de kranten het verhaal zouden publiceren en de naam van Derrington door het slijk zou worden gehaald. Hij heeft in stilte druk uitgeoefend op de autoriteiten om de andere kant op te kijken.'

'Je weet hoe ik erover denk,' antwoordde Ambrose. 'De autoriteiten mogen nooit zwichten voor de druk van de sociaal machtigen, of de rijke elite. Anders krijg je tirannie.'

'Een reden te meer voor de grondwet van de Verenigde

Staten en de *Bill of Rights*. Maar los van alle discussie, ze hebben jouw getuigenverklaring dat Townsend het toegaf,' zei Rafe. 'Hij stak de hut van Ling in brand om hem over de dood van Matt te laten zwijgen. Harper heeft met Ling gesproken. Ik heb hem de ondertekende en gedateerde brief laten zien die Nora en Candace mij stuurden. Townsend was bang dat Nora details over de dood van Matt in haar familiegeschiedenis van de Derringtons zou opnemen. Daarom probeerde hij die in Tamarind House te stelen.'

'Maar heeft hij de feiten ooit in handen gekregen? Hij heeft er die avond op Kea Lani niets over gezegd tegen mij of Ainsworth,' merkte Ambrose op.

'Hij moet het geschrift van Nora te pakken hebben gekregen op de avond dat Zach hem naar Koko Head bracht. Townsend beschouwde haar als een bedreiging toen hij begreep dat Nora het als haar plicht zag om de waarheid in haar boek te vermelden voordat ze zou overlijden. Ling werd zijn volgende probleem, want hij was getuige van de dood van Matt. Hij moest Ling het zwijgen opleggen om het boek van Nora te kunnen ontkrachten. Het was Townsend die zijn hut in brand stak en eveneens Townsend die bij Tamarind House inbrak om Nora's manuscript te zoeken en na te gaan of zij de waarheid over Matt vertelde. Het was Townsend die wegliep en mijn vader liet sterven, Townsend die wist dat Ling de enige getuige tegen hem was.'

'Wat we niet hebben, is Townsends bekentenis met betrekking tot Nora,' zei Ambrose.

'Of het hartmedicijn,' vulde Rafe tandenknarsend aan. 'Als we toen harde bewijzen hadden gehad, zouden die de suggestie van dokter Jerome hebben bevestigd dat er een beetje arsenicum kon zijn toegevoegd.'

Keno keek op. 'Hij en dokter Bolton hebben de sheriff toch verteld dat ze niet onder ede konden verklaren dat het medicijn vergiftigd was?'

'Dat zeiden ze inderdaad,' antwoordde Ambrose. 'Ze konden niets anders zeggen omdat de arme, verwarde Nora het bewijsmateriaal had weggegooid. Daarna kon sheriff Harper niet zoveel meer doen.'

Rafe vroeg zich af of Nora Derrington wel zo verward was als ze deed voorkomen. Hij had veel vaker over haar dwaasheid nagedacht dan hem lief was, en deed dat ook nu weer, met wederom hetzelfde frustrerende resultaat. Nora had het enige bewijs vernietigd waarmee aangetoond kon worden dat ze opzettelijk vergiftigd werd.

'Mijn beste jongen! Er is geen enkele reden voor jou om kwaad te worden op mij,' had ze gezegd toen hij haar kort daarna ondervroeg. 'Hoe moest ik weten dat dat flesje zo belangrijk zou zijn? Ik merkte alleen maar dat ik ziek werd na de eerste dosis van dat afschuwelijke medicijn dat dokter Bolton had voorgeschreven. Ik had toch al nooit veel op met zijn recepten. Als Eden er niet op aangedrongen had, zou ik het helemaal niet gebruikt hebben. En deze keer dacht ik dat hij zich werkelijk had vergist en dat het preparaat bedorven was. Daarom heb ik het weggegooid. En ik verzeker je dat het heel verstandig was.'

Verstandig of niet, het was gebeurd. Het was bovendien ongelukkig dat ze klaagde over medische incompetentie en weigerde een andere dokter te raadplegen, zoals Candace haar aanraadde. Het gevolg was dat het nog twee weken duurde voordat Eden en dokter Jerome in Tamarind House aankwamen en ontdekten hoe vreselijk ziek ze was geweest. Als ze maar een week eerder waren gekomen, hadden ze het flesje wellicht nog kunnen vinden bij de vuilverbrander achter het huis. Rafe was daar op onderzoek uitgegaan, maar tegen die tijd was er niets meer te vinden dan verschroeide rommel.

Hij schonk koffie voor zichzelf in. Tegenwerking en obstakels hadden hem wekenlang belemmerd. Dat er onvoldoende juridisch bewijs gevonden was tegen Townsend was een permanente bron van zorg geworden.

Nu hij alle details opnieuw hoorde en het telegram van Celestine uit San Francisco had gelezen, voelde hij de drang om zelf actie te ondernemen. Als de Derringtons niet voor gerechtigheid kozen, zou hij de zaken in eigen hand nemen als hij daar aankwam. Hij begreep dat zijn opvatting Ambrose zorgen baarde en Keno had gelijk wat betreft de leeuw die op zijn prooi aasde. Rafe voelde diens hete adem in zijn nek, met aansporingen om zelf wraak te nemen.

Zijn gedachten gingen naar Ainsworth. Die had onmiddellijk gebruikgemaakt van het verdwenen bewijs van de medicatie om te beweren dat Nora zich vergiste wat het vergiftigen betrof. Hij had er bij haar met grote nadruk op aangedrongen om de aanklacht tegen haar neef pas na de reis naar Washington in te dienen. Tegen anderen zei hij: 'Nora begint oud te worden. Ze heeft zich die vergiftigde pillen misschien ingebeeld. We weten dat ze zich de laatste tijd niet goed voelde. Het was dus niet zo verwonderlijk dat ze een paar weken het bed hield.'

Of Ainsworth dat werkelijk geloofde was twijfelachtig, en vanaf het begin zocht hij naar manieren om te voorkomen dat het schandaal in Honolulu bekend zou worden. Hij wond zich buitensporig op over hoe de kwestie de naam Derrington zou bezoedelen. 'Zeker nu,' protesteerde hij. 'Ik verzeker je dat dit een cruciaal moment is voor het slagen of falen van de annexatiebeweging. Een krantenkop over een moordaanslag door mijn zoon zou een goudmijn zijn voor de monarchisten.'

Rafe begreep de angst van Ainsworth. Townsends reputatie zou door de oppositie als een stormram worden gebruikt om de hele beweging omver te werpen.

'Zoals je al zei, hebben we geen bekentenis van Townsend,' zei Rafe. 'Maar hij zou ook nooit toegeven dat hij arsenicum in de medicijnen zou hebben gedaan. Toen hij zag wat ze opgeschreven had – dat hij was weggelopen en mijn vader hulpeloos op de lavarotsen had laten liggen – wist hij dat zijn geheim niet langer verborgen zou blijven en dat Nora hem zou ontmaskeren. Hij moest haar het zwijgen opleggen. En het zou hem gelukt zijn als ze iemand was geweest die het medicijn trouw was blijven gebruiken. Een extra dosis zou haar waarschijnlijk alsnog fataal zijn geworden.'

Toen Townsend naar Kea Lani was gekomen, ontkende hij alles wat Ambrose en Ainsworth hem voorhielden, om daarna in arrogantie te vervallen. Hij gaf openlijk toe dat hij de hut van Ling in brand had gestoken om hem en zijn vrouw het zwijgen op te leggen. Hij gaf zelfs het ergste toe – dat hij Rafes vader aan zijn lot had overgelaten toen hij na een ruzie over Celestine van de klif op de lavarotsen eronder was gevallen. Goed, Townsend beweerde dat hij ervan uitging dat Matt het toch niet had overleefd, maar ook al was het geen moord met voorbedachten rade – waar Rafe zwaar aan twijfelde – zijn daad was op zijn minst opzettelijke nalatigheid, de dood tot gevolg hebbend.

Rafes kaak verstrakte. Townsend had zijn vaders dood gewenst. Hij had de vrouw en het land van Matt willen hebben. En hij kreeg die ook, tijdelijk. Maar nu begon hij langzaam maar zeker door de keuzes in zijn leven ingehaald te worden. De klok tikte. Hij verloor het waardevolle land en bedrijf van de Eastons, en hij verloor de mooie Celestine. Hij riskeerde zelfs een moordaanslag om zichzelf te beschermen, maar deze keer ging het mis. De vraag die Rafe het meest zorgen baarde, was wat hij nu van plan zou kunnen zijn. *Ik moet naar San Francisco.*

'Hoe vreemd het misschien ook klinkt, jongen, jij bent misschien degene die het meeste te vrezen heeft van Townsend. Volgens mij heeft hij altijd een hekel aan je gehad, al vanaf je jongensjaren. Jij was de slimmerik, de knappe jongen, de erfgenaam van alles wat Easton was, inclusief de moeder-lijke trots en liefde van Celestine. De jaloezie heeft zijn hart met haat vervuld. Jij bent ook degene die de aandacht op hem vestigde, en wat daarbij onthuld werd, was niet zo fraai.'

Ze werden onderbroken door een zelfverzekerd kloppen op de voordeur.

Noelani deed open. Keno liep achter haar met een bord vol kokosgebakjes en een mok koffie.

'Goedenavond, Noelani,' zei een mannelijke stem in de deuropening. 'Het spijt me dat ik jullie om deze tijd nog lastigval. En het stormt ook nog als ik weet niet wat. Ik dacht dat ik van de weg geblazen zou worden. Luister, is Ambrose nog op? Dan zou ik hem graag even willen spreken.'

Rafe herkende de stem van sheriff Percy Harper. Hun-newell had dus woord gehouden en was naar de autoriteiten gestapt, bedacht hij grimmig. Hij keek op naar Keno. *Moei-lijkheden à la Hunnewell. Zet je maar schrap.*

Keno zuchtte en zette het bord neer. Ambrose stond op toen Noelani de bruinverbrande sheriff met een bezorgde frons op haar gezicht in de kamer bracht. Harper bleef staan en keek verrast toen hij Keno zag. Rafe vroeg zich af of hij soms verwacht had dat hij naar de heuvels zou zijn gevlucht.

Keno liep de kamer binnen, nog steeds met de koffie in zijn hand, op zoek naar een plaats om hem neer te zetten. Rafe nam de mok van hem over, waarna Keno vriendelijk een hand uitstak naar Harper. 'Goedenavond, sheriff. Zoekt u mij?'

Harper aarzelde, maar schudde vervolgens zijn hand. 'Hallo, Keno. Ik moet zeggen dat ik wel verbaasd ben om je hier te vinden.'

'Op maandagavond ben ik altijd hier na de Bijbelstudie van de mannen.' Na een seconde voegde hij eraan toe: 'Ik heb niets te verbergen.'

'Dat hoop ik van harte, jongen. Dus je was vanavond hier in de kerk?'

Er viel even een stilte in de bungalow. 'Nee, dat niet.'

'Waar was je dan?'

'Wacht even, als je wilt, Percy,' kwam Ambrose tussenbeide. 'We weten allemaal waarom je hier bent. Ik heb liever dat de neef van mijn vrouw niet teveel zegt voordat we weten waarvan Oliver Hunnewell hem van beticht, als hij al een aanklacht tegen Keno heeft ingediend.'

'Het spijt me, Ambrose. Ik vind dit niet leuk, maar het is mijn plicht. De heer Hunnewell zegt dat Keno zich vanavond als indringer op zijn vaders terrein in de struiken had verstopt en hem met een knuppel besprong toen hij over het tuinpad liep. Het had te maken met de kleindochter van de heer Derrington, juffrouw Candace.'

'Hij liegt,' zei Keno. 'Oliver Hunnewell zat zelf in de struiken. Ik liep voorbij om…'

'Dus je was inderdaad op het terrein van de Hunnewells?'

'Ja, maar ik was niet binnengedrongen…'

'Ik had hem gestuurd, Percy,' legde Ambrose uit. 'Ik kreeg een belangrijk telegram van Celestine, een boodschap voor haar zoon, Rafe. Ik vroeg Keno om die aan hem door te geven. Hij zou daar niet zijn geweest als ik het hem niet had gevraagd.'

Percy Harper keek voor het eerst Rafe aan. Iets in zijn ogen verried dat de sheriff niet alleen argwaan koesterde tegen Keno. Hij stond op goede voet met de kring van vertrouwelingen rond koningin Liliuokalani. Hij en zijn vrouw woonden zelfs in een buitenhuisje dichtbij paleis Iolani. De Reform Party was tegen Harpers benoeming als sheriff geweest, maar de koningin zette door en had uiteindelijk gewonnen. Rafe had niets tegen de man op zich: hij was eerlijk, maar hij was ook een verklaard tegenstander van de annexatiebeweging van Thurston.

'Was jij vanavond bij Hunnewell?'

Rafe glimlachte ontwapenend. 'Laat eens kijken… er

stonden een paar adressen op de agenda…' Hij tikte tegen zijn kin. 'Hmm, ik denk dat ik voorzichtig moet zijn om het vertrouwen van een aantal oude Hawaïaanse patriotten niet te beschamen. U kunt beter direct naar Hunnewell gaan en hem vragen wie hij vanavond ontving.'

Harper nam hem op. 'Wil je dat ik het aan Hunnewell vraag? Hij beweert dat Keno hem te grazen nam.'

'Ik bedoel Hunnewell senior. Ja, sheriff, hij is de man met wie u moet praten. Ik denk dat hij u kan vertellen dat zijn zoon Oliver de laatste paar weken nogal emotioneel was – u begrijpt, met de verloving met de kleindochter van Derrington voor de boeg. Ik ben er zeker van dat Thaddeus Hunnewell zijn zoon zal aansporen om alle valse aantijgingen tegen mijn vriend Keno terug te nemen. De heer Hunnewell is te slim om de onschuldige, hardwerkende assistent van dominee Ambrose voor het gerecht te slepen vanwege een euveldaad die de arme Oliver heeft verzonnen.'

De sheriff keek Rafe lang aan, perste zijn lippen op elkaar, keek naar Keno en weer terug naar Rafe. 'Is hier iets gaande waar ik geen weet van heb?'

'Nee, sheriff,' antwoordde Rafe. 'Wij willen de heer Hunnewell senior alleen besparen dat zijn zoon hem in verlegenheid brengt. U zult begrijpen dat hij het niet op prijs stelt als de kranten verhalen over Oliver gaan schrijven, of over zijn gasten van gisteravond.'

Harper lachte sarcastisch. 'Ik begrijp wat je bedoelt, Easton. Maar Oliver is nu enorm over zijn toeren, of hij het verzonnen heeft of niet. Als ik Keno niet op zijn minst meeneem naar de stad voor ondervraging, weet ik zeker dat Hunnewell junior mij nog een hoop moeilijkheden gaat bezorgen. Ik kan jou en Ambrose verzekeren dat ik daar geen behoefte aan heb.'

'Dat kan ik heel goed begrijpen,' antwoordde Rafe met gespeeld medeleven.

'Geen wonder dat de Amerikanen een *Bill of Rights*

wilden – en geen arrestaties zonder een spoor van bewijs,' merkte Keno op.

Harper keek hem scherp aan. 'Jij staat onder de Hawaiaanse wet.'

'Wacht even, vrienden,' greep Ambrose in. Hij ging tussen Harper, Keno en Rafe in staan. 'We schieten er niets mee op als we de woede laten regeren. Percy, ik kan je verzekeren dat Keno er de jongeman niet naar is om zich met een knuppel in de struiken te verschuilen. Als hij iets over zijn gevoelens met betrekking tot juffrouw Candace had willen zeggen, had hij het van man tot man gedaan.'

'Daar zou niets op tegen zijn. Ik moet toegeven dat de hele kwestie mij ook verrast. Maar niettemin…'

'Als je Keno meeneemt, zal dat Olivers arrogantie alleen maar groter maken. Dan raakt hij ervan overtuigd dat hij iedereen kan koeioneren omdat hij een Hunnewell is.'

Harper zuchtte. 'Het spijt me, Easton, Ambrose. Ik moet hem meenemen voor ondervraging.'

'Dan wordt hij bijgestaan door een advocaat,' zei Rafe vastberaden. 'Ik ga met hem mee en ik laat Withers van het Grote Eiland komen. Die kan snel met een boot oversteken.'

Er klonk een deftige vrouwenstem. 'Dat is allemaal niet noodzakelijk, heren. Ik heb van begin tot eind gezien wat er gebeurd is. Desnoods leg ik een officiële getuigenverklaring af.'

Rafe draaide zich om. Eden stond in de deuropening. Haar donkere haar was door de wind verwaaid en haar mooie gezicht verried spanning en vermoeidheid. Maar haar groene ogen waren helder en keken bezorgd in de richting van sheriff Percy Harper.

Ze liep de kamer in en Noelani deed de deur achter haar dicht. Ze keek stralend op naar Eden, het meisje dat ze in deze bungalow opvoedde terwijl dokter Jerome Derrington naar alle windstreken trok om een remedie te vinden tegen de ongeneeslijke ziekte.

Eden had haar grijze verpleegstersuniform nog aan, met de witte schort waarop een groot, rood kruis prijkte. Haar hoofdkapje hield ze in haar hand. Ze was buiten adem en Rafe bedacht dat ze bijna de hele weg had moeten rennen om hier op tijd aan te komen. Het moest een zware tocht zijn geweest, tegen de stormwind in. Hoe was ze erachter gekomen dat sheriff Harper hier naartoe ging? Hij herinnerde zich dat ze samen met Oliver het huis van de Hunnewells was binnengegaan, om zijn 'wonden' te verzorgen. Het kon niet anders of ze had gehoord hoe Oliver sheriff Harper liet ophalen.

Voordat hij op haar verschijning kon reageren, kwam Eden naast Ambrose staan en keek ze Harper recht in de ogen. 'Zal ik met u meegaan naar de stad, sheriff, of kunt u mijn getuigenverklaring hier opnemen?'

'Hier is goed genoeg,' merkte Rafe op, met zijn handen op zijn heupen. Hij keek Harper met een niet mis te verstane boodschap in zijn ogen aan.

'Daarvoor hoeven we niet naar de stad, juffrouw Derrington. Misschien dat we de hele kwestie hier vanavond kunnen afhandelen. Tenminste, als jullie me even willen excuseren. Ik heb een pen en inkt nodig en wat papier. Ambrose, kun jij daarvoor zorgen?'

'Geen probleem.'

Rafe schoof een stoel in de richting van Eden en beduidde haar om te gaan zitten. Haar blik vond de zijne. Met een onschuldig gezicht trok hij een wenkbrauw op en toonde zijn ontwapenende glimlach. 'Ik denk altijd aan jouw welzijn, lieveling.'

Toen ze zat, boog hij voorover en sprak dicht bij haar oor.

'Ik waardeer wat je doet om Keno te beschermen,' fluisterde hij, 'maar breng jezelf niet in gevaar. Dat zou ondergetekende niet prettig vinden.'

'Altijd de baas spelen,' fluisterde ze terug, met een lieve glimlach.

'Ik heb alleen jouw veiligheid voor ogen, schat – en die van mij.' Hij keek haar ernstig aan. 'En nadat je Harper overtuigd hebt, moeten jij en ik praten. Je mag me vertellen wat je vanavond bij de Hunnewells deed.'

'En als ik dat niet doe?'

Hij negeerde de uitdaging en keek naar de sheriff en Ambrose die zacht met elkaar spraken. 'Ik breng mijn beschermengel vanavond terug naar Kalihi,' zei hij, weer overeind komend. 'Onderweg kunnen we praten. Of ben je al klaar met het werk en ga je naar Kea Lani?'

Ze zuchtte en schudde haar hoofd. 'Ik ben bang van niet. Ik moet terug naar Kalihi om tante Lana en dokter Jerome te helpen.' Ze noemde haar vader altijd 'dokter Jerome' wanneer ze met anderen over hem praatte. Haar moeder noemde ze steevast 'Rebecca' en soms ook 'moeder', maar ze zou haar nooit aanspreken met 'mam' of 'mama'.

'Je ziet er vermoeid uit,' zei Rafe bezorgd. 'Als Harper moeilijk gaat doen, verkoop ik hem een dreun. Dan kan hij zowel Keno als mij meenemen naar de stad.'

Eden glimlachte. 'Als je me wilt helpen, kun je het rijtuig van Ambrose lenen om me straks terug te brengen,' merkte ze op.

'Je werkt veel te hard. Dat vind ik niet prettig. Je had niet verwacht dat je vanavond bij de Hunnewells gezien zou worden, nietwaar?'

De jonge vrouw gaf geen antwoord en vertrok haar mond. 'Net wat ik dacht. Je hele mooie gezichtje straalt schuldbewustzijn uit.'

'Alsjeblieft, Rafe! Laat me nu, de sheriff kijkt naar ons. Hij denkt misschien dat je me dingen influistert.'

'Als je hem maar niets vertelt. Althans, niets dat je zelf in gevaar kan brengen, schat. Wil je een kop goede Konakoffie?'

Ze glimlachte. 'Ik dacht dat je het nooit zou vragen. Dat

zou een hele steun zijn in de confrontatie met de vreselijke sheriff Harper.'

Hij sprak Noelani aan die al snel terugkeerde met twee koppen koffie, vers van de Hanalei-plantage, één voor Eden en één voor de sheriff die de geur waarderend opsnoof. 'Heerlijk.'

Een paar minuten later begon Eden haar getuigenis af te leggen tegenover Harper, die alles opschreef. Op de achtergrond huilde de wind. Rafe bleef in de buurt staan, leunde tegen de muur en luisterde geconcentreerd terwijl hij Harpers reacties taxeerde.

'Keno liep snel over het tuinpad naar de achterkant van het huis van de heer Hunnewell, naar de ingang voor de bedienden en de leveranciers. Hij was in een goed humeur en floot een liedje. Het was duidelijk dat hij geen geweld in de zin had, sheriff. Tot zijn schrik, en de mijne, kwam Oliver Hunnewell plotseling van achter de hibiscusstruiken tevoorschijn. Hij vroeg op hoge toon wat Keno daar deed.'

De sheriff liet de pen tussen zijn duim en wijsvinger op en neer dansen. 'En wat zei Keno tegen Oliver Hunnewell?'

'Hij zei dat hij een belangrijke boodschap had voor Rafe Easton, en dat dominee Ambrose hem gestuurd had.'

'En was Rafe Easton aanwezig in het huis van Hunnewell?'

Rafe zag de gretigheid in Harpers ogen die de ondervraagde strak aankeken.

Zijn verloofde aarzelde.

Waakzaam vestigde Rafe zijn koele blik op Harper. Eerst was hij ervan overtuigd geweest dat Edens aanwezigheid bij de Hunnewells wees op een spionagemissie voor iemand. Hij had zelfs gedacht dat ze misschien met de sheriff zelf onder één hoedje speelde, aangezien hij nauwe banden onderhield met de kringen rond Liliuokalani en de monarchie krachtig steunde. Maar nu wist hij wel beter. De sheriff zou nooit de blunder hebben begaan om haar die vraag in het bijzijn van Rafe te stellen. Hij zou eerder geprobeerd hebben haar aanwezigheid daar te verbloemen en te verbergen wat ze daar had gezien en gehoord. Maar in plaats daarvan onderwierp hij haar aan een kruisverhoor.

'Ik heb geen idee of de heer Easton binnen was, sheriff. Ik zag hem pas toen hij buiten verscheen om Oliver Hunnewell te helpen.'

Sheriff Harper wendde zich tot Rafe en fronste zijn wenkbrauwen. 'Goed, Easton. Waar was jij vanavond?'

'U hebt net juffrouw Derrington gehoord. Ik heb geholpen om Hunnewell te bevrijden die verstrikt was in de hibiscusstruiken. Het ligt dus voor de hand dat ik daar aanwezig was.'

'In het huis van Hunnewell?'

'Wat heeft dat te maken met de klacht van Oliver tegen Keno?'

'Daar heeft het helemaal niets mee te maken,' merkte Keno op.

Eden kwam elegant tussenbeide. 'Sheriff, mag ik alstublieft doorgaan met mijn getuigenis?' Ze voegde onmiddellijk de daad bij het woord, of hij er klaar voor was of niet.

'Net als Rafe en Keno was ik net aangekomen.' Ze maakte een ingetogen, zelfs edele indruk. Rafe verborg de emoties op zijn gezicht door zijn koffiekop onmiddellijk omhoog te brengen zodra hij verwachtte dat Harpers intens nieuwsgierige blik weer in zijn richting zou gaan.

'En waarom was u bij het huis van de Hunnewells, juffrouw Derrington?'

Rafe zag hoe ze aan haar mouw plukte en haar kin iets optilde. Haar mond vertrok. Hij kon haar trekken lezen als een boek, maar Harper niet.

'Ik had even vrij in het ziekenhuis. Ik had behoefte aan frisse lucht en dus ging ik een stukje wandelen.'

*En zo belandde je zomaar in de tuin van het huis van de Hun-
newells?* dacht Rafe. Maar Harper leek er genoegen mee te
nemen.

'En u hebt niet gezien dat Keno Oliver Hunnewell besprong en hem met een knuppel sloeg?'

Keno gromde en Ambrose legde een hand op zijn schouder om hem te laten zwijgen.

'Nee,' zei Eden beslist. 'Dat is niet gebeurd, sheriff. Oliver
Hunnewell was heel kwaad op Keno en bezigde beledigende
taal.'

'Zoals?'

'Racistische uitlatingen. Hapa-hoale hond, bastaard, dat
soort dingen. Keno moest maar naar zijn eigen soort terugkeren en Candace Derrington aan haar betere gelijken overlaten, zoals de Hunnewells. Keno verklaarde dat ook hij een
Hunnewell was en dat Olivers naar Engeland teruggekeerde
oom zijn biologische vader was. Toen hij dat zei, ontplofte
Oliver.'

Harper liet zijn pen vallen en moest hem van de vloer
oprapen. 'Hunnewell!' herhaalde hij. Hij keek Keno aan, die
even knikte en zich eerder leek te schamen voor de onthulling dan dat hij er trots op was. Snel keek de sheriff Eden
weer aan.

Rafe vertoonde echter geen spoor van verbazing. Hij wist
het al. Keno was onmiddellijk naar hem toe gekomen toen
hij het nieuws een week geleden van zijn grootmoeder had
gehoord.

'Is dat waar, Ambrose?' vroeg Harper, die zich in zijn stoel
omdraaide om de dominee aan te kijken.

'Ja, Percy. Keno's grootmoeder Luahine heeft het onlangs
onder ede verklaard, in het bijzijn van een advocaat. Ik heb
pas onlangs gehoord wie Keno's biologische vader was. Luahine was de vroedvrouw.'

De sheriff keek naar Noelani die met haar armen over

elkaar geslagen bij de keukendeur stond. 'Noelani?'

'Ja, het is waar. Keno's moeder was mijn jongste zuster, Pearline. Ze was heel mooi als jong meisje, maar dat heeft haar niet veel goed gedaan. Ze kreeg het hoog in haar bol. Philip P. Hunnewell pakte haar volledig in en zij geloofde hem.'

Keno dook snel de keuken in, zogenaamd om een nieuwe kop koffie te halen.

'Pearline liep haar ongeluk tegemoet omdat ze niet met Luahine en mij mee wilde naar de zendingskerk. Ze voelde zich nooit goed op zondagochtend en dus gingen we zonder haar. Later ontdekten we dat ze in die uren contact had met Philip Hunnewell.'Triest schudde ze haar zilvergrijze hoofd. 'Ze noemde de baby Philip, omdat ze dacht dat de vader op een dag terug zou komen uit Engeland om met haar te trouwen. Ze stierf echter een paar dagen na de geboorte van Philip en moeder Luahine noemde het kind daarna Keno.'

Harper was driftig aan het schrijven. Rafe vroeg zich af of hij nog wel wist waarvoor hij hier gekomen was. Toen hij klaar was en vragend opkeek, ging Eden verder met haar verklaring.

'Oliver was geschokt en werd enorm kwaad over de onthulling van Keno. Hij haalde uit en sloeg Keno met zijn witte handschoenen in het gezicht. Ik dacht dat hij op het punt stond om een klap met zijn vuist te geven toen Keno terugsloeg. Oliver viel achterover in de struiken. Het gebeurde allemaal heel snel. Het volgende moment draaide Keno zich om en liep hij weg door de hoofdpoort. Toen…'

Eden aarzelde en Rafe vroeg zich af waarom.

Ze leek zich niet op haar gemak te voelen maar ging toch verder. 'Mijn neef Silas Derrington kwam ook tussen de struiken en bomen vandaan en liep naar Oliver. Ik ging naar hem toe. Daarna liep ik naar de deur van de achterveranda om hulp te halen, maar die zat op slot. Een minuut later verscheen Rafe Easton die Silas hielp om Oliver overeind te tillen. Dat is het hele verhaal, sheriff.'

Harpers pen kraste de ene alinea na de andere op papier.

Het werd stil in de kamer en Keno keerde terug uit de keuken, zwijgend en met een ernstig gezicht.

Toen Harper zijn verhaal had voltooid, gaf hij de verklaring ter controle aan Eden. Rafe ging achter haar stoel staan en keek met zijn handen op zijn rug over haar schouder mee. Nadat ze het stuk had doorgelezen, gaf de jonge vrouw de papieren aan Rafe. Hij negeerde Harper. Als de sheriff nog niet had begrepen dat er iets meer tussen hen speelde dan alleen vriendschap, werd dat op dat moment wel duidelijk. Zijn blik ging direct naar de linkerhand van Eden, waaraan een verlovingsring glansde.

Even later gaf Rafe de verklaring terug aan Eden, die hem aankeek. Kennelijk kon ze zijn gedachten lezen, want ze pakte de pen op, noteerde de datum onder het stuk en zette haar handtekening.

Harper stond op en leek tevreden.

'Goed, voor vanavond laten we het hierbij. Ik breng verslag uit op het bureau en ga morgenochtend met de heer Thaddeus Hunnewell praten. Daarna neem ik weer contact met jullie op.'

Eden stond ook op en de sheriff draaide zich naar haar toe. 'Dank u, juffrouw Derrington.' Hij zocht naar zijn hoed, die Noelani hem vervolgens overhandigde. 'Bedankt voor de koffie, Noelani… dat zijn prima Kona-bonen die je verbouwt op Hanalei, Easton. Je hebt iets goeds in handen.' Hij keek de dominee aan. 'Mijn excuses voor al dit gedoe, Ambrose. De verklaring van juffrouw Derrington is waarschijnlijk afdoende. Als Hunnewell senior dit gelezen heeft, zal hij zijn zoon wel opdragen om de zaak te laten rusten. Goed, ik ga er vandoor.' Hij zette zijn hoed op en Rafe deed de deur voor hem open. Een windvlaag stormde naar binnen en blies een paar bladen papier op de vloer. 'De storm wordt steeds harder. Welterusten mensen, en nogmaals mijn excuses voor de overlast, maar jullie weten dat het nu eenmaal mijn plicht is. Tot ziens, Keno.'

Nadat Harper vertrokken was, heerste er een opgeluchte maar nog steeds gespannen stilte. Rafe sprak Keno aan. 'Dus dat bericht liet Oliver overkoken? En je kreeg een klap met de witte handschoenen? Och och, jongen toch. Wat had je dan verwacht? Je kunt niet zomaar bij de heersende klasse binnendringen, Keno. Dat kan niet getolereerd worden. Een arme haole vader is nog aanvaardbaar, maar een haole vader die Hunnewell heet, met een middenletter P?' Hij trok zijn wenkbrauwen samen. 'Je hebt de eerbiedwaardige afstamming van Oliver beledigd.'

Noelani lachte en Ambrose sprak Rafe quasi vermanend toe. 'Wat een sarcasme.'

'Maar terecht,' zei Eden lachend. 'En je weet wat er nu gaat gebeuren, nietwaar?'

'Natuurlijk,' antwoordde Rafe. 'In de betere families van Honolulu zal het nieuws als een lopend vuurtje rondgaan: Keno is eigenlijk "Philip" en de initiaal P staat voor "Pepperidge". De geruchten zullen ook Candace bereiken en…'

Ambrose schraapte zijn keel en Rafe hield zijn mond.

'Ja?' vroeg Keno enthousiast. 'En dan?'

'Dan,' zei Rafe somber, 'hoort ook Ainsworth ervan. Hij zal Candace voorhouden dat het allemaal onzin is en dat ze haar huwelijk met Oliver moet doorzetten, voor de goede naam van de Derringtons. En het plichtsbesef zal een beroep doen op de loyaliteit van onze schone dame Candace.'

Keno zette het bord met kokosgebakjes op tafel en leek zijn eetlust kwijt te zijn.

Eden sloeg haar armen over elkaar en tikte met haar voet. 'Het was niet leuk meer toen je over mijn nicht Candace begon. Zij is heel rechtlijnig en toegewijd aan de familie.'

'Lieveling, je wilt toch niet zeggen dat ze op jou lijkt?'

'Als twee druppels water,' zei Ambrose plagerig.

Eden keek Keno aan. 'Waarom besloot je grootmoeder je nu te vertellen dat je vader een Hunnewell is?'

'Ik was naar haar hut gegaan om haar en ongeveer vijftig andere verwanten op te zoeken – allemaal Hawaïanen, trouwens. Volgens mij dacht ze dat ze me argumenten gaf om Candace te veroveren. Als bleek dat ik een Hunnewell als vader had, zou dat alles voor mij veranderen – althans, dat dacht ze. In werkelijkheid heeft het de zaak alleen maar gecompliceerder gemaakt.'

'Ik wist dat het Keno niet zou helpen,' zei Noelani bedroefd. 'Ik zou eerst met Luahine zijn gaan praten als ik geweten had dat ze geheimen wilde onthullen. De Hunnewells zouden hem heus niet plotseling in de familie opnemen, of hem een erfdeel geven.'

Keno trok zijn boord recht. 'Ik was niet van plan om erover te beginnen.' Hij keek naar Ambrose. 'De woede maakte mijn tong los. Je hebt me gewaarschuwd, maar ik heb niet goed genoeg geluisterd.'

'We moeten allemaal leren beter te luisteren, jongen. Geen van ons kan op eigen kracht voor God bestaan. Als we het proberen, rollen we allemaal van de berg,' zei Ambrose vergoelijkend.

'Bovendien, ik zou mezelf niet willen opdringen aan de Hunnewells,' besloot Keno.

'Natuurlijk niet,' antwoordde de dominee. 'Je wilt niet dat de Hunnewells of wie dan ook denken dat je omgekocht kunt worden. Toen Abram Lot en de koning van Sodom uit de handen van hun vijand redde, wilde de koning van Sodom hem belonen door hem de buit te schenken. Abram weigerde. Hij zou nog geen schoenveter van de koning van Sodom willen hebben. De zegen, de ware zegen komt enkel en alleen van God.'

Eden stond op en keek op haar horloge. 'Ik moet terug naar het ziekenhuis. Tante Lana zit op me te wachten.'

'Ik moet je rijtuig even lenen, Ambrose,' zei Rafe.

'Het is nog ingespannen. Ik dacht al dat we het misschien nog nodig zouden hebben.'

Keno liep naar Eden, pakte haar hand, boog diep en gaf een staaltje welsprekendheid weg. '*Merci Mademoiselle.* Hoe kan ik u genoeg danken dat u mij te hulp bent geschoten? Van nu af aan zal ik uw toegewijde dienaar zijn.'

Eden lachte en pakte haar verpleegsterskapje van tafel. 'Ik zal je ridderlijke belofte onthouden, Keno. Misschien komt het me nog eens van pas.'

De omstandigheid dat Eden samenwerkte met een vader die volstrekt in de ban was van zijn geloof in een 'kruidenremedie' tegen lepra, en met diens ongrijpbare assistent Hartley, kon op den duur inderdaad weleens tot moeilijkheden leiden. Dokter Jerome was een fatsoenlijke man en Rafe twijfelde er niet aan dat het zijn bedoeling was om goed te doen en God te eren, maar motieven en daden leverden niet altijd de verwachte resultaten op.

Rafe liep met Eden naar buiten, deed de deur achter hen dicht en bleef even op de trap voor de bungalow staan. De wind sloeg in hun gezicht en de hemel was zwaar van wolken.

'We zijn waarschijnlijk doorweekt voordat we er zijn,' zei hij.

Ze liepen naar het paard dat voor het kleine rijtuig was gespannen en Eden leek te popelen om terug te keren naar het ziekenhuis in Kalihi.

Het was geen eenvoudige uitdaging om een bekentenis te ontfutselen aan de schoonheid die hij nog niet geheel en al veroverd had. Bij Eden was niets eenvoudig. De wind rukte aan haar jurk en trok kleine lokken onder haar haarkammen los. Rafe besloot dat het niet alleen een stimulerende uitdaging was, maar een die elk emotioneel moment waard was dat hij eraan zou moeten spenderen.

6

Eden luisterde naar het klepperen van de paardenhoeven en het rammelen van rijtuig op de onverharde weg naar het ziekenhuis in Kalihi. Er was geen maan en de dikke, laaghangende wolken die binnenrolden kondigden regen aan. Ze hoorde de geluiden van de zee en de palmbomen die langs de weg heen en weer zwiepten in de grillige wind.

Het was voor het eerst sinds weken dat ze alleen was met Rafe. Zijn werkzaamheden in de Hawaïaanse Legislatuur en op de ananasplantage en de koffieplantage Hanalei op het Grote Eiland namen hem bijna volledig in beslag.

Eden wist niet of ze opgelucht moest zijn over de kennelijke onverschilligheid die hij de laatste tijd tegenover haar tentoonspreidde, of dat ze zich gekrenkt moest voelen in haar vrouwelijke trots vanwege zijn gebrek aan hartstocht. Maar ze hadden dan ook besloten dat er niet te veel 'hartstocht' mocht zijn, omdat het huwelijk nog ten minste een jaar moest wachten.

Er bleef een gespannen stilte tussen hen hangen. Haar onrust mengde zich met bezorgdheid over zijn stilzwijgen. *Hij denkt vast aan de boodschap die Keno hem bracht. Wat hield die in?*

Bezorgd keek ze opzij. Rafe was niet de enige met vragen die een antwoord vereisten. Zelf had ze er ook een paar en ze zocht naar het juiste moment om ze ter sprake te brengen. Het bericht waarvoor Keno het risico had genomen om Oliver die avond tegen het lijf te lopen, moest wel belangrijk zijn.

Ondanks de zwoele nacht huiverde ze toen ze bedacht waarom ze zelf in die tuin was geweest. Rafe zou vragen stellen die zelfs de sheriff niet had bedacht. Het had haar verrast dat Harper haar niet naar de belangrijkste zaken had gevraagd.

Ze draaide haar hoofd een beetje en keek van onder haar wimpers naar Rafe. Ze probeerde zijn gedachten te raden, die zeker niet naar haar uitgingen! Ze keek naar de verlovingsring aan haar vinger en huiverde opnieuw. Er was geen licht en de prachtige diamant was evenzeer van zijn glans beroofd als zij en Rafe van romantische woorden.

Ze nam zijn profiel op, de krachtige lijn van zijn kaak, de wind die door zijn golvende, donkere haar blies, zijn gespierde schouders. Hij was zo knap dat Claudia Hunnewell, de zus van Oliver, had gezegd dat Eden dwaas was als ze hem niet 'aan de haak sloeg' nu ze de kans had. 'Weet je niet hoeveel andere rijke dochters van planters een oogje op hem hebben? En jij vertrekt doodleuk met je vader naar Molokai.' Eden kneep haar vingers stijf dicht op haar schoot.

Ze begrepen gewoon niet waar het haar om ging. Nou ja, alleen haar nicht Candace, tot op zekere hoogte. Maar Candace had de laatste tijd zoveel problemen met haar verloving met Oliver dat ze er volkomen door in beslag werd genomen en de meeste tijd doorbracht op Koko Head, bij haar oudtante Nora. Maar ze had haar wel geschreven: 'Als mijn lieve moeder een leprapatiënte op Molokai was geweest, en ik haar nooit had kunnen ontmoeten, zou ik al mijn plannen omgooien om dat te kunnen verwezenlijken. En het werk dat je met oom Jerome doet, is precies datgene waarvoor je al die jaren bent opgeleid. Je huwelijk een jaar uitstellen om een droom in vervulling te laten gaan die je sinds je kindertijd hebt gekoesterd, lijkt mij niet te veel gevraagd. Rafe lijkt er heel verstandig mee om te gaan. Als je niet gaat voordat je moeder overlijdt, zul je het altijd betreuren dat je haar nooit hebt gezien. En later in je huwelijk zou je misschien zelfs Rafe de schuld gaan geven. Nee, het is beter om dit allemaal verwerkt te hebben voordat je je belofte voor God aflegt. En Rafes volwassen inzichten kennende, zal hij er net zo over denken.'

Ja, Rafe Easton was een man voor wie veel vrouwen zich van hun beste kant wilden laten zien, zelfs nu nog, ongeacht het feit dat hij verloofd was.

Ze keek weer naar hem. Ruig, knap, oprecht in zijn christelijk geloof en met ogen die, als ze in de hare keken – wat ze tegenwoordig kennelijk liever niet deden – levendig en energiek waren onder hun dikke wimpers.

Ze kon de spanning in zijn sterke lichaam bijna voelen. Hij had wat sommigen zouden omschrijven als een norse blik, maar ze kende hem veel te lang om hem ooit als nors of humeurig te typeren. Hij was een van de meest onverstoorbare en beheerste mannen die ze ooit had ontmoet – als hij het zelf wilde. Als hij die houding aannam, kon zij noch iemand anders zijn emoties peilen. Hij was er een meester in om ze buiten bereik te houden.

Wat moest ze hem vertellen over het incident bij de Hunnewells? Ze kon haar diepste innerlijke geheimen nog niet aan hem prijsgeven. Ze was opgegroeid met haar emoties achter slot en grendel en het viel haar moeilijk om de sleutel af te geven, zelfs aan Rafe Easton, de enige man, afgezien van Ambrose, die ze vertrouwde. Ze wilde dezelfde vertrouwensband met haar vader, maar die was er nog niet. Maar omdat ze zich nog steeds niet vrij voelde om haar ware drijfveren met Rafe te delen, zou er een onprettige patstelling tussen hen blijven bestaan. Natuurlijk wilde ze dat niet, maar ze leek het niet te kunnen voorkomen. Als hij nu maar niet zou aandringen om van haar te horen *waarom* ze die avond naar de tuin was gekomen – maar er was weinig kans dat hij het erbij zou laten zitten.

Eerder die avond had ze haar hart in haar schoenen voelen zinken toen ze hem in de tuin zag. Ze begreep dat hij haar op de veranda van de Hunnewells had herkend. Ze kon wel door de grond gaan vanwege zijn sarcastische grijns. *Wat een aangename verrassing, mijn beste juffrouw Derrington!*

En een verrassing was het zeker!

Als Oliver Keno niet zo had getergd dat hij die afschuwelijke dreun op zijn kaak kreeg, had ze volkomen onopgemerkt kunnen blijven en stilletjes uit de achtertuin kunnen verdwijnen, zoals ze ook binnen was gekomen, zonder door Rafe of wie ook gezien te worden.

Maar toen was het ergste gebeurd. Wat een dwaas was Oliver om sheriff Percy Harper erbij te roepen uit gekrenkte trots. Hij zou binnen een paar dagen van zijn uitglijder herstellen. Hij zou een buil krijgen, een flinke bloeduitstorting op zijn kaak en zijn vader zou hem met een paar hartige woorden op de gevolgen van zijn schandalige gedrag wijzen. Ze was omwille van Keno naar voren gekomen om de sheriff te vertellen wat ze had gezien, en nu hoopte ze een verder kruisverhoor te ontlopen. Ze draaide haar hoofd weg van Rafe en zuchtte. In de verte zag ze het ziekenhuis van Kalihi.

Ze waren er, en ze hadden nog geen woord gewisseld.

★

Het ziekenhuisterrein in Kalihi, vijf kilometer ten westen van Honolulu, werd aan drie zijden omringd door water. Toen ze hier voor het eerst kwam, ontdekte Eden dat de Gezondheidsraad het hospitaal op zekere dag had gesloten. Het hout van de wanden was naar Molokai gebracht, waar het onder andere werd gebruikt om er doodskisten voor de lepraslachtoffers van te maken. Het was een stukje geschiedenis dat haar van haar stuk had gebracht.

Het nieuwe ziekenhuis en het Kakaako quarantainekamp werden aan de kust tussen Honolulu en Waikiki gebouwd.

In Kakaako zaten mensen van wie men vermoedde dat ze lepra hadden. Ze werden vastgehouden tot de ziekte definitief door de Gezondheidsraad werd vastgesteld. Er was ook een klein onderzoekslaboratorium waar een artsenteam de ziekte bestudeerde. Eden voelde zich bevoorrecht om voor haar tante Lana Stanhope te mogen werken, de assistente en verloofde van dokter Clifford Bolton.

Er stond een hek om het Kakaakocomplex en bewakers hielden de mogelijk besmette bewoners gescheiden van de grote bevolkingscentra, op niet meer dan anderhalve kilometer afstand in Honolulu. Na de medisch-juridische uitspraak van de Gezondheidsraad werden de opgeslotenen ofwel vrijgelaten of op de boot gezet voor een enkele reis naar de leprakolonie. Ze kwamen dan aan bij de ruige kustlijn van Molokai, waar de boot niet kon aanleggen en het water wild en gevaarlijk was. In vroeger tijden werden de slachtoffers letterlijk overboord gezet en moesten ze zelf maar aan land zien te komen of verdrinken. Tegenwoordig werden er kleinere boten van de lepraboot neergelaten en trotseerden roeiers de golven om de zieken zo dicht mogelijk bij de zwarte rotsen van de kust af te zetten.

Hier in Honolulu omspoelden de blauwe wateren van Kalihi Bay het lepra-ziekenhuis aan de westkant en in het zuiden. Aan de overkant van de baai lag een groot stuk land met daarachter Ewa Field. Tussen de twee landtongen lag de natuurlijke ankerplaats van 'Pearl Lochs'.

'De perfecte locatie voor een grote marinehaven,' merkte Rafe op.

Het waren zijn eerste woorden sinds ze de bungalow hadden verlaten.

Eden kon zich niet inhouden. 'Voor de Amerikaanse marine, neem ik aan?'

'Zou jij liever de Japanse of de Engelse hebben?'
Hij klonk prikkelbaar.

'Waarom kan het niet gewoon op een dag de Hawaïaanse marine worden?'

'Dat klinkt heel mooi, maar je moet de realiteit onder ogen zien. De Hawaïaanse marine zou geen lang leven beschoren zijn tussen de wereldmachten. Denk aan de toekomst, niet alleen aan 1892. Als de annexatiebeweging geen succes boekt, zullen de Pearl Lochs uiteindelijk door een of ander rijk worden ingenomen.'

Ze besloot geen olie op het vuur te gooien. 'Als ik een van die drie zou moeten kiezen, zouden het de Verenigde Staten zijn.'

'Het zal een van die drie worden, of we kiezen of niet. Daarom moeten we de annexatiebeweging steunen nu we de kans hebben.'

Zijn glimlach was ontwapenend. Hij stapte uit het rijtuig, liep eromheen en tilde Eden op de grond. Zijn handen bleven even op haar schouders liggen en zijn blik werd streng. 'Vertel mij eens waarom jij in de tuin van de Hunnewells rondsloop terwijl er een geheime vergadering van de Annexatie Club werd gehouden.'

'Alsjeblieft zeg, Rafe! *Rondsluipen*?'

O nee. Ik wist dat dit zou komen, dacht ze.

'Ik meen het, Eden.' Zijn felle ogen leken haast licht uit te stralen. 'Vertrouw jij je toekomstige echtgenoot of niet?'

De draagwijdte van de opmerking bracht haar even van haar stuk. 'Vertrouwen? Natuurlijk vertrouw ik je!' Haar stem had een gekwetste ondertoon.

'Echt waar? Ik vraag het me af. Maar als het zo is, vertrouw me dan ook je verklaring toe.'

'Dat kan ik niet.' Ze maakte zich los van zijn handen, draaide zich om en keek naar Kalihi.

'Dan vertrouw je me dus niet. Zo eenvoudig is het.'

'Zo eenvoudig is het niet. Dit is een heel persoonlijke kwestie.'

'Als we met elkaar zullen trouwen, liggen jouw hart en leven open voor mij.'

Geschrokken draaide ze terug. *Als* we zullen trouwen? Waarom zei hij het zo?

Ze had hem nooit eerder zo kwaad gezien. Ze had het de laatste tijd heel druk gehad met Kalihi en met haar oudtante Nora, bij wie ze voor dokter Jerome een ontmoeting met koningin Liliuokalani probeerde te regelen. Rafes veranderde gemoedstoestand kwam daarom als een verrassing voor haar.

'Jij hebt het over persoonlijke openheid,' zei ze, 'maar vallen jouw hart en leven daar ook onder?'

'Ik ben open geweest tegenover jou.'

'Wat stond er dan in die boodschap die Keno jou met zoveel risico voor zichzelf kwam brengen?'

Ze zag zijn kaak verstrakken. 'Het was een bericht van Celestine uit San Francisco. Ze had Townsend herkend, die het huis van Parker Judson observeerde.'

Eden kon een zucht niet onderdrukken nu deze mededeling al het andere waarover ze zich zorgen maakte een paar tellen verdreef. Haar oom Townsend die Celestine lastig viel… en Kip misschien ook.

'Weet grootvader Ainsworth ervan?'

'Nog niet. Maar probeer Townsend even te vergeten. Ik wil weten wat jij vanavond bij Hunnewell deed.'

Ze kon zich er niet toe brengen om alle feiten op tafel te leggen, uit angst dat hij de verkeerde conclusies zou trekken. Maar aan de andere kant was er het even grote gevaar dat hij de verkeerde indruk van haar zou krijgen als ze niets zei.

'Rafe, je hebt gehoord wat ik tegen de sheriff heb gezegd.'

'Ja, dat je even een luchtje ging scheppen. Kom op, liefje, je kunt wel iets beters bedenken. Het verbaasde mij dat hij het accepteerde.'

'Jij hebt het steeds over vertrouwen. Waarom kun je mij niet vertrouwen?'

'Ik vertrouw je morele karakter volkomen, maar je politieke ideeën leunen tegen die van Nora aan, en zij steunt Liliuokalani. Als jij vanavond bij de vergadering van de Annexatie Club was, kwam je daar niet om te applaudisseren. Hoewel ik het niet zeker kan zeggen, zou ik denken dat je daar was om informatie te verzamelen. Was het voor Nora, die het vervolgens door kan spelen aan de koningin?'

Ze voelde haar wangen warm worden. 'Wil je zeggen dat ik een spion ben? Dat ik jou welbewust zou tegenwerken… en mijn eigen grootvader? Hij was er ook…'

Rafe glimlachte kil. 'Ja, hij was er, zoals je later ontdekte. Maar je vertelde Oliver en Silas dat je gekomen was om hem op te zoeken. Daarmee viel je door de mand. Je had geen idee dat hij daar was totdat je hem zag, vanachter het bamboegordijn. Heb ik gelijk? Ik denk van wel.'

Ze deed een stap achteruit. Even kon ze haar stem niet vinden, misschien omdat ze het ook niet wilde. Haar stijve, onzekere vingers krampten om haar verpleegsterskapje.

'Als jij mij van iets slechts wilt betichten, zeg het dan ronduit.'

'Was jij vanavond op de lanai?'

De zinderende spanning tussen hen duurde voort. Eden draaide hem haar rug toe.

Rafe pakte haar bij haar schouders en draaide haar weer naar zich toe. 'Was je daar om te spioneren?'

Ze perste haar lippen op elkaar en keek hem onaangedaan aan.

Hij liet haar los. 'Koppig, nietwaar, *lieveling*?'

'Ik ben geen spion. Dat zou genoeg voor je moeten zijn.'

'Wie heeft je dan gestuurd? Niet erg voorkomend van wie het ook was om jou het risico te laten lopen ontdekt te worden, als een lieftallige, kleine dief die door de ramen gluurt.'

'O!' brieste ze.

'Was het Nora? De koningin, of, laat me eens raden, misschien de eerbiedwaardige dokter Jerome?'

Eden wrong haar handen. 'Je hebt de mond vol over vertrouwen maar je gedraagt je alsof je mij helemaal niet vertrouwt!'

Hij keek haar weer aan en ze zag een woede in zijn ogen die ze nooit eerder had gezien. Het maakte haar sprakeloos.

Langzaam trok hij zijn handen terug van haar schouders en deed een stap achteruit. Het simpele gebaar zei meer dan hij ooit met woorden had kunnen uitdrukken.

Hij bleef herhalen dat hij haar vertrouwen niet kreeg. Ze wist hoeveel vertrouwen voor hem betekende: vanaf het moment dat ze hem leerde kennen had ze altijd bij hem terecht gekund. En nu dacht hij dat ze hem niet vertrouwde.

'Goed dan, Eden. Het heeft weinig zin om zo door te gaan. We laten de zaken tussen ons open totdat je besluit dat je mij kunt vertrouwen. In de tussentijd heb ik werk genoeg te doen in het hotel. De Legislatuur vergadert morgen.'

Ze bleef even stokstijf staan en voelde enige opluchting omdat de vreselijke aanvaring tussen hen kennelijk ten einde was. Maar alle opluchting verdween toen de woorden *de zaken tussen ons open laten* tot haar doordrongen.

'Je bent kwaad op mij,' zei ze zacht. 'Wat bedoel je ermee om de zaken tussen ons open te laten?'

'Schat, soms denk ik dat je niet klaar bent voor het offer van het huwelijk.'

Verbijsterd deed ze een stap achteruit.

'Je hebt niet het benodigde vertrouwen in de man met wie je zegt een nieuw leven te willen opbouwen,' stelde hij. 'Je zit emotioneel vast aan Jerome. In het huwelijk draait het om liefde, vertrouwen, gebondenheid en loyaliteit aan één man boven alle andere, je echtgenoot.'

'Rafe,' huilde ze, met een wanhopige ondertoon. 'Dit kun je niet menen...'

'Ik meen het wel. Ik kwam altijd op de laatste plaats bij jou.'

'Dat is niet waar!'

'Ik ben overtuigd van wel, Eden. Er is maar weinig plaats in jouw hart voor iets anders dan Jerome, Molokai en het ziekenhuis. Nou, lieverd, je kunt je er naar hartenlust in uitleven. Maar zonder mij.'

Ze stond als aan de grond genageld en keek hulpeloos toe hoe hij om het rijtuigje heen liep.

'Maar Rafe,' riep ze met een brekende stem. Het was nauwelijks meer dan een gesmoorde fluistering.

'Welterusten, Eden.'

'Wacht!'

'Als je er klaar voor bent om mij te vertrouwen zoals een vrouw haar aanstaande man hoort te vertrouwen, weet je waar je me kunt vinden. Maar ik wacht niet oeverloos, deze keer niet. Ik ben niet van plan om er nog lang te zitten. Hooguit twee weken.'

Door een waas van tranen zag ze hem in het rijtuigje stappen en de leidsels in zijn hand nemen.

Het paard trok het wagentje over de weg de schaduwen in, buiten haar blikveld.

Een *ultimatum*!

★

In het ziekenhuis in Kalihi, onder het oorverdovende lawaai van de razende wind en de slagregens tegen de ramen, dacht Eden dat haar hart in duizend scherven uit elkaar zou spatten.

Toen ze de kamer van de verpleegsters bereikte, een kleine ruimte naast de grote hal, was ze emotioneel zo uitgeput dat ze bijna naar binnen struikelde. Tot haar opluchting zag ze dat Lana er niet was. Ze had even tijd om alleen te zijn, na te denken… bij te komen.

Dat hij zomaar wegreed zonder een nadere verklaring voor zijn woede jegens haar, was een grove belediging voor alles wat er tussen hen bestond.

Het deed immens pijn dat de ene man die ze boven alle anderen liefhad haar ervan beschuldigde dat ze hem niet vertrouwde. Hoewel hij helemaal niet blij was geweest met haar beslissing, had hij gezegd dat hij haar de kans wilde geven om de grote droom van haar moeizame jeugd te vervullen: de kans om haar moeder te ontmoeten en een jaar lang met haar vader in diens kliniek te werken.

Eden voelde de oude wanhoop als een kille wind in haar innerlijk.

Goed! Als hij er zo over denkt, dan zij het zo. Ik laat hem net zo onaangedaan gaan als hij mij de rug toekeerde en wegliep.

Ze keek naar haar spiegelbeeld in de kleine spiegel boven de wasbak en inspecteerde haar gezicht zoals een vreemde dat zou doen. Wat ze zag, was een meisje met een bleek gezicht, en rode vlekken van emotie op haar wangen.

Ze perste haar lippen stevig op elkaar en voelde sterk de verleiding om met haar voeten te stampen uit frustratie. In plaats daarvan duwde ze een donkere haarlok die door de wind was losgerukt terug op haar hoofd. *Kalm blijven.* Haar vingers trilden. Een teken dat alles nog niet gekalmeerd was in haar hart.

Ze hield van hem.

Ze smoorde een woedende schreeuw, greep de grote gele bloem van de schaal, trapte hem kapot en smeet hem in de afvalbak.

En zij was een voorbeeldige zendelinge? Vol zelfbeheersing en verdraagzaamheid? Wie dat geloofde, zat er faliekant naast! Misschien had Rafe toch gelijk en was ze emotioneel niet klaar voor het huwelijk. Maar ze was ook niet klaar om een gekwelde zendelinge op Molokai te worden. Alleen Christus kende haar zwakheden en tekortkomingen.

Ze wendde zich af van haar spiegelbeeld, greep de tafel vast en liet haar tranen de vrije loop. Ze dankte God dat er niemand was die haar zo tekort zag schieten.

★

Ze wankelde naar een stoel en liet zich er moedeloos in vallen, terwijl ze de tranen van frustratie liet vloeien.

Een leven zonder Rafe kon ze zich niet voorstellen.

De wind joeg de regen meedogenloos tegen de ramen.

7

Nadat hij Eden bij het ziekenhuis had achtergelaten, keerde Rafe terug naar het Royal Hawaiian Hotel. Het idee om zijn eigen suite te huren was ontstaan al snel nadat hij ontdekt had dat zijn werk in de Legislatuur en de politiek-strategische bijeenkomsten van de Reform Party vaak zijn persoonlijke aanwezigheid vereisten. Niet zelden ging het werk ook door tot laat op de avond. De suite betekende een beperking van de tijdrovende boottochten van en naar Hanalei op het Grote Eiland.

Hij was in een grimmige stemming toen hij de kamer binnenkwam. Hoe sterk zijn emotionele band met Eden ook was, hij was vastbesloten om zijn emoties te onderdrukken en zich op de crisis in San Francisco te storten. Hij had een eigen roeping te vervullen en was van plan dat ook te doen. Met kille vastberadenheid maakte hij zijn zakken leeg en gooide de inhoud met een opzettelijke klap op tafel.

De klok tikte. Hij liep over de geboende houten vloer met zijn dikke tapijt naar het schrijfbureau.

Hij moest de volgende ochtend een telegram aan Parker Judson zenden. Deze avond zou hij nog een bericht naar Ainsworth Derrington sturen en hij zou de boodschappenjongen betalen om de boodschap direct af te leveren.

Hij twijfelde niet aan zijn beslissing en schreef de brief snel, in zijn krachtige handschrift.

Waarde heer,
U zult naar ik weet morgenochtend voor een ontmoeting met de koningin naar het Iolani-paleis komen, en het is belangrijk dat ik u spreek zodra u arriveert. Ambrose ontving een telegram van

Celestine. Townsend is in San Francisco. Hij hangt bij het huis van Parker Judson rond. Mijn moeder en de jonge Kip verblijven bij de heer Judson, zoals u weet. Ingrijpen van onze kant is essentieel. Ik heb besloten uw eerdere suggestie te honoreren om u en leden van de Reform Party naar het vasteland te vergezellen, maar ik ben van plan in San Francisco te blijven terwijl u en Thurston per trein naar Washington D.C. reizen voor een ontmoeting met minister Blaine van Buitenlandse Zaken.
Rafe Easton, Royal Hawaiian Hotel

Eerder had Rafe een excuus gezocht om de reis naar Washington te kunnen afzeggen, om zijn verplichtingen als bedrijfsleider van de plantages te kunnen waarnemen en de vergaderingen van de Legislatuur te kunnen bijwonen. Maar aangezien hij de zetel van Parker Judson bezette, was hem gevraagd om zich aan te sluiten bij de Thurston-commissie. Nu zag hij de reis zelf als een goed excuus. De boot zou eerst San Francisco aandoen. Thurston en Ainsworth zouden een dag of twee spreken met de controversiële suikerkoning van Californië, Claus Spreckles, voordat ze op de trein naar Washington zouden stappen. Rafe zou de adoptie van Kip kunnen regelen en de kwestie Townsend kunnen aanpakken.

Hij liep naar beneden. De kroonluchters en lampen brandden volop, als een schatkamer vol fonkelende diamanten. Nadat hij de verzegelde envelop met wat geld aan de boodschappenjongen had gegeven en hem een extra betaling had beloofd wanneer hij de missie met succes had voltooid, keerde Rafe terug naar zijn suite.

Toen hij de deur opendeed, zag hij aan de andere kant van de kamer een man die uit een stoel opstond. De lamp naast de fauteuil was gedimd en een grote bananenplant in een pot wierp zware schaduwen. De gestalte boog voorover en greep de leuning van de stoel vast.

Rafe had zijn jasje al uitgetrokken toen een bekende stem

onhandig vroeg: 'Ben jij dat, Rafe?'

De aangesprokene bleef verbijsterd staan en leunde met zijn schouder tegen de deur. 'Moet je je echt zo in de schaduw verborgen houden?' gromde hij.

Zachary Derrington, Rafes stiefbroer vanwege Celestines huwelijk met Townsend, en de neef van Eden, knipperde tegen het licht toen hij de lamp eindelijk hoog wist te draaien.

Hij en Zach waren ongeveer even oud. Ze groeiden op als tegenpolen vanwege Zachary's voortdurende strijdlust. Dat alles was tussen hen veranderd sinds Zach bijna twee jaar terug tot geloof was gekomen, maar nu en dan dook de spanning nog als een overblijfsel uit oude tijd op.

'O. Sorry.' Hij fronste. 'Nou ja, de deur zat niet op slot,' zei hij ter verdediging. Hij wees naar de lamp naast de beklede fauteuil. 'En jij hebt die lamp hier gedimd…' Hij stopte en glimlachte berouwvol. 'Ik had iets moeten zeggen. Het spijt me.'

Rafe lachte. 'Ga zitten.'

Zachary, een lange, knappe jongeman met een spleetje in zijn kin, leek meer op zijn vader Townsend dan Silas. De rivaliteit die hij als jongeman tentoonspreidde om Eden van Rafe los te weken, was tot voor kort even onophoudelijk als bitter. In die tijd geloofde Zachary niet dat Eden zijn bloedverwante was. Toen het duidelijk werd dat zij een dochter was van Jerome, draaide Zachary als een blad aan de boom om en hij fixeerde zich nu op een huwelijk met Bernice 'Bunny' Judson, het nichtje van Parker.

Zelfs in zijn moeilijke jaren hield Rafe een oogje op Zachary en gunde hij hem speelruimte. Vanaf zijn kindertijd vertoonde de jongen afwijkend gedrag, soms zo ernstig dat hij onder doktersbehandeling kwam. Gelukkig had hij sinds hij zijn gekwelde geest aan Christus had gegeven ook langere perioden gekend waarin hij een mildere persoonlijkheid vertoonde. Nu echter, met alle spanningen rond Silas en de pesterijen van Townsend, waren er weer tijden dat hij in het slop raakte en de medicatie moest gebruiken die dokter Bolton voorschreef.

'Te veel wind voor de boot?' vroeg Rafe met een scheef glimlachje.

Zach was ertoe overgegaan om veel tijd op zijn boot door te brengen, in plaats van naar Kea Lani te gaan – ongeveer zoals Rafe er een suite in het hotel op nahield om de nog langere reis langs Kea Lani en de zendingskerk naar Hawaii-ana te vermijden.

Er was nog een reden waarom Rafe maar zelden op Ha-waiiana verbleef. Hij had het zogenaamde Grote Huis voor Eden gebouwd en het zou nog heel lang duren voordat ze daar samen zouden wonen, als het er ooit van kwam. Hij vond het niet prettig om in het lege huis rond te lopen, waar zijn voetstappen weergalmden.

Zachary kreunde. 'Die wind is moorddadig – en over moord gesproken…' Hij keek op en zijn lichtblauwe ogen stonden gespannen. 'Ik moet iets belangrijks met je bespre-ken. Daarom ben ik gekomen. Heb je nog wat koffie?'

Rafe nam Zach met een schuine blik keurend op. Hij bestelde koffie en richtte zich weer op zijn bezoeker. Als hij niet het afgelopen uur met Ambrose of Keno had gesproken, wat onwaarschijnlijk was, kon hij niet gehoord hebben dat Townsend in San Francisco was gezien. Wat zat hem dwars? Die opmerking over moord kon nauwelijks serieus zijn.

Pas toen Zachary een beetje onhandig in het licht ging verzitten, kreeg Rafe antwoord op zijn vraag, althans ten dele. Hij zag vochtige moddervlekken op zijn modieuze hemd en, erger nog, iets dat op opgedroogd bloed leek, op de kraag onder zijn rechteroor.

Snel liep hij naar voren en trok de lamp dichter naar Za-chary toe. 'Wat is er gebeurd?'

Zach betastte de zijkant van zijn goudblonde hoofd. 'Ik

heb een bult zo groot als een kokosnoot.'

'Dat zie ik. Hoe heb je die opgelopen?'

'Dat vertel ik je zo meteen. Maar ik heb eerst koffie nodig... je hebt geen idee hoe vreselijk mijn hoofd bonkt.'

Rafe inspecteerde de bult nogmaals. 'Bij nader inzien kunnen we dokter Jerome beter nog eens opzoeken, ondanks de wind.'

'Nee!' Hij schoot omhoog uit zijn stoel met de plotselinge kracht van een Chinese duizendklapper.

Rafe bedacht dat Zachary op goede voet stond met zijn oom Jerome. Van moeilijkheden was geen sprake, voor zover hij wist. Jerome had zelfs begrip voor Zachary's moeite met Silas, wiens plotselinge opduiken hij als een onaanvaardbare inbreuk op zijn leven zag.

'Het komt wel... goed.' Hij voelde weer aan zijn hoofd. 'Het is niet erger dan toen ik van die hengst werd gegooid en dacht dat ik mijn nek had gebroken.'

Dat hadden ze beiden gedacht. Rafe en Zachary waren beiden verzot op paarden en de paardenfokkerij. Nu Eden geen bron van jaloezie meer vormde, genoten ze van de vriendschappelijke strijd wie de beste hengsten en merries had.

'Ga zitten, Zach. Ze hebben hier volgens mij geen ijs, maar ik zal er voor de zekerheid naar vragen.'

Hij voegde de daad bij het woord en besloot dat hij Zachary zijn verhaal moest laten doen, hem rustig moest houden en zijn eigen twijfels moest onderdrukken. Zijn gedachten werden abrupt onderbroken toen de piccolo de koffie kwam brengen.

'Het spijt me meneer, er is geen ijs. Maar mijn baas zei dat een wond sneller geneest als je er wijn overheen giet.'

'Haal maar een fles op.'

'Ja meneer. Ik heb er al een meegenomen.'

De jongen vertrok weer en Zachary zat nog steeds met

zijn hoofd in zijn handen. Rafe gebruikte de wijn om de wond achter zijn oor en slaap schoon te maken. Hij was opgelucht dat de gewonde weigerde naar het ziekenhuis in Kalihi te gaan waar Eden aan het werk was, of Jerome naar het hotel te laten komen.

Hij schonk koffie in en negeerde Zachary's intense aandacht voor de wijnfles. Ze waren ooit, toen ze jonger waren, met elkaar op de vuist gegaan, natuurlijk over Eden. Dat was gebeurd nadat Zachary van een wild feest op het strand was teruggekomen. Maar Rafe moest hem nageven dat hij nooit meer een fles had aangeraakt sinds Eden hem tot Christus had gebracht.

In de loop van de jaren had hij ontdekt dat Zachary het best zo rustig mogelijk benaderd kon worden, ook al voelde hij zichzelf allesbehalve kalm.

Hij proefde van de koffie die van zijn eigen aan het hotel geleverde Kona-bonen was gemaakt. Rafe had de bedrijfsleider gratis een grote baal gegeven. Al snel kwamen de complimenten van de gasten voor de 'heerlijke koffiesmaak' en het hotel werd een regelmatige afnemer van de bonen van de Hanalei-plantage.

Hij probeerde de spanning weg te nemen door over ditjes en datjes te praten totdat Zach klaar was om uit te leggen wat er was gebeurd.

'Ik denk erover om iemand aan te nemen om de koffie ook aan andere hotels te verkopen, bijvoorbeeld in San Francisco.'

Zachary knikte en keek mistroostig. 'Goed idee. Ik wilde dat ik ook een opleiding in de landbouw had gedaan. Grootvader heeft Silas het beheer gegeven over de suiker. Hij zegt dat hij er meer van weet dan ik. Mijn journalistieke werk voor Nora komt ook niet echt van de grond. Als ik de *Gazette* niet erf, of niet van haar kan kopen om mijn eigen krant te beginnen, weet ik niet hoe het verder moet in de toekomst. Als die *Silas* er maar niet was!'

'Silas kan jou niet opzij schuiven. Dat kan niemand, behalve wanneer je het zelf opgeeft. Misschien is het tijd om op een andere manier over je toekomst te gaan denken en die over te geven aan God. Misschien heeft Hij een heel ander plan.'

Rafe liep naar zijn koffers en haalde een klein flesje tevoorschijn. Op het etiket stond in schrijfmachineletters *Kalihi Ziekenhuis*. Hij keek over zijn schouder naar Zachary. Hij wilde niet naar dokter Jerome, maar had wel hulp nodig.

'Hier, neem twee van deze met nog een kop koffie.' Hij gooide hem het flesje toe.

Zachary keek laatdunkend en kneep zijn ogen half dicht om het etiket te lezen. 'Wat is dat?'

'Eden gaf ze me een maand geleden. Ze laten hoofdpijn als sneeuw voor de zon verdwijnen.'

'Weet je zeker dat het niet van dat spul is dat Nora van dokter Bolton kreeg?'

Rafe keek hem scherp aan. 'Wat? Waarom zeg je dat?'

'Een slechte grap. Het spijt me.'

'Nee, ik vraag me af waarom je aan het medicijnflesje van Nora dacht.'

Zachary wreef over zijn voorhoofd en hield het flesje vast. Hij fronste en draaide het om en om in zijn hand.

'Zelfde soort flesje… zelfde soort witte pillen…'

'Wacht eens even, jij hebt Nora's medicijnflesje met inhoud gezien?'

'Natuurlijk. Zowel op Hawaiiana toen Eden het haar bracht vanuit Kalihi als later in het huis op Koko Head.'

'Op Koko Head,' herhaalde hij. *Maar dat was onmogelijk als Nora het flesje had weggegooid, zoals ze beweerde.* 'En het waren pillen?'

'Pillen, ja. Het flesje stond op haar nachtkastje in het huis op Koko Head. Ik pakte het op en schudde het. De pillen rammelden en zij werd kwaad.'

Rafes hart begon te bonken. Hij liep dichter naar Zachary toe. 'Lag ze in bed?'

Hij knikte. 'Ze was nog ziek van die overdosis die mijn vader haar gegeven zou hebben.' Zijn stem werd scherp van wrok toen hij zijn vader, Townsend, ter sprake bracht.

Rafe dacht over de nieuwe informatie na. 'Dat was dus nog voordat Eden en dokter Jerome met de boot aankwamen?'

Hij knikte even en huiverde. Zijn hand zocht zijn hoofd weer op. '"Afblijven," snauwde Nora tegen me. Ze graaide het flesje uit mijn hand en stopte het onder haar kussen.'

Rafe staarde hem aan en haalde zich Nora in Tamarind House voor de geest. Hij hoorde haar weer verklaren dat ze de medicijnen had weggegooid omdat ze 'bedorven' waren. Zou het kunnen dat ze het flesje toch had bewaard en het verhaal over het weggooien had verzonnen? Het zou net iets voor haar zijn. Nora Derrington was zeker geen naïef 'oud dametje'. Ze was snel van begrip en eigenzinnig in haar beslissingen. Als ze misschien vermoedde dat ze werd vergiftigd en de medicijnen had gehouden...

Gehoorzaam stopte Zachary twee pillen in zijn mond en slikte ze door.

Dan moet Nora dat flesje – het bewijs van de misdaad – nog steeds hebben.

Zachary keek Rafe bezorgd aan.

'Wat bedoelde je zonet met die opmerking dat je weer naar dokter Jerome zou moeten?'

Het kostte Rafe enige tijd om zijn opwinding over het medicijnflesje te onderdrukken en zich weer op het heden te concentreren. Hij liep terug naar de tafel, pakte zijn koffiekopje op en keek ernaar om zijn emoties onder controle te krijgen. Daarna vertelde hij wat er tussen Oliver en Keno was voorgevallen, zonder de grote spanning van het moment te benadrukken.

'Oliver is een vreemde vent,' mompelde Zachary. 'Hij is heel pro-Brits, weet je? Ik heb me wel eens afgevraagd waarom hij niet in Engeland is gaan studeren, in plaats van aan Harvard.'

Rafe keek naar hem op. 'Thaddeus H. zou het niet erg op prijs stellen als hij wist dat zijn zoon een voorkeur had voor de Union Jack.'

'Alsjeblieft zeg! Hij weet het niet. Soms denk ik dat Oliver niet eens van mijn nicht houdt – maar zijn vader houdt wel van de naam Derrington, zoals grootvader Ainsworth van de naam Hunnewell houdt. De verloving is volgende week. En het lijkt Candace allemaal volkomen koud te laten.'

Rafe dacht precies hetzelfde. 'Er is iets verdachts aan die verloving. Waarom bleef ze de afgelopen jaren steeds met Keno omgaan zonder zich er iets van aan te trekken wat anderen daarvan vonden? Ze is iemand die haar eigen meningen vormt, tegen alles en iedereen in.'

'Absoluut waar.'

'Maar plotseling breekt ze met Keno en weigert hem nog te spreken of zelfs maar op zijn vragen te antwoorden. En nu gaat ze zich volgende week met Hunnewell verloven. Klinkt dat jou niet vreemd in de oren?'

'Nu je het zo zegt, ja.' Zachary liet zijn hoofd tegen de rugleuning zakken.

Rafe keek op de klok. 'Goed, Zach, en nu jouw verhaal, voordat die pillen je naar dromenland voeren. Wat is er gebeurd?'

'Oké.' Zach haalde diep adem, dronk nog een slok en begon.

'Je weet dat ik Silas ervan verdenk dat hij betrokken is bij het gokkartel. Jij weet het, iedereen weet het. Grootvader Ainsworth en oudtante Nora nemen het me kwalijk. Maar nu heb ik feiten. Let wel, het zijn nog geen keiharde bewijzen, maar die komen ook nog. Je zult versteld staan van het vuurwerk dat er nog gaat volgen als ik dit naar buiten breng.' Daarna vertelde hij Rafe hoe hij Silas eerder die avond was gevolgd. Zijn lichtblauwe ogen werden hard en hij leunde voorover.

'Ik ga Nora overhalen om mij als onderzoeksjournalist voor de Gazette naar San Francisco te sturen. Ik ga dat hele rooskleurige verleden van Silas als journalist tot op de bodem uitspitten.'

Ik kan hem beter niet vertellen dat Townsend daar ook is.

Rafe sloeg zijn armen over elkaar. 'Het zal niet eenvoudig zijn om Nora te overtuigen. Zoals je al zei, ze houdt Silas de hand boven het hoofd en als ze denkt dat jij naar San Francisco gaat om moeilijkheden op te diepen, zal haar dat niet aanstaan.'

'Maar ik heb nog een reden om te gaan. Eén waar zij wél achter staat.'

De plotseling dromerige blik in Zachary's ogen bezorgde Rafe een geamuseerde grijns. Natuurlijk, Bernice 'Bunny' Judson. En Zachary had gelijk. Nora zag liever dat hij zich voor Bunny interesseerde dan voor Claudia Hunnewell.

'Dus jij volgde Silas vanavond naar een gokhuis in het Rat Alley district.' Rafe zette Zach weer op het spoor van zijn verhaal. 'Je zegt dat Silas niet naar binnen ging. Hij bleef een tijdje rondhangen en liep vervolgens naar het ziekenhuis in Kalihi.' Hij probeerde zo nonchalant mogelijk te klinken.

'Precies,' antwoordde Zach. 'Daar bleef hij nog wat langer rondhangen, alsof hij op iemand wachtte.'

'Ben je er zeker van dat het Silas was? Heb je zijn gezicht gezien?'

'Ik hoefde zijn gezicht niet te zien. Het was Silas. Hij ziet er zelfs uit als een gokker.'

'Ik weet niet precies hoe een gokker eruit zou moeten zien. Je hebt zijn gezicht dus niet gezien, maar je bent er zeker van dat het Silas was.'

'Heel zeker,' herhaalde Zachary koeltjes. 'Dat heb ik je net gezegd.'

Maar Zachs *zekerheid* was wel vaker misplaatst gebleken. Twee maanden geleden was hij er zeker van geweest dat Silas het huis van Nora op Koko Head was binnengeslopen om haar manuscript over de vroege geschiedenis van de familie Derrington op de eilanden te stelen. Later bleek dat het niet Silas was geweest, maar Townsend. Rafe besloot echter dat het geen zin had om er nu met hem over te ruziën.

'Goed. Dus Silas stond voor het ziekenhuis. En toen?'

'Ongeveer vijf minuten later kwam mijn oom naar buiten.'

'Dokter Jerome Derrington?'

'Natuurlijk!'

'Ik wil alleen maar de feiten op een rij zetten. Ga verder.'

'Dat zou ik ook doen als je me niet steeds bleef onderbreken!'

'Hier, neem nog een kop koffie.' Rafe schonk in en probeerde niet kwaad te kijken.

'Dus oom Jerome kwam naar buiten.'

'Was hij alleen?' vroeg Rafe rustig.

'Nee.'

Rafe keek met een ruk naar Zachary op.

'Er was iemand bij hem, een collega-dokter denk ik, hoewel ik het niet zeker weet. Eerst dacht ik dat mijn oom op weg was naar huis, naar Kea Lani en dat hij alleen maar met een collega naar buiten was gelopen. Daarna zouden ze afscheid nemen en zou elk zijn eigen weg gaan. Het was ongeveer de tijd waarop hij gewoonlijk uit het laboratorium naar de plantage terugging. Het leek me dus voor de hand te liggen dat Silas hem had opgezocht en dat ze samen het rijtuig van de familie naar huis zouden nemen.'

'Heb je het rijtuig van de Derringtons gezien?'

'Nee, maar ik dacht dat het misschien verderop aan de weg stond. Maar waar het om gaat, is dat dit helemaal niet gebeurde.' Zachary nam snel een slok koffie. Hij begon weer zenuwachtig te worden.

'In plaats daarvan verschool Silas zich achter de palmbomen. Hij wilde niet gezien worden.'

Rafe dacht terug aan de vergadering van de Annexatie Club in het huis van Hunnewell. Silas was samen met Ainsworth aangekomen, maar er waren gelegenheden genoeg geweest om weg te glippen en naar het ziekenhuis in Kalihi te lopen, waar Zachary hem gezien dacht te hebben. Misschien had Silas zelfs tijd gehad om het gokhuis in Rat Alley te bezoeken, hoewel dat moeilijker zou zijn geworden. Zijn terugkeer naar het huis van Hunnewell kon makkelijk onopgemerkt blijven, vooral tijdens de maaltijd die ze op het strand hadden genoten, toen de mannen op en neer liepen tussen het huis en de kookplaats dicht bij de zee.

Rafe bedacht dat nog iemand anders laat was aangekomen, erg laat zelfs, en dat was Oliver. Zijn vader had zich eraan geërgerd.

'Dus oom Jerome komt de trap voor het ziekenhuis af en loopt snel weg. Maar niet alleen. Zijn collega gaat met hem mee. Ze zetten er flink de pas in naar de huizen nabij Waikiki. *Jerome gaat kennelijk nog niet terug naar Kea Lani, dacht ik. Hij gaat alleen even wandelen met zijn vriend.* Ik zou de hele zaak vergeten hebben en weg zijn gegaan, als Silas er niet was geweest.'

'Volgde hij zijn oom?'

'Ja, maar hij vroeg hen niet om te wachten zodat hij mee kon wandelen. Hij volgde hem, maar wilde niet gezien worden. Tegen die tijd gingen mijn stekels omhoog. Ik vroeg me af waarom hij dat deed en dus ging ik achter alledrie aan, ervoor zorgend dat ze me niet opmerkten.'

Zachary stopte en vertrok zijn gezicht. 'Ik weet dat je nu gaat zeggen dat ik mijn oom en Silas niet zo had moeten bespieden.'

Maar daar dacht Rafe helemaal niet aan. Hij wilde dat hij de feiten zelf had kunnen verzamelen.

'Onthoud dat ik Silas in de gaten wilde houden, niet oom Jerome,' zei Zachary ongemakkelijk.

'Je hoeft geen excuses te maken. Vertel gewoon verder, Zach.'

'Goed. Voordat ik het wist, waren we naar het huis van de Hunnewells gelopen, in Waikiki. Zoals je waarschijnlijk wel weet, staat er een dikke rij bomen langs het gietijzeren hek. Er kwam een man tussen de bomen te voorschijn. Het was al donker, maar ik kon zien dat het een oosterling was, een Chinees, in een kleurig gewaad dat misschien van zijde was.'

Rafe spitste de oren. 'Was die oosterling alleen?'

'Ja, maar verderop aan de weg zag ik een paar andere mannen staan, bij een huurkoets. Ik heb misschien een beetje koorts, maar ik ben er zeker van dat ze *zwaarden* hadden!'

Zijde en zwaarden. De combinatie maakte duidelijk dat de Chinees geen gewone plantage-arbeider was, of een groentenverkoper die zijn waren in de straten van Honolulu sleet. Hij zou zelfs geen eigenaar zijn van een goktent in Rat Alley, hoewel hij daar waarschijnlijk wel vandaan was gekomen.

'Jerome en zijn zijden Chinees bleven een goede tien minuten zacht met elkaar praten.'

'Waar was Silas op dat moment?'

'Dat is het nu net, hij was nergens meer te bekennen. Ik verloor hem uit het oog toen we bij het huis van Hunnewell kwamen. Hij moet door het grote hek of door een of andere opening in de muur de tuin in zijn gelopen. Ik heb hem niet meer teruggezien.'

'Maar dokter Jerome stond er nog wel, met zijn collega en de Chinees. En ze stonden alle drie bij de bomen. Was het zo?'

'Jazeker! Ze stonden er alledrie nog en ze praatten, of maakten ruzie.'

'Dan zou een van hen Silas door het hek de tuin in hebben moeten zien gaan.'

Zachary fronste. 'Silas kan zich achter de struiken verscholen hebben, net als ik deed toen ik dichterbij kwam, om vervolgens door een kleine opening de tuin in te gaan. Maar ik denk dat hij door het hek ging, want daar werd ik neergeslagen toen ik een paar minuten later ook naar binnen ging. Hij stond me in de schaduwen op te wachten.'

'Wacht even, Zach. Even terug naar de dokter Jerome. Silas was dus niet meer te zien toen Jerome en zijn collega die Chinees ontmoetten?'

'Nee!'

'Kon je niets horen van wat ze zeiden, een woord, een naam?'

'Het is een stormachtige avond en de palmbladeren zwiepten even hard heen en weer als nu. Ik kon bovendien niet zo dichtbij komen als ik had gewild.'

'Was er nog iets opvallends aan die Chinees, behalve zijn lijfwachten en gewaad?'

Zach wreef over zijn voorhoofd. 'Niets.'

'Heb je hem ooit in de buurt van die goktent gezien waar je het over had?'

'Nooit.' Hij wreef in zijn ogen.

Rafe liep op en neer. 'Of misschien in de buurt van een van die Chinese lommerds, of een bank?'

Hij aarzelde en fronste. 'Nou…'

Rafe kwam naast hem staan. 'Ja?'

'Er was daar zo'n bank van lening in dezelfde straat als die goktent… Wacht!… Nee…' Hij schudde zijn hoofd en huiverde. 'Nee, ik kan me niet herinneren dat ik hem daar zag. Eén ding is zeker, hij kan geen arbeider van de suikerplantage zijn geweest in die kleding. Hij leek absoluut niet op die oude man bij jou op Hanalei.'

'Je bedoelt Ling Li. Goed, ga verder.'

'Er is niet veel meer te vertellen. Ze praatten en hoewel ik niets kon horen, kreeg ik de indruk dat de Chinese man kwaad was.'

'Waren ze alle drie kwaad?'

'Het leek erop dat Jerome en zijn collega hem smeekten. Daarna draaide de Chinees zich om naar de huurkoets, zijn lijfwachten begeleidden hem.'

Rafe liep naar het grote raam en keek naar de donkere straat onder hem. Een paar mensen liepen nog gebogen tegen de wind in, maar de meesten waren naar binnen gevlucht. De winkels waren dicht en hadden de luiken gesloten.

De eerste regendruppels vielen sloom, gevolgd door een verblindende bliksemflits en het diepe gerommel van onweer. Daarop brak de hoosbui los die meedogenloos en oorverdovend op het raam beukte. Hij dacht aan de ergste storm die hij ooit had meegemaakt, aan boord van de Minoa op de Caraïbische Zee. Een paar keer had hij gedacht dat het krakende schip zou zinken of doormidden gebroken zou worden door de huizenhoge golven.

Rafe dacht aan zijn favoriete Psalm 29, de stem van God in en boven de storm, beide natuurlijk, en de geestelijke ontreddering van de wereld, naties en individuen. Hij had de woorden jaren eerder uit zijn hoofd geleerd en zijn favoriete regels speelden door zijn hoofd.

De stem van de Heer boven de wateren,
de God vol majesteit doet de donder rollen,
de Heer boven de wijde wateren,
de stem van de Heer vol kracht,
de stem van de Heer vol glorie (…)
De Heer heeft zijn troon boven de vloed,
ten troon zit de Heer als koning voor eeuwig.

Rafe trok de dubbele luiken dicht en sloot de dikke gordijnen. Als alles goed ging, waren ze de volgende ochtend nog altijd op het droge.

★

Zach had over een tweede medicus bij dokter Jerome gesproken. Het kon niet anders of dat was Herald Hartley geweest, de assistent van Jerome Derrington. Rafe haalde zich hem voor de geest.

Vanaf het moment dat Hartley in de vroege zomermaanden op Kea Lani verscheen, had Rafe een zekere argwaan tegen hem gekoesterd. Hij wilde onmiddellijk toegeven dat hij persoonlijke redenen had om de man niet te mogen. Maar er was meer aan de hand dan afkeer omdat de arts grote interesse voor Eden toonde en Jerome kennelijk hoopte dat zijn dochter en zijn assistent op een of andere manier samen zouden komen.

De argwaan van Rafe jegens Hartley begon met het dagboek van dokter Chen. Deze Chinese onderzoeker had meer dan twintig jaar lang een medisch dagboek bijgehouden van zijn reizen door Nepal, India en China. Hartley had dat dagboek in zijn koffer meegenomen uit Chinatown in San Francisco, samen met het nieuws van Chens plotselinge en onverwachte dood. Met het dagboek en nieuws maakte hij zijn opwachting bij dokter Jerome op Kea Lani.

Persoonlijk had Rafe niet veel vertrouwen in de kruidenkuren waarin Chen al die jaren geloofd moest hebben, en hij kon niet bedenken waarom iemand het dagboek zou willen stelen. Maar onder de specifieke groep van medische onderzoekers in dit veld was dokter Chen een autoriteit. Het was duidelijk dat ook Jerome in de kruidentheorieën geloofde, ook al deed de Hawaïaanse Gezondheidsraad dat niet. En het was duidelijk dat Hartley in Jerome geloofde.

Hij draaide zich om bij het raam en keek naar Zachary, maar besloot er nu niet verder op in te gaan. Hoewel hij geen idee had van het hoe of waarom, kon hij het idee niet van zich afzetten dat de ontmoeting van dokter Jerome en de zijden Chinees die avond bij het hek van Hunnewell op een of andere manier te maken had met dokter Chen.

'Ik neem aan dat die andere medicus die je vanavond in gezelschap van dokter Jerome uit het ziekenhuis zag komen dokter Herald Hartley was, zijn assistent uit India?' vroeg Rafe.

Zachary tuurde afwezig in zijn lege kopje. 'Hartley?' herhaalde hij alsof de naam door de kieren van zijn geheugen was weggezakt. Daarna: 'O, die,' met een afkeurende ondertoon. 'Nee, het was Herald niet. Ik had die man nog nooit eerder gezien.'

'Het was Hartley niet?!'

Zachary leek een beetje verrast door Rafes felle reactie.

'Ik heb Hartley niet gezien. Een nogal onopvallend figuur, toch?'

Sluw was een betere typering, dacht Rafe.

'Voor mij is het iemand die volledig verdwijnt in de schaduw van dokter Jerome,' merkte Zachary op, terwijl hij zijn kopje weer vol schonk. Hij deed er deze keer veel melk en suiker bij. Rafe keek zwijgend toe hoe zijn perfecte Kona-melange tot een soort Engelse thee werd verknoeid.

'Herald zou een uitstekende lakei voor mijn oom zijn geweest,' mopperde Zach verder. 'Ja meneer, nee meneer, zoals u wilt, meneer Derrington!'

Met zijn handen op zijn heupen keek Rafe hem ernstig aan. 'Beste jongen, ik geloof dat die klap op je hoofd nu begint door te werken.'

Zachary keek hem beledigd aan. 'Goed, terug naar de nuchtere feiten van mijn ervaringen. Oom Jerome en de onbekende collega liepen de tuin van Hunnewell via het grote hek binnen. Ik wachtte een volle minuut voordat ik achter hen aanliep, om er zeker van te zijn dat ik ze niet tegen het lijf zou lopen. Maar zodra ik door het hek was gegaan en onder een paar poincianabomen doorliep om regelrecht naar de voordeur te gaan – boem! Er ontplofte iets in mijn hersenen, en dat was het. Toen ik weer bijkwam, lag ik onder een boom dicht bij de muur, vergeten en opzij geschopt als een dode rat.'

'Zeer veelzeggend.' Rafe luisterde naar de regen die de ramen geselde en de wind die om de hoeken van het hotel huilde en jammerde.

Wie hem ook sloeg, hij vestigde meer de aandacht op zichzelf dan wanneer hij Zachary gewoon had genegeerd. Het zou verstandiger zijn geweest als hij had gedaan alsof hij uit het huis kwam en Zach vriendelijk had begroet.

De aanvaller moest uit een plotselinge en redeloze angst hebben gehandeld. Dat baarde Rafe zorgen. Het was het soort impulsieve gedrag dat gevaarlijk werd als iemand zich in het nauw gedreven voelde. Townsend was iemand die zo kon reageren, maar hij zat in San Francisco.

En Eden was in de tuin geweest. Hij voelde een steek van frustratie die uit een ander soort angst voortkwam. Er had haar iets kunnen overkomen toen ze stilletjes tussen de dikke, tropische begroeiing door sloop.

Peinzend keek hij naar Zachary en hij liep naar de stoel waar hij onderuitgezakt in hing. 'Laten we de tijd nog eens nagaan.' Hij keek op zijn eigen zakhorloge.

Zachary trommelde met zijn vingers op zijn borst en dacht na. 'Even kijken… het was een paar minuten over zes toen ik Silas naar die goktent volgde.'

'En toen je hem naar Kalihi volgde?'

'Dat weet ik niet precies. Er was minder dan een uur voorbijgegaan.'

'Dan vond de ontmoeting tussen dokter Jerome en de

zijden Chinees dus plaats rond…?'

'Tien over zeven. Ik heb op de tijd gelet.'

Rafe was er niet helemaal zeker van, maar hij dacht dat Silas en Ainsworth samen om kwart over zeven waren binnengekomen. Als dat zo was, dan had Silas genoeg tijd gehad om te doen wat Zachary beweerde. En Hartley? Zowel Hartley als dokter Jerome kon onopgemerkt naar het huis van de Hunnewells zijn gekomen.

Zachary liet zijn hoofd weer tegen de rugleuning van de fauteuil zakken. 'Wat denk jij ervan?'

'Ik weet het niet,' antwoordde Rafe. 'Ik weet wel dat Silas vanavond bij Hunnewell was. Hij was in de tuin toen Oliver en Keno ruzie kregen. Wat mij aan het hele verhaal niet bevalt, afgezien van de klap die jij kreeg, is het feit dat dokter Jerome er ook was en kennelijk niemand over zijn aanwezigheid inlichtte, zelfs Ainsworth niet.'

Hij noemde Eden niet.

'Silas is in staat ellende uit te halen,' merkte Zachary op, 'maar oom Jerome niet. Maar ik begrijp niet waarom hij vanavond bij Hunnewell was en een ontmoeting met die Chinees had.'

Rafe hield zijn vermoedens voor zichzelf.

'Het moet Silas wel zijn geweest die mij die klap verkocht.'

De ander was daar niet zo zeker van. 'Luister, Zach. Ik wil dat je niemand iets zegt over wat er vanavond is gebeurd totdat we het kunnen onderzoeken. Zet er niets over in de krant.'

'Maak je geen zorgen. Maar als Nora het wist, zouden jij en grootvader morgen op de voorpagina staan. En ik zou waarschijnlijk een bonus krijgen omdat ik je daar ontdekt had.'

Rafe keek hem even aan en peinsde: *en als de koningin de geheimen van de annexatiebeweging te horen zou krijgen? Wat voor bonus zou zij dan geven?*

'Kun je er het zwijgen toe doen? Of ga je naar Ains-worth?'

'Mijn grootvader gelooft toch vrijwel nooit wat ik hem vertel. Zoals ik al zei, ik ga proberen Nora enthousiast te maken voor mijn positie als onderzoeksjournalist in San Francisco. Er valt heel wat op te diepen. Silas heeft lopen opscheppen over zijn journalistieke werk daar en in Sacramento. Voor deze keer neem ik zijn woorden serieus en ga ik kijken wat er van waar is. Ik wil weten wat hij in het zonnige Californië heeft uitgespookt. En ik heb liever niet dat hij weet dat ik hem in Honolulu heb gevolgd.'

Rafe zweeg over Townsend, maar niet omdat hij verwachtte dat Zachary aangedaan zou zijn door het laatste nieuws. Hij had weinig emotie getoond met betrekking tot zijn vaders eerdere actie tegen diens tante Nora. Hij had nooit enige genegenheid van zijn vader ontvangen. Townsend had Zach al lang voordat Silas op het toneel verscheen met beledigingen gekleineerd. Silas had de zaak alleen maar erger gemaakt.

Het was Townsends aard om kwetsend te zijn, zoals Rafe als zijn stiefzoon ook had gemerkt. Maar anders dan bij Zach, had Townsends kritiek hem niet beschadigd of ertoe gebracht de lof van zijn stiefvader te zoeken. Zijn laatdunkende gedrag had hem juist harder gemaakt jegens de man die zijn moeder zo onverstandig had gehuwd. Het kon hem niet schelen wat Townsend van hem vond en merkwaardig genoeg respecteerde zijn stiefvader hem meer toen hij dat had ontdekt. De mensen die Townsend goed behandelde, waren degenen die meer macht hadden dan hij, de mensen van wie hij verwachtte beter te kunnen worden.

Rafe besloot dat Ainsworth het onheilspellende nieuws over zijn zoon morgen maar aan Zachary moest vertellen.

De oude Derrington op Kea Lani zou rond die tijd de boodschap moeten krijgen die Rafe hem had gestuurd, als de boodschappenjongen er tenminste door was gekomen voordat de storm in alle hevigheid losbarstte.

De medicijnen begonnen door te werken bij Zachary, die zat te knikkebollen. Het regende nog steeds en de tropische wind rukte aan de bomen en blies de bloemen langs de paden plat.

'Je kunt beter hier blijven slapen, Zach. Het weer wordt er niet beter op.'

Zachary mompelde iets en liep naar de grote chesterfieldbank. Met een zucht van opluchting ging hij liggen en sloeg een arm voor zijn ogen. Het was niet de eerste keer dat hij op de bank van zijn stiefbroer lag. 'Wie was die Chinees?' mompelde hij. 'Hij droeg zijde en borduursels. Waarom praatte hij met oom Jerome?'

Rafe keek naar hem. Hij had er zo zijn eigen ideeën over, maar hield die voor zichzelf. Dokter Chen en het dagboek pasten in de Chinese puzzel. De vraag was of de ontmoeting van die avond vriendschappelijk was, of een onplezierige onthulling voor dokter Jerome. Maar wat hem nog het meest dwars zat, was de wetenschap dat Jerome daarna de tuin van de Hunnewells was binnengegaan.

De spanning stond op zijn gezicht te lezen. Eden wist wat er aan de hand was, dat wist hij zeker, maar zij wilde hem de waarheid niet toevertrouwen.

8

Het ergste van de storm was tegen de ochtend voorbij, hoewel de wolken de lucht nog steeds grijs kleurden en de wind nu en dan nog hard uithaalde. Palmtakken en afgebroken struiken lagen verspreid over de straat voor het hotel toen Rafe naar de lobby liep, die pronkte met een overvloed aan onbeschadigde orchideeën en bananenbomen. Hij besloot een koets van het hotel te huren om naar de vergadering in Aliiolani Hale te gaan, waar hij Ainsworth zou ontmoeten. Zachary was nog aan het herstellen, maar volgens Rafe had ook hij het ergste gehad. Hij had een ontbijt naar de kamer laten sturen.

Toen hij de grote hal naar de uitgang bijna was overgestoken, rende er een piccolo op hem af.

'Een boodschap voor u bij de receptie, meneer Easton.'

Rafe keek naar de receptionist die naar de postvakjes achter hem gebaarde.

Een vrouw die midden in de hal op het punt stond te vertrekken, draaide zich om toen hij naar de receptiebalie liep. Ze keek hem recht aan. Ze droeg een vreemd gewaad, helemaal zwart, met een hoofddoek waarop tekens van de dierenriem stonden. Ze had de wimpers van haar ogen zwartgemaakt en haar lippen waren rood. Ze zag hem naar haar kijken en dacht kennelijk dat hij haar aantrekkelijk vond – of misschien was het juist andersom. Hoe dan ook, ze keek brutaal terug en liet haar mondhoeken opkrullen.

'Goedemorgen, meneer,' zei de receptionist toen Rafe zich bij zijn balie meldde. 'Deze boodschap voor u kwam een paar minuten geleden aan.'

De vrouw draaide zich om en liep langzaam door.

Rafe pakte de envelop aan en liep van de balie weg om de boodschap te lezen.

Rafe, je hebt inderdaad het recht om te weten wat ik gisteravond bij het huis van Hunnewell deed. Lieveling, ik vertrouw je echt. Ik moet met je praten. Kun je vanmiddag naar de Beretaniakerk komen? Ondanks het weer laten ze de theemiddag doorgaan om geld in te zamelen voor een nieuw kerkgebouw. Oudtante Nora zal er zijn, met de koningin. Ik wacht op het grasveld voor de kerk op je.
Voor altijd de jouwe, Eden.

Er verscheen een vage glimlach om zijn mond.

Toen hij zich omdraaide om weg te lopen, zag hij de vrouw opnieuw, deze keer met een man naast haar. Het was een triest ogende figuur, lang en mager, eveneens in het zwart gekleed en met een glimmende hoge hoed op.

De koets van het hotel zette hem voor Aliiolani Hale af, het overheidsgebouw waarin de Legislatuur zetelde op King Street, tegenover het Iolani-paleis. Hij stapte uit en betaalde de koetsier. 'Wacht hier op mij. Het duurt niet langer dan een uur.'

De regen van de vorige avond was opgehouden, maar het vochtige en benauwde weer was onaangenamer dan Rafe zich kon herinneren voor deze tijd van het jaar. Hij trok zijn hoed omlaag tegen het felle zonlicht en keek om zich heen. De straat was modderig en overal lagen takken en puin, alsof er een kleine tornado door was geraasd. De noordoostelijke passaatwinden moesten meer over de eilanden waaien.

Voor het gebouw stopten verschillende indrukwekkende rijtuigen van belangrijke vertegenwoordigers van de Reform Party. Hij herkende de koets van de Derringtons met de grote letter *D* op het portier. Rafe versnelde zijn pas om

Ainsworth te bereiken voordat hij het sierlijke, witte gebouw zou binnengaan.

Even later opende hij het portier voor de oude Derrington. 'Goedemorgen, meneer.'

Het verweerde gezicht van het familiehoofd zag er vermoeid uit, alsof hij een slapeloze nacht had doorgemaakt. Rafe voelde medeleven. Het moet een afschuwelijke last zijn wanneer je zoon zich als een Kaïn ontpopt.

'Ik heb de boodschap ontvangen, Rafe. Uiterst verontrustend.' Hij schudde wanhopig zijn zilvergrijze hoofd.

Rafe hield het portier vast terwijl de gedistingeerd in het wit geklede man met zijn panamahoed in de hand snel en behendig uit het rijtuig stapte.

'Ik ben ontdaan. Ik had absoluut verwacht dat Townsend hier ergens op de eilanden zou blijven totdat we hem stilletjes konden onderbrengen.'

'We hadden de boten in de gaten moeten houden.'

'Ik heb de familie voor morgen bij elkaar geroepen om de zaak te bespreken en te bezien wat we kunnen doen.'

Rafe verbeet zijn ongeduld. Wat viel er te bespreken? Het meest voor de hand liggend was het de autoriteiten in San Francisco op de hoogte te stellen en een arrestatiebevel voor Townsend te laten uitvaardigen. Maar zo simpel lag het niet omdat Nora geen klacht tegen haar neef had ingediend. Dat zou wellicht kunnen veranderen als hij het verhaal zou kunnen natrekken dat Zachary hem de vorige avond over het medicijnflesje vertelde.

Als hij dat flesje eens had!

Hij had zich al afgevraagd of hij Ainsworth nu moest inlichten of niet. Het leek hem beter om niets te zeggen totdat hij onder vier ogen met Nora had gesproken. Hoewel Ainsworth oprechte verontrusting tentoonspreidde, verwachtte Rafe dat hij toch weer op terughoudendheid zou aandringen, zelfs met de nieuwe informatie van Zachary op tafel.

'Als Nora geen aanklacht indient,' zei Rafe met zachte stem, 'dan ga ik naar San Francisco om de zaak zelf op te lossen. Ik zoek hem op. Ik kan het risico niet nemen. Als hij een beetje intelligent is, en dat is hij, heeft Townsend al lang begrepen dat Celestine uit het huwelijk is gestapt en niet bij hem terug zal komen. U weet waar zijn woede toe kan leiden. Als hij zijn zelfbeheersing verliest, kan hij in ware razernij vervallen. Ik denk dat dat die dag ook tussen hem en mijn vader is gebeurd. Zijn woede laaide op en hij verloor zijn zelfbeheersing... en daar komt alleen ellende van.'

Ainsworth kreunde. 'Ik zag het al toen hij een kind was, en in zijn jongenstijd was hij volkomen onbeheersbaar. Ik wil dat deze afschuwelijke geschiedenis zo snel mogelijk wordt opgelost. We nemen geen risico's met Celestine en de jongen. Ik blijf niet staan toekijken hoe jouw moeder wordt belaagd. Dat kan ik je beloven.'

Rafe bleef voorzichtig, maar hij geloofde in de oprechtheid van deze woorden. Ainsworth was altijd afkerig geweest van Townsends losbandige leven op de eilanden en hij had hem meer dan eens bedreigd met onterving vanwege zijn gokschulden en avontuurtjes met vrouwen.

De oude Derrington pakte Rafe stevig bij zijn schouder. 'Ik zeg je, Rafe, als er ook maar iets van deze beschamende berichten in de kranten terechtkomt, is de hoop op annexatie zo goed als verkeken. Townsend – lid van de Legislatuur en van onze Reform Party – gearresteerd op beschuldiging van poging tot moord! Zie je het al in de kranten van Washington en New York staan? Zijn actie zal helaas niet worden gezien als een individuele misdaad waarvoor hij alleen verantwoordelijk is. Daar zorgen de tegenstanders van annexatie wel voor. Elk schandaal of gerucht dat met de namen van voorstanders van annexatie verbonden kan worden, ondermijnt onze politieke en morele zaak en boort die misschien zelfs de grond in!'

118

Ook Rafe vreesde dat er een fatale klap voor de annexatiebeweging zou kunnen volgen. Hij twijfelde er niet aan dat er lieden waren die elke gelegenheid zouden aangrijpen om dit soort informatie naar Washington te sturen. Er zou een bericht uit Londen naar het Witte Huis worden gestuurd, met de beschuldiging van achterkamertjespolitiek met een misdadige factie op Hawaï. Zelfs president Harrison, een voorstander van annexatie, zou er waarschijnlijk door worden afgeschrikt.

Thaddeus Hunnewell verscheen op de trappen met andere leden van de Reform Party. Hij wenkte Ainsworth en Rafe naar de vergadering.

Derrington hield Rafes schouder nog steeds vast terwijl ze naar het gebouw liepen en in zijn ogen stond oprechte zorg te lezen. 'Ik weet het, mijn jongen, ik weet het. Dit is heel moeilijk voor jou. Bijzonder moeilijk, voor ons beiden. We gaan het samen met wijsheid oplossen. Er zal recht geschieden. Ik vraag je alleen om voorzichtig te zijn. Niet vanwege Townsend, maar om de toekomst van Hawaï.'

Rafe zou inderdaad voorzichtig zijn, maar ongeacht de gevolgen zou hij wel zijn eigen weg gaan.

★

Thaddeus Hunnewell wachtte hen op in de foyer van de vergaderzaal. Zijn bruingebrande huid was rood gekleurd door een verhoogde bloeddruk, terwijl hij ongeduldig op en neer liep.

Hij schoot onmiddellijk op hen af en had zo de rol van de man met de zeis kunnen spelen, bedacht Rafe die zich schrap zette. Thaddeus zweette. Hij trok zijn witte zakdoek tevoorschijn en veegde zijn gezicht af.

'Ik heb een enorme blunder begaan,' zei hij zacht. 'Na de vergadering van gisteravond heeft iemand in mijn kantoor ingebroken en het manifest gestolen dat ik voor het ministerie van Buitenlandse Zaken voorbereid. Het is nergens meer te vinden. Afschuwelijk! Ik kan me niet voorstellen wie zoiets weerzinwekkends zou doen.'

Na een korte discussie spraken de mannen af dat het gestolen manifest niet in de vergadering ter sprake gebracht zou worden. Een paar minuten later voegden ze zich bij een half dozijn anderen in de wachtkamer. Voordat Hunnewell sprak, nam hij Rafe terzijde.

'Je kunt je vriend vertellen dat mijn zoon gisteren meer zijn grote mond gebruikte dan zijn verstand. Oliver zal geen zaak maken van de ongelukkige samenloop van omstandigheden waardoor beiden bij een incident betrokken raakten dat niemand gewenst had.'

'Dat zal een opluchting zijn voor Keno, en ook voor mij.'

'Ik heb de sheriff gezegd dat hij de zaak moet laten rusten. Ik hoop dat dat voldoende is.'

'Ik denk dat Keno het zeer eens zal zijn met uw beslissing.'

Hij gaf Rafe een klopje op zijn schouder. 'Kom mee, we hebben belangrijke zaken te bespreken.'

De vergadering begon om 11.00 uur, na wat inleidende begroetingen. Hunnewell begon zijn uiteenzetting met een ernstig gezicht en leverde een overtuigende argumentatie tegen de monarchie, die een enthousiaste respons bij zijn publiek losmaakte. Volgens Hunnewell had Liliuokalani wederom geweigerd om met de Reform Party samen te werken bij de keuze van gekwalificeerde mannen voor haar kabinet.

'De koningin weigert om zelfs maar één kandidaat van de Reform Party in haar nieuwe kabinet op te nemen. Het is het toppunt van koppigheid en het versterkt de positie van de kroon zeer zeker niet.'

'Het is een grondwettelijke principekwestie,' merkte advocaat Withers op.

'Inderdaad,' beaamde Ainsworth.

Hunnewell keek alle aanwezigen om beurten aan. 'Heren, ik heb uit zeer betrouwbare bron vernomen dat de koningin op dit moment de tekst van een nieuwe grondwet laat schrijven.'

De verbijstering die zich van de groep meester maakte, ging over in frustratie en woede.

'Ik wist dat we haar niet konden vertrouwen,' zei Withers. 'Ik heb vanaf het begin van haar regering gedacht dat dit haar doel was. Was ze niet kwaad op Kalakaua omdat hij zijn soevereiniteit overgaf aan, zoals het zij het noemde, de zendelingenpartij?'

'De zendelingenpartij,' herhaalde Ainsworth met oprechte frustratie. 'Ze zou beter moeten weten, en dat doet ze ook. Zelf beweert ze ook een gelovige te zijn. Maar het komt in het politieke straatje van de tegenstanders goed van pas om de waarheid te verdraaien en de zendelingen de schuld te geven van alles waar ze het niet mee eens zijn. Dat is een gevaarlijk spelletje voor christenen, maar de tegenstanders doen het keer op keer.'

'Ik geloof dat Liliuokalani en haar kompanen deze verandering van de grondwet al planden voordat haar broer in San Francisco overleed,' ging de advocaat verder.

Er klonk instemmend gemompel. Hunnewell merkte op: 'Er wordt gezegd dat ze al sinds enige tijd met bepaalde adviseurs over deze kwestie spreekt. En ik weet wie die adviseurs zijn.'

Rafe keek naar Hunnewell op. 'Deze actie van de koningin hoeft ons niet te verbazen,' zei hij. 'We weten dat ze tegen de door koning Kalakaua getekende grondwet van 1887 was, die de macht van de monarchie beperkt.'

'Volkomen waar.'

'Welnu, heren, ik weet waar ik sta,' ging Rafe verder. 'En dat geldt voor de meesten van u hier, denk ik.' Hij keek alle aanwezigen aan en probeerde zich niet te ergeren aan hun aarzeling. 'Wat denken we nu aan de situatie te gaan doen, behalve vergaderingen houden en ons beklag doen over de stand van zaken?'

Er viel een gespannen stilte in de zaal. Sommige aanwezigen verschoven ongemakkelijk op hun stoelen en keken of Ainsworth de jonge Rafe het zwijgen op zou leggen.

'Heren, ik stel het onvermijdelijke voor: de afzetting van Liliuokalani en het uitroepen van de republiek, of het aansluiten bij de Verenigde Staten.'

'Afzetten?' vroeg iemand met een verbaasde zucht.

'Waarom niet?' reageerde Rafe bot. 'Is dat niet waar we al maanden over praten, eigenlijk al van voordat ze op de troon kwam? Ik geef toe, we hebben het woord niet gebruikt, maar we weten allemaal wat annexatie betekent. Heeft zij niet gezworen om de grondwet van 1887 te handhaven toen ze na Kalakaua op de troon kwam?'

'Inderdaad,' zei Ainsworth met een dunne glimlach, terwijl hij naar de oudere mannen om hen heen keek. 'En, heren? De jonge generatie heeft gesproken. We zijn klaar voor een beslissing. Zij houdt zich welbewust niet aan haar eed dat ze onze legale grondwet zal verdedigen, en dus hebben wij het recht om haar van de troon te stoten.' Hunnewell keek naar de advocaat, Albert Withers. 'Wat zeg jij ervan, Albert? Ben je het daarmee eens?'

'Nou ja,' begon Withers dralend, 'technisch gesproken...' Hij trommelde met zijn vingers en perste zijn dikke lippen op elkaar.

'Technisch gesproken raken we al snel van het onderwerp af, Albert. Zij heeft gezworen om de grondwet uit te voeren, en nu is ze in het geheim bezig om die nietig te verklaren en door een andere te vervangen.' Hunnewell was eindelijk op stoom gekomen en liep op en neer, met zijn handen in zijn zakken.

'Als de eilanden deel gaan uitmaken van de Verenigde Staten van Amerika hebben we een solide grondwet die onze huizen, bedrijven en bezittingen beschermt tegen bestuurlijke willekeur en, ja, zelfs tegen toekomstige inbeslagname naar de grillen van een koningin of een of andere koning, die nu nog geboren moet worden...' Hij hield opzettelijk op met spreken en keek naar de aanwezigen.

'Ze is nooit van plan geweest om de huidige grondwet te respecteren en uit te voeren,' zei Rafe. 'En nu neemt ze afstand van haar eed, met het argument dat de inheemse Hawaïanen dat willen. Als Hawaï niet snel deel gaat uitmaken van de Verenigde Staten, wordt het in de toekomst ingelijfd door Japan, Rusland of Groot-Brittannië.'

'Heel juist,' zei Ainsworth met zijn handen op de knop van zijn wandelstok. Hij leunde ernstig en ingetogen tegen de rugleuning van zijn stoel. 'Ik geloof dat ze in het geheim een kring van enthousiaste supporters met juridische achtergrond heeft gevormd om haar te helpen veranderingen aan te brengen die de grondwet van 1887 moeten uithollen. Op zeker moment zal ze de nieuwe stukken inbrengen en een stemming in de Legislatuur vragen om ze te laten bevestigen.'

'Nooit!' brieste Hunnewell. 'Dat is verraad!'

'Volgens haar vond het verraad in 1887 plaats, toen koning Kalakaua de grondwet tekende,' merkte Rafe op.

'Ze heeft gezworen om de wet te handhaven en we zullen nooit een verzwakte grondwet accepteren die ons het recht ontneemt om voortaan nog over de wetten van het land te stemmen.'

'Maar van de troon stoten...' merkte de zakenman Edwards ongemakkelijk op. Zijn stem galmde door de zaal. 'Hoe zou dat ooit kunnen zonder een opstand onder de inheemse Hawaïanen uit te lokken?' Hij schudde zijn hoofd vol twijfel.

'Maar er zal geen opstand ontstaan als de annexatie op

een rechtmatige manier met vreedzame middelen wordt doorgevoerd,' zei Rafe.

'Maak een keuze, Edwards,' zei Hunnewell. 'Jij zegt dat je de annexatie wilt, maar dat betekent dan ook dat de eilanden onder de wetten van de Verenigde Staten gaan vallen. Dat is niet mogelijk als we hier een soeverein houden die onze grondwet naar believen kan veranderen.'

'Maar dan nog, hoe moeten we het voor elkaar krijgen?' vroeg Edwards. 'Ze zal niet zomaar haar kroon afzetten en weglopen, evenmin als haar energieke supporters.'

Hunnewell bleef staan en keek Ainsworth aan. 'Nou, Derrington? Zeg het maar. Hoe kunnen we de koningin afzetten en voorkomen dat er in Honolulu een opstand uitbreekt?'

Rafe draaide zich naar Ainsworth toe in de veronderstelling dat de man iets wist... of eerder, iemand kende.

Het eerbiedwaardige familiehoofd nam de anderen op met zijn vastberaden, grijze ogen en gaf zijn geheim prijs. 'Goed dan. Heren, ik heb uit betrouwbare bron vernomen dat kapitein Wiltse van de *U.S.S. Boston* ons zal assisteren als dat noodzakelijk is.'

Het schoot Rafe te binnen wat Eden eerder over Silas had gezegd. Hij had in het bijzijn van Nora, Zachary en anderen opgemerkt dat de Amerikaanse ambassadeur Stevens welwillend stond tegenover annexatie en dat hij Thurston, Dole en de anderen steunde. Stevens verzekerde Ainsworth in een privégesprek dat er Amerikaanse troepen aan land zouden komen als het nodig zou zijn om de hervormers te beschermen bij het omverwerpen van de monarchie.

De mannen keken elkaar aan en een nieuw zelfvertrouwen verspreidde zich over de bezorgde gezichten.

Rafe verbond zich openlijk aan hun zaak. 'En als dat uur zou slaan, dan zal ik mij achter de vlag van de Verenigde Staten scharen, in de hoop die boven het Iolani-paleis te zien wapperen. Zoniet, heren, dan moet de volgende generatie wellicht onder de Japanse, Russische of Britse vlag leven. De eilanden zijn een ware schat, maar wij zijn zelf niet sterk genoeg om die te beschermen. We hebben de steun nodig van een land als de Verenigde Staten. En ik ben ervan overtuigd dat Hawaï veiliger zal zijn onder de grondwet van de Verenigde Staten en de *Bill of Rights* dan in handen van keizers, tsaren of koningen.'

'Volkomen mee eens,' beaamde Hunnewell.

Ainsworth knikte nadrukkelijk met zijn hoofd. 'Zeer zeker, zeer zeker.'

Ook de anderen betuigden hun instemming en zelfs Edwards knikte. 'Als het, zoals gezegd, zonder bloedvergieten gaat.'

'Dat is wat wij allemaal willen,' antwoordde Rafe. 'We moeten ons ervan verzekeren dat de grootst mogelijke terughoudendheid wordt betracht. Maar vrijheid eist altijd zijn tol. Als wij de vrijheid om niet krijgen, is dat omdat iemand anders de prijs heeft betaald.'

Ainsworth kwam overeind en keek alle aanwezigen afzonderlijk aan. 'En nu, mijne heren, een aankondiging. De leiding van de Reform Party heeft ermee ingestemd om Lorrin Thurston te steunen en hem samen met anderen, onder wie Hunnewell, Easton en ikzelf, naar Washington D.C. te sturen voor overleg met minister Blaine van Buitenlandse Zaken. We vertrekken over een week. En met deze mededeling is de vergadering gesloten.'

Rafe keek op zijn zakhorloge. Hij zou Eden binnen tien minuten ontmoeten. Snel liep hij de wachtkamer uit naar de koets van het hotel, voordat Ainsworth of iemand anders hem kon roepen.

'Naar de Central Union Kerk, en snel,' zei hij tegen de koetsier.

Eden Derrington stond bij het gazon voor de Central Union Kerk aan Beretania Street op Rafe Easton te wachten. Ze had een paraplu bij zich voor het geval de wolken weer open zouden scheuren, en hoewel het voor een vrouw taboe was om in het openbaar te rennen, was ze bereid om het fronsen van de andere dames voor lief te nemen als ze snel een schuilplaats moest zoeken. Ze was beslist niet van plan om een van haar beste jurken door de regen te laten bederven.

De dames van de gemeente hadden die dag een lunch en theemiddag georganiseerd om geld in te zamelen voor het bouwfonds. Koningin Liliuokalani, die haar privéresidentie Washington Place aan de overkant van de straat had, was zo vriendelijk geweest om met een paar van haar vriendinnen en adviseurs acte de présence te geven. Oudtante Nora, die altijd een fervent voorstander van de monarchie was geweest, vergezelde haar en maakte deel uit van haar entourage. Het was ook Nora die voor dokter Jerome eindelijk een ontmoeting had weten te arrangeren in het Iolani-paleis, waar hij met de koningin zou spreken over de opzet van een onderzoekskliniek op Molokai.

Eden fronste haar mooie, donkere wenkbrauwen. Wat zou Rafe van die ontmoeting vinden, vooral nadat ze hem had verteld wat ze de vorige avond in de tuin van Hunnewell had gezien?

Ze voelde zich weer gespannen en ongemakkelijk. Deed ze er echt goed aan om het Rafe te vertellen? In elk geval wel met het oog op haar eigen belangen. Maar… ze verdrong haar bezorgdheid en weigerde die onder ogen te zien voordat Rafe zou komen.

De volgende vierentwintig uur had ze vrij. Ze had tot vier uur in de ochtend met haar tante Lana Stanhope in het ziekenhuis gewerkt, was laat uit bed gekomen en vervolgens

direct naar de kerk gegaan. Het was een van de weinige gelegenheden dat ze niet haar grijze verpleegstersuniform met
de witte schort met het rode kruis aan had en ook haar verpleegsterskapje ontbrak. Ze voelde zich uitgesproken mooi
in een van haar modieuze jurken met pofmouwtjes, strakke
manchetten om de pols en een hoge victoriaanse kraag, alles
versierd met wit Brussels kant en parelmoeren knopen. Ze
had een mintgroene jurk uitgekozen omdat Rafe haar altijd
complimentjes gaf wanneer ze die kleur droeg. Hij zei dat
het haar groene ogen goed liet uitkomen en de kastanjebruine schaduwen in haar donkere haar.

Nerveus liep ze langs de rand van het gazon en keek achterom naar de torenspits van de kerk. De grote klok sloeg het
uur. De zon was achter de wolken tevoorschijn gekomen en
een koelere passaatwind begon over het eiland te waaien. Ze
deed haar breedgerande zonnehoed met linten af en zette
hem met een rusteloos gewoontegebaar weer op, in verwarring vanwege de gebeurtenissen van de afgelopen maanden.
Alles wat fout kon gaan, leek dat ook te doen. En nu was
haar oom Townsend in San Francisco, ongetwijfeld om Rafes moeder en Kip te bespioneren.

Ze liep op en neer langs het helder groene grasveld. De
wind speelde om haar heen en liet het kant van haar jurk
ruisen, maar ze voelde niets. De crèmekleurige linten op
haar hoed wapperden in het briesje.

Weer keek ze om naar de kerk. Er ontstond drukte toen
koningin Liliuokalani aankwam om deel te nemen aan de
lunch. Oudtante Nora vormde samen met de dominee en
een aantal anderen het welkomstcomité. Kinderen zongen
in het Hawaïaans en boden bloemenslingers aan. Eden had
haar oudtante al verteld dat ze Rafe Easton zou ontmoeten.
Nora zou haar excuseren als iemand haar afwezigheid zou
opmerken. Maar ze dacht niet dat dat zou gebeuren, niet met
Liliuokalani in de buurt.

Ze liep over het grasveld bij de kerk vandaan naar een groepje palmbomen die strak rechtop stonden, onaangetast door de storm van de nacht daarvoor.

'*De rechtvaardigen groeien op als een palm,*' citeerde ze uit Psalm 92:13.

'Deze bomen bogen niet onder de beukende storm van de afgelopen nacht. Ik zal me evenmin door de stormen van het leven laten ontwortelen of breken, maar daarentegen nog meer steunen op de kracht en bescherming van de genadige God.' Ze had veel gebeden voor deze ontmoeting. Eden geloofde dat het Gods wil was dat ze Rafe in vertrouwen nam, de man die ze liefhad en met wie ze over een jaar verwachtte – *hoopte?* – te trouwen. Het huwelijk was gebouwd op waarheid, vertrouwen en vergeving. Eden herinnerde zich wat Noelani ooit tegen haar had gezegd: 'Je moet die alle drie in overvloed bezitten om je huwelijk sterk en eensgezind te houden. Zodra je dingen voor elkaar begint te verbergen, duurt het niet lang voordat de duivel je ervan zal overtuigen dat het ook in orde is om te liegen.'

Ze keek de straat in toen ze het klepperen van paardenhoeven hoorde en een mooie koets van het Royal Hawaiian Hotel zag naderen. De koetsier hield bij de hoek van Beretania Street halt.

Rafe Easton deed het portier open, stapte uit en zei de koetsier op hem te wachten. Daarna liet hij zijn ogen over het grasveld gaan en zag haar staan.

Eden liep naar hem toe.

9

Rafe Easton liep naar voren en Eden kwam hem tegemoet. De manier waarop hij vanaf de overkant van de straat naar haar keek, verried dat haar verschijning hem beviel. En dat was natuurlijk ook de reden waarom ze zo haar best had gedaan om er goed uit te zien, ondanks de vermoeiende nacht in het ziekenhuis. Opgelucht haastte ze zich naar hem toe.

Hij droeg een smetteloos wit overhemd, een mooi jasje met koperen knopen dat haar deed denken aan een marinejasje en een bijpassende broek. Ze voelde hoe haar wangen warm werden toen ze hem zag.

'Rafe!' Ze stak een hand uit.

De opvallende donkere wenkbrauwen trokken omhoog. 'Wat een aangename uitnodiging.' Hij nam haar hand tussen zijn warme, sterke handen en haar hart begon te zingen.

'Ik neem hem graag aan.' Hij trok haar stevig tegen zich aan, legde een hand om haar kin en negeerde alles om hen heen toen hij haar een lichte kus gaf – niet op haar lippen, maar op haar voorhoofd.

'Teleurgesteld?' vroeg hij met pretoogjes.

'Schaam je je niet zoiets te vragen?'

'Ik niet.' Zijn glimlach was ontwapenend. 'Een goede kus is een vorm van kunst.'

'Alsjeblieft, Rafe!' zei ze giechelend. Ze deed een stap achteruit, zette haar hoed weer recht en wierp een snelle blik over haar schouder naar de kerk om te kijken of iemand het had gezien. De gasten voor de lunch verzamelden zich. Er werd gelachen en opgewekt gepraat. Overal klonken de aloha's.

'Je bent aan de late kant,' zei ze met gespeelde strengheid, terwijl ze wachtte tot haar wangen weer afkoelden. Het was niet waar, maar het verwijt gaf haar de mogelijkheid haar gevoelens te verhullen.

'Mijn liefje, ik heb alles laten vallen om aan jouw wensen te kunnen voldoen.'

'Ik geloof eerder dat het andersom is.'

'Ik geef toe dat ik niet zomaar voor iedere vrouw zou komen opdraven. Nou ja… met uitzondering van Bunny, misschien.'

Daar was die ondeugende sprankeling in zijn ogen weer. Het had een waarschuwing voor haar moeten zijn, maar ze reageerde te snel.

'Bunny. Zo'n dwaze naam voor een volwassen vrouw.'

'Wat?! Wil je me zeggen dat je het geen "aandoenlijke" naam vindt, zoals Zachary?'

'Bernice klinkt heel wat verstandiger,' zei ze stijfjes. 'Ik ken haar niet zo goed. Ze negeerde me zo'n beetje toen ze hier die Kerst was. Waarschijnlijk omdat ze met iedereen aan het flirten was, van Oliver en Zachary tot… jou.' Ze hield haar mond toen ze zag dat haar verwijten hem meer en meer amuseerden. Hij was haar opzettelijk aan het uitdagen!

'Een roos blijft een roos, ongeacht de naam…' begon hij zoetjes.

Ze sloeg haar armen over elkaar en keek hem aan. 'Volgens mij hebben we iets belangrijkers te bespreken dan Bunny,' zei ze uit de hoogte.

Rafe glimlachte. 'Heerlijk om je zo te zien. Maar je wilt toch niet hier praten zeker? Er is hier nauwelijks privacy – of wilde je naar die lunch van de kerk?'

'Laten we ergens anders iets eten.' Eden had absoluut geen trek, maar ze nam aan dat hij wel iets zou lusten na een ochtend vergaderen in de Legislatuur. En hoe minder mensen er in de buurt waren als ze haar verhaal vertelde, hoe beter het zou zijn.

Een windvlaag griste de hoed van haar hoofd, maar Rafe kon hem grijpen voordat hij wegwaaide en hij zette hem voorzichtig terug op haar hoofd. 'We kunnen gaan lunchen in het Royal Hawaiian of in een van de andere hotels.'

Maar ze wilde liever niet naar een openbare gelegenheid. 'Is Hawaiiana nog open?' Ze dacht aan het Grote Huis. Er waren goede redenen waarom Eden daar de voorkeur aan gaf boven de luxe hotels, hoewel ze normaal gesproken het Royal Hawaiian zou hebben gekozen.

Rafe vond het opmerkelijk dat ze de ananasplantage noemde. 'Het huis? Dat is open. Keno woont daar als ik er niet ben. Hij is de beste man die ik me kan indenken om de ananasplantage voor mij te beheren, en ik kan hem onvoorwaardelijk vertrouwen. Hij heeft zijn intrek genomen in een van de kamers op de eerste verdieping. 's Middags gaat Noelani erheen om het nodige voor hem te doen.'

Het Grote Huis had nu eigenlijk Edens domein moeten zijn, als ze twee maanden zouden zijn getrouwd, zoals eerst de bedoeling was. Of ze daar in de toekomst ooit samen zouden wonen, was nog niet zeker. Nu Rafe ook Hanalei in handen had, leek het alsof de statige plantage in Kona op de eerste plaats kwam. Zelf was ze er niet zeker van aan welke plantage ze de voorkeur gaf, hoewel Hanalei indruk op haar had gemaakt met de onovertroffen uitzichten en rijke familiegeschiedenis van de Eastons. Bovendien betekende Hanalei heel veel voor Rafe. Als ze haar tijd op Molokai had afgerond, zou ze overal gelukkig kunnen zijn met hem, had ze hem al verteld.

'Laten we naar Hawaiiana gaan,' stelde ze voor.

Hij keek haar schuin aan, een beetje verrast door haar keus. 'Uitstekend, maar kun je me ook vertellen waarom je daar naartoe wilt?'

Hij pakte haar elleboog vast terwijl ze over het gazon naar de wachtende koets liepen.

'Candace komt zondag terug om de Bijbelgroep van de Chinese christenvrouwen weer over te nemen,' legde Eden uit. 'Ik wil graag afscheid van hen nemen en ervoor zorgen dat alles klaar ligt voor Candace.'

Eden had de groep twee maanden geleid omdat Candace de zieke Nora had verzorgd in het huis op Koko Head. Nora was inmiddels teruggekeerd naar Kea Lani en Candace wilde graag de draad weer oppakken met de Bijbelgroep.

'Ik heb hun verteld dat ik een jaar naar Molokai ga, maar ze hadden niet verwacht dat ik nu al zou opstappen. Voor Candace is het echter goed om weer naar de groep te gaan, ook al vindt Oliver dat niet prettig.' Het zat Eden dwars dat Oliver iets tegen het evangelisatiewerk van Candace had. Ze had nooit een ware gelovige in hem gezien, ook al deed Zachary dat wel.

Rafe hielp haar in de mooie hotelkoets, instrueerde de koetsier en stapte vervolgens zelf in om tegenover haar te gaan zitten. De koets reed door Beretania Street naar het gebied rond Pearl River.

'Wat hem natuurlijk dwarszit, is dat zij op Hawaiiana mogelijk in contact kan komen met Keno,' zei Rafe. 'Maar niettemin pleit het niet voor zijn christelijke overtuiging. Kennelijk vindt hij het werk van Candace niet erg belangrijk. Dat die groep uit elkaar valt en de Chinese vrouwen zonder onderricht blijven vindt hij minder erg dan het risico dat Candace Keno zou tegenkomen.'

'Rafe, ik maak me zorgen. Misschien mag ik niet oordelen, maar ik heb altijd het gevoel gehad dat hij niet oprecht is. Dit zou een mokerslag zijn voor Candace. Ze is zo toegewijd en ze heeft een man nodig die minstens even enthousiast is, zo niet meer.'

'Juist omdat ze zo toegewijd is, zoals je terecht zegt, zou ze beter dan wie ook moeten weten dat hij loze praatjes verkoopt.'

'Dus jij denkt ook niet dat hij oprecht is?'

'Nee. Je hebt gelijk dat we niet mogen oordelen over iemands innerlijke drijfveren, maar karaktereigenschappen en daden zijn voor iedereen te zien. Je hebt gehoord hoe Oliver loog en Keno in diskrediet bracht. Hij was bereid, en verheugde zich er zelfs op, om hem te laten oppakken en een paar weken in de gevangenis te laten zetten. Maar ik heb vanmorgen Thaddeus Hunnewell gesproken. Hij heeft de sheriff gezegd dat alle aanklachten tegen Keno vervielen.'

'Dat is geweldig!'

Thaddeus Hunnewell stamde uit een van de oude families waarin titels, rijkdom en bloedlijnen hoog in het vaandel stonden en de eerbiedwaardige patriarchen en matriarchen het familiebedrijf bestierden, vooral wanneer het op land en rijkdom aankwam.

Edens vader, dokter Jerome, was weliswaar de geliefde jongste zoon van Ainsworth, maar had vrijwel niets te zeggen over de zaken van de Derringtons, vanwege zijn vaders toewijding aan de wetten van de patriarchale dominantie. Als er een grens werd overschreden door een ongewenst huwelijk, zou Ainsworth niet vergeven of vergeten. De avond daarvoor had hij tijdens het eten nog opgemerkt dat 'de lieftallige Millicent Judson Beacon haar man, George Hampton Beacon jr., vier gezonde zonen had geschonken'.

Eden hoefde niet lang te raden waarom haar grootvader dat nieuws tijdens het diner aan Jerome vertelde. Ainsworth dacht eraan dat Jeromes vrouw, Rebecca Stanhope Derrington, slechts één kind had gekregen, een meisje, en nog niet eens zijn *favoriete meisje*. De boodschap was duidelijk: als Jerome jaren eerder naar hem had geluisterd en met Millicent Judson was getrouwd, in plaats van met Rebecca Stanhope, zou hij nu veel beter af zijn, met vier zonen. Ainsworth geloofde kennelijk dat de robuuste Millicent haar zonen op eigen initiatief had voortgebracht, enkel en alleen omdat ze tot de Judson-familie behoorde.

Maar ik heb een ding dat voor mij spreekt, bedacht Eden. *Grootvader Ainsworth is zonder meer uitgelaten omdat ik met Rafe Easton ga trouwen. Rafe overtreft zelfs de hooggeachte verdiensten van een Hunnewell.*

Met het oog op het wegvallen van Townsend zou Jerome de kroonjuwelen van de Derringtons hebben moeten erven, maar hij kwam niet in aanmerking vanwege zijn keuze voor Rebecca in plaats van Millicent Judson en zijn keuze om als dokter door het Verre Oosten te trekken in plaats van de Hawaïaanse politiek in te gaan en alles te doen om de positie van de Derringtons te verbeteren. En omdat Eden de dochter was van Rebecca, stond zij veel minder in de gunst bij de familie dan Candace en Zachary.

Maar ze koesterde geen wrok. God had haar Ambrose en Noelani gegeven, en door hun getuigenis en godvrezende voorbeeld had zij de grootste Schat van al leren kennen, Jezus Christus. *Die erfenis zou ik niet willen inruilen voor het complete Derrington-fortuin.*

Ze moest grootvader Ainsworth echter nageven dat hij zich oprecht had verheugd toen zijn jongste zoon na een zo lange afwezigheid terugkeerde naar huis. Maar de gouden sleutel voor de volgende generatie van de Derringtons zou naar zijn kleindochter Candace gaan, die voor de eervolle positie moest betalen door een op liefde gebaseerd huwelijk op te geven ten gunste van een gearrangeerde verbintenis.

De reden waarom Candace ermee instemde om met Oliver te trouwen, bleef Eden dwarszitten. Het was een geheim dat alleen zij en Candace kenden: grootvader Ainsworth had haar beloofd dat hij achter de schermen zou zorgen dat Keno eigen land zou krijgen, als Candace in het belang van de familie met Oliver zou trouwen. Hij zou haar niet alleen als zijn voornaamste erfgename handhaven, maar ook goed voor Keno zorgen. Eden kende haar nicht goed genoeg om te weten dat ze een dergelijke koehandel alleen accepteerde omdat ze vreesde voor de gevolgen als ze *niet* zou meewerken.

Ainsworth had gedreigd dat hij zijn invloed zou aanwenden om Keno uit Honolulu te verbannen als Candace zou weigeren om haar verantwoordelijkheid jegens de familie op zich te nemen. En Eden twijfelde er niet aan dat haar grootvader een dergelijke bedreiging kon en zou waarmaken. Kennelijk was ook Candace daarvan overtuigd.

Wat haar ook zorgen baarde, was dat dokter Jerome niet eens het geld had om de drukpers te betalen die zij en Ambrose wilden meenemen naar Molokai om kinderbijbelverhalen te drukken. Het had haar verrast toen ze onlangs hoorde hoe weinig geld Jerome ter beschikking had. Misschien zou ze een lening voor de drukpers kunnen krijgen van Rafe, maar dat had ze hem nog niet gevraagd. Ze keek naar hem op. Ambrose en Eden wilden ook vragen of ze Rafes boot, de *Minoa*, konden gebruiken om de drukpers naar het eiland te brengen. Tot nu toe had ze niet de moed gehad om hem om deze gunsten te vragen.

Ze keek uit het raam van de koets naar het blauwe water van de zee en vroeg zich af of het ooit geoorloofd was om een plechtige belofte te breken. Vooral de belofte die ze Candace had gedaan om te zwijgen over haar redenen om met Oliver te trouwen.

Dat had ik nooit moeten zweren. Ik had haar niet moeten toestaan om stilzwijgen van mij te eisen, want daardoor zit ik in een onmogelijke positie.

Ik moet met Ambrose over geloftes praten, bedacht ze plotseling.

Ze zag hoe Rafe tegen zijn kin tikte, zoals hij vaker deed als hij nadacht. Ze had het altijd een aantrekkelijk gebaar gevonden, hoewel ze niet kon zeggen waarom. Hij zou erom lachen als hij het wist. Rafe leek veel van haar reacties amusant te vinden en daarom wilde Eden des te beter haar best doen om ouder en wijzer te lijken. Even liet ze zich gaan en genoot ze van zijn knappe, mannelijke voorkomen, in de wetenschap dat hij ooit de hare zou zijn. Ze hield van zijn gebruinde huid, de harde kaaklijn die kracht en vastberadenheid verried, zijn gespierde lichaam. Op dat moment besefte ze hoe makkelijk het zou zijn om haar verlangens de vrije loop te laten, des te meer omdat ze al verloofd waren. Het leek daarom in orde om de teugels iets te laten vieren, maar een verlovingsring was nog geen trouwring. Sterker, er was alle reden om uiterst voorzichtig te zijn. Ze waren verliefd, ze wisten dat ze verliefd waren en ze wisten dat het huwelijk zou komen.

Snel keek ze naar de diamanten verlovingsring voordat hij de romantische gloed zou ontdekken die haar ogen nu ongetwijfeld kleurde. Het zou ook niet eerlijk zijn tegenover hem, bedacht ze. Hoe lang was het geleden dat ze in haar bijbel had gelezen? Dagen, want ze had het ongelooflijk druk gehad in het ziekenhuis. Het was te lang. Ze had al vroeg in haar leven ontdekt dat de zondagse kerkgang alleen niet genoeg was om haar band met God in stand te houden. Ze had behoefte aan tijd alleen met haar bijbel. Op die momenten sprak Hij tot haar hart, door het Woord zelf. Geen wonder dus dat ze in vele zaken te zeer op het randje balanceerde, of het nu ging om haar intieme verlangen naar Rafe of haar gefrustreerde buien. Van alle dierbare herinneringen aan haar verloofde uit de afgelopen jaren had één de meeste indruk op haar gemaakt. Het was een beeld dat ze vaak had gezien: Rafe die alleen op de zwarte lavarots bij de zendingskerk zat en in een klein, zwart bijbeltje las.

10

Afgerukte palmbladeren en struiken, sporen van de storm, bemoeilijkten de doorgang voor de koets die de modderige karrensporen van de weg naar het noorden volgde. De kustlijn van de Stille Oceaan was bezaaid met vissersboten. Eden zag grote, donkere visnetten uitgespreid op het witte zand liggen. Hawaïaanse vissers herstelden ze ter voorbereiding op hun nachtelijke visexpedities bij toortslicht. Anderen werkten op een veld waar taro werd verbouwd en vulden een gebutste wagen met de oogst.

Verderop lag een papajabos waarin Aziatische contract-arbeiders zwoegden. De bungalows tegen de groene hellingen en in de verder afgelegen velden stonden op palen of rotsen boven de grond, die verzadigd was van het water uit de bergen.

De parelbedden van de Eastons waren niet ver meer. Eden was er blij om dat Celestine het rechtmatige bezit had teruggewonnen van oom Townsend en dat ze binnenkort onder beheer van Rafe zouden staan. Het was de zeggenschap over de parelbedden die de problemen tussen Townsend en Celestine had veroorzaakt, omdat Rafes moeder er het vorige jaar op had gestaan dat haar zoon zou erven wat zijn vader met hard werken had opgebouwd. De gedachte dat Townsend op dat moment in San Francisco rondliep, maakte Eden des te bezorgder. Vanaf het moment dat Rafe haar het nieuws had verteld, had ze gebeden voor Celestine en Kip.

Even later reden ze langs de Kea Lani-plantage van de Derringtons naar de iets verderop gelegen Hawaiiana-plantage van Rafe – de twee bedrijven lagen op loopafstand van elkaar, en Eden had de afstand verschillende keren te voet overbrugd.

De uitgezaaide ananassen hadden het de afgelopen maanden goed gedaan en de groene spruiten groeiden uit tot sterke struiken, die volgens Rafe de dikste en zoetste ananassen van de hele Pacific zouden opleveren. Hij kon de vruchten naar het vasteland verkopen en was nog met Keno en Parker Judson in overleg hoe dat aangepakt moest worden. Zijn idee om ze in te blikken leek Eden nogal ingewikkeld. Ze zag niet in hoe een zo gecompliceerde procedure gerealiseerd kon worden, maar ze had al lang geleden geleerd om Rafe en Keno niet te onderschatten. Als zij bij elkaar zaten, kwamen ze soms met de wildste plannen aanzetten. Maar Eden vond het heerlijk om erbij te zitten en naar hen te luisteren, zoals ze vroeger had gedaan als Candace bij haar was en Rafe en Keno hen opzochten op Kea Lani.

De vruchtbare Hawaïaanse bodem onder de heldere zon was ideaal voor de uitlopende ananassen, net als de regen en alle overige zegeningen van boven. Grootvader Ainsworth verweet het zichzelf nog elke morgen bij het ontbijt dat hij Rafe niet serieus had genomen toen hij de kans had. In plaats daarvan had hij zijn zoon Townsend toegestaan om te proberen hem van Hawaï te verdrijven. Rafe had Honolulu inderdaad verlaten, maar keerde twee jaar later terug met een schat uit Frans Guyana.

Toen hij twee jaar daarvoor in San Francisco was, proefde grootvader Ainsworth een ananas van de nieuwe variëteit die met de *Minoa* was aangevoerd. De vrucht was niet eens vers, maar niettemin bekende hij aan Parker Judson dat hij er verkeerd aan had gedaan om Rafe Easton niet te steunen. Op dat moment had Parker contact opgenomen met Rafe en hem een aanbod voor samenwerking gedaan dat te gunstig was om af te wijzen. Uit de zakelijke relatie was een hechte vriendschap voortgekomen.

De ananasplanten tierden welig in hun nieuwe thuisland, net als het suikerriet.

'Ainsworth vertelde Silas vanmorgen dat er onder de inheemse bevolking veel onvrede bestaat over het feit dat er te veel niet-Polynesische arbeiders worden gecontracteerd,' merkte Eden op.

'Daar heb ik begrip voor,' zei Rafe bedachtzaam. 'Maar het probleem is dat de planters weinig keus hebben. Als we geen contractarbeiders zouden aannemen, zouden we niet genoeg mensen hebben voor het werk op de velden. Niettemin klagen de Hawaïanen terecht. Met het aantal Aziaten dat we nu naar de eilanden halen, zou de etnische balans van Hawaï binnen een generatie kunnen veranderen, als ze zich hier definitief vestigen. Maar het is vooral Wilcox die de etnische problemen veroorzaakt. Hij is een heethoofd. Hij vertelt de Chinezen en Japanners dat ze net als de Hawaïanen het recht hebben om te stemmen. Dat zou een versterking zijn voor zijn machtsbasis.'

Eden wilde geen definitief standpunt innemen. 'Goed, maar die arbeiders zijn geen burgers van Hawaï enkel en alleen omdat ze hier werken,' peinsde ze. 'Ze zijn op contract hier naartoe gehaald met een bepaald doel, om te werken. Is het niet de bedoeling dat ze na afloop van het contract met hun verdiensten terugkeren naar hun eigen land?'

'Dat was inderdaad het idee, maar de meesten gaan niet terug. De Hawaïanen beschouwen dat als een mogelijke bedreiging, omdat ze in de minderheid raken. Uiteindelijk komt het allemaal neer op annexatie. Zonder dat kan Hawaï zich in de huidige wereld geen veertig jaar meer handhaven. Het wordt tijd dat we dat eens goed onder ogen zien.'

'Maar je weet ook wat Liliuokalani zou zeggen,' antwoordde Eden zacht. 'De oorspronkelijke Hawaïanen willen hun monarchie behouden. Zij willen geen annexatie door de Verenigde Staten.'

'Ik ben ervan overtuigd dat veel van hen tegen annexatie zouden stemmen als het hun vandaag werd gevraagd, vooral vanwege de manier waarop Wilcox hen bejegent en omdat de koningin een terugkeer naar het oude stamverband en het gewoonterecht van de *alii* belooft. Maar gelukkig hoeven we die verkiezing niet nu te houden. Er is nog tijd om hun te laten zien dat annexatie het beste is voor Hawaï als geheel. De tijden zijn veranderd. Een paar heersers uit de stand van de *alii* kunnen de eilanden niet beschermen tegen de steeds sterker wordende rijken die zich in de Stille Oceaan manifesteren. Ik ben er zeker van dat de Hawaïanen uiteindelijk overtuigd kunnen worden en zullen instemmen met aansluiting bij Amerika, als wij goed kunnen uitleggen waarom het zo cruciaal is voor de toekomst. Thaddeus Hunnewell werkte zelfs al aan een manifest over dit onderwerp, om het tijdens het bezoek van de leiders van de Reform Party in Washington te presenteren.' Hij lachte schamper. 'Maar helaas werd het document gisteren van het bureau in zijn bibliotheek gestolen.'

'Gestolen,' herhaalde ze zacht. 'O, Rafe, wat gaat er gebeuren als koningin Liliuokalani het in handen krijgt?'

Zijn indringende blik zocht haar ogen als om zich ervan te vergewissen of haar verrassing en bezorgdheid oprecht waren. Ze voelde hoe een warme gloed zich over haar wangen verspreidde. *Denkt hij dat? Denkt hij dat zij het manifest misschien gestolen heeft?*

'Als de koningin het in handen krijgt, geeft ze misschien binnenkort opdracht aan een beul om zijn zwaard te slijpen,' antwoordde hij minzaam.

★

De koets naderde Hawaiiana en Eden zag veel Chinese arbeiders op de velden. Ze wist dat het leven voor hen in China niet beter was, en misschien zelfs slechter. Ze stapten uit vrije wil aan boord van de schepen van de onderaannemers naar Hawaï. Sommigen brachten hun gezinnen mee en tekenden contracten om voor een bepaalde periode tegen een vaststaand loon op de Hawaïaanse plantages te werken. Velen kwamen ook vanwege de verdiensten die ze terug konden zenden naar hun grote families in China. De meesten bleven op Hawaï wanneer hun contracten afliepen. Ze tekenden nieuwe contracten of begonnen hun eigen landbouwbedrijfje, terwijl weer anderen winkels dreven in de wijk Iwilei in Honolulu. Een vertrouwde verschijning op de eilanden en vooral in Honolulu waren de groente- en fruitverkopers. Ze liepen langs de smalle straten en prezen ijverig hun koopwaar aan, die ze in manden aan lange stokken over hun schouders meedroegen. Sommigen waren financieel in staat om goederen uit hun geboorteland te importeren, die ze aan hun landgenoten in den vreemde verkochten: kostbare zijde – die ook erg in trek was bij de haole vrouwen – Chinees porcelein, tabak en medicinale kruiden die voor de niet-Chinezen bepaald exotisch waren.

Ze smokkelden ook opium naar de eilanden. De drugskartels uit China stuurden hun *kingpins*, hun leiders, van wie sommigen zich als arbeiders voordeden om de opium makkelijker onder de Chinezen op de plantages te kunnen slijten. Koning David Kalakaua had het alleenrecht voor de opiumverspreiding aan een bepaalde kingpin uit China gegeven, die hem daarvoor meer dan 70.000 dollar had betaald.

Samen met de opium kwam de onafscheidelijke tweede verslaving, het gokken. Een kartel was bezig geheime casino's op de eilanden op te zetten, naar het voorbeeld van het vasteland, om nog meer onverstandige Hawaïanen en haoles hun geld te laten riskeren aan de roulette- en pokertafels. Veel Chinezen geloofden in 'geluk en fortuin' en elke dag van de week sloten de arbeiders zowel op de plantages als daarbuiten onderling alle mogelijke weddenschappen af. Chinese geldschieters werden rijk van de woekerrente, terwijl de christenen van de Reform Party zich verzetten tegen de legalisering van drugs-, gok- en prostitutiekartels die grotendeels in handen waren van geheime kingpins.

De bomen en struiken langs de onverharde weg ruisten. Tenslotte sloeg de koets van het Royal Hawaiian Hotel af naar het huis op de plantage, in de verte. Achter de zonovergoten velden die tot ver in de richting van Koolau Mountain doorliepen, zag Eden het groen op de heuvels dat afstak tegen de donkere rotsblokken, gelardeerd met rode en gele tinten. Mauna Loa was na de regen van de avond daarvoor in nevel gehuld, maar de bonte kleurenpracht met groen, paars, zwart en blauw bleef zichtbaar.

Het statige witte huis stond temidden van grijsgroene kokospalmen en had een brede lanai. De koetsier stopte in de schaduw van een paar grote bloeiende poinciana's met weelderige, rode bloesems.

Rafe deed het portier van de koets open en hielp Eden uit te stappen op de met vlekjes zonlicht bespikkelde grond. Ze keek op naar de lanai en vroeg zich af of Keno thuis was voor de lunch en of Noelani in de keuken aan het werk was.

Ze liep alvast naar het huis terwijl Rafe de koetsier opdracht gaf terug te keren naar het hotel, omdat hij besloten had die nacht op de plantage te blijven slapen. Het personeel hield het huis schoon, maar omdat Celestine er niet was en Rafe voornamelijk in Hanalei verbleef, kwam de schoonmaakhulp alleen in het weekeinde. Het verbaasde Eden dat de voordeur op een kier openstond. Keno moest wel enorm veel haast hebben gehad die ochtend.

Ze liep voor Rafe uit de grote hal binnen en werd begroet door de geluiden van de bijna-stilte: struiken die ruisten in de wind en het kraken of piepen van hout dat reageerde op het veranderende weer. Er overviel haar een verontrustend en onverklaarbaar gevoel van ongemak. Er klonken geen geluiden achter uit het huis, waar Noelani aan het werk zou zijn geweest als ze er was. Geen lunch, dus? Dat zou een grotere teleurstelling zijn voor Keno en Rafe dan voor haar, want zij at bijna nooit tussen de middag. Ze was geen grote eetster, wat een van de oorzaken was van haar slanke figuur waarom ze door velen werd benijd.

Snel liep ze door de hal naar de salon, haar favoriete kamer in het huis omdat Rafe die had ontworpen met haar in gedachten.

De kamer werd aan drie kanten door muren omgeven, terwijl de vierde wand werd gevormd door een zuilengang met prachtig ijzeren smeedwerk op de gaasdeuren. Het laatste zonlicht was uit de salon verdwenen, maar de gordijnen voor de doorgang naar de lanai zaten nog dicht en het was benauwd binnen. Eden fronste. Het was vreemd dat de voordeur openstond, maar dat Keno de gaasdeuren niet had geopend om frisse, koele lucht in de salon te laten.

Ze liep door de kamer en trok de gordijnen open om de welkome bries binnen te laten. De gaasdeuren gaven toegang tot de lanai, die uitzicht bood op een afgesloten tuin vol mooie struiken en bloemen. De poinciana, die ook hier zijn rijke, rode bloesem vertoonde, was haar favoriete boom, samen met de oude hau-boom met zijn weelde aan felgele bloesems.

Vreemd, dacht ze weer, terwijl ze de tuin vanaf de lanai opnam. Ze had de indruk dat er ergens iemand aanwezig moest zijn. Was Keno er toch, of haalde Noelani misschien wat bloemen uit de tuin voor op de lunchtafel?

Maar – Eden kneep haar ogen half dicht en tuurde ingespannen naar een schaduw naast de witte bloesems van de gardenia. Er was nog iets wits dat achter de grote, wasachtige bladeren uitstak. *Dat kan niet waar zijn* – maar dat was het wel. Het been van een man met een witte broek aan, met zijn voet naar buiten gedraaid.

De schrik sloeg haar om het hart en de adrenaline schoot

door haar lijf. *Het is Keno!* Ze stak de lanai over, trok haar jurk omhoog, stormde van het trapje af en rende door de tuin naar de gardenia's.

De man lag met zijn gezicht naar beneden op de onlangs omgespitte grond. Hij had een wit jasje en een witte broek aan. Zijn ene arm lag gevouwen onder zijn lijf, de ander uitgestrekt boven zijn hoofd, met klauwachtig verkrampte vingers. Het was Keno niet.

Eden viel naast het lichaam op haar knieën en voelde aan de uitgestrekte hand, die slap was en warm aanvoelde. De man was tamelijk gezet; misschien was hij alleen flauwgevallen van de warmte. Ze drukte een vinger op zijn pols, maar er was geen hartslag en ook achter zijn oor tegen zijn slaap was geen teken van leven te voelen. Voorzichtig boog ze weer over hem heen en draaide zijn hoofd iets, om zijn gezicht te kunnen zien. Het volgende moment stokte haar adem.

Ze sprong overeind en keek verbijsterd naar de dode, Chinese man.

Het geluid van ontspannen voetstappen op de lanai liet haar opkijken. Rafe liep het trapje naar de tuin af en wandelde in haar richting. Hij bleef staan…

Het volgende moment had hij de tuin met een paar grote stappen overgestoken en greep hij Eden bij haar schouders.

'Lieverd, wat is er aan de hand?'

Zwijgend draaide ze haar hoofd naar de bloeiende struik en Rafe volgde haar blik. Onmiddellijk knielde hij naast het lichaam en tilde de man bij zijn schouders op tot hij onder hem kon kijken, tot waar zijn borst op de aarde steunde. Hij liet de schouders weer los.

Eden hoorde hem zuchten.

'Dat is hem,' zei ze zacht, met gespannen stem.

'Wat bedoel je daarmee?'

'De man die ik gisteravond bij dokter Jerome zag,' fluisterde ze. 'De man die gisteravond naar het ziekenhuis in Kalihi kwam. De man die Jerome meenam voor een ontmoeting met een andere Chinese man, bij de tuin van Hunnewell!'

Rafe keek haar indringend aan. 'Wat deed hij?'

Ze knikte. 'Rafe, hij is nog geen halfuur dood. Misschien is het zijn hart geweest.'

'Nee,' antwoordde hij gespannen. 'Er zit links een mes onder zijn ribben.'

Hij kwam overeind, fronste en keek nog eens naar de man. 'Je zei dus dat deze man jouw vader bij Hunnewell in contact bracht met een Chinees?'

Eden legde een hand op haar keel. 'Ja.' Ze staarde naar de man op de grond.

'Het interessante is, denk ik, dat hij ook een Chinees is.'

'Heeft iemand hem vermoord?'

'Ja, en zoals je terecht opmerkte, waarschijnlijk niet langer dan een halfuur geleden. En dan ook nog in mijn tuin... wat deed hij hier?'

Eden had geen antwoorden, maar Rafe verwachtte die ook niet. Ze keek rond in de tuin en voelde een lichte tinteling over haar rug gaan. De schaduwen tussen de grote varens en struiken werden dreigend.

'Hij droeg ringen,' zei Rafe peinzend.

Eden volgde zijn blik. Twee vingers van de dode man vertoonden witte strepen op de huid. 'Is hij vermoord tijdens een beroving?' vroeg ze.

'Misschien was het alleen een idee achteraf. Kom mee naar binnen.' Hij pakte haar arm vast en voerde haar snel mee naar de lanai. 'Lieverd, vertel me alsjeblieft alles wat je weet over gisteravond. We hebben niet veel tijd. Ik zal de sheriff moeten laten komen.'

'Dit is afschuwelijk! Waarom is het gebeurd?'

'Waarom gebeuren er vreselijke dingen in het leven? Kom mee, ik moet alles weten.'

11

Rafe bracht Eden naar een gemakkelijke stoel om bij te komen, terwijl hij zelf naar de keuken liep. Even later kwam hij terug met koffie en een bord met brood, vleeswaren en fruit.

'Hoe kun je eten terwijl die arme dode man daar in de tuin ligt?' protesteerde ze.

'Geen dode man, lieveling. Een dood *lichaam*. Zijn ziel is weggenomen naar een plaats waar hij voor zeer lange tijd zal zijn. Trouwens, ik zou gedacht hebben dat je inmiddels wel gewend was aan dode lichamen. Je hebt wel doden gezien die er erger uitzagen dan deze.'

'Tot op zekere hoogte,' beaamde ze, 'maar deze man – of dit lichaam, zo je wilt – lijkt anders. Gisteravond leefde hij nog en was hij bij mijn vader. Ik heb hem gezien.'

Hij beet in zijn boterham met vlees.

Eden voelde zich weeïg. Ze was uitgeput.

'Geef me de saus even aan, als je wilt,' zei hij. 'Keno kan elk moment terugkomen. We moeten ter zake komen, lieveling. Het wordt een drukke dag.'

Eden keek hem koel aan en dronk van haar koffie, maar haar keel bleef droog en ze proefde nauwelijks iets.

'Dus dokter Jerome was bij Hunnewell en sloop met deze man rond bij de tuin,' begon hij. 'Kende je hem al?'

'Nee. Ik heb hem nooit gesproken, maar ik heb hem wel al eerder gezien, nog voor gisteravond.'

'Wanneer was dat dan?'

Ze probeerde het zich te herinneren. De details bleven vaag. 'Ik geloof dat het ook hier was, op Hawaiiana.'

Rafe keek haar verrast aan. 'Kennelijk ben ik minder goed

op de hoogte dan ik dacht van wat er op mijn eigen plantage gebeurt.'

'O!' Ze keek hem plotseling aan, nu ze het zich weer herinnerde. 'De deur stond open toen we aankwamen.'

Hij liet de woorden even tot zich doordringen.

'Ik dacht dat Keno en Noelani hier waren,' ging ze verder. 'Maar nu dat niet zo is, heeft Keno misschien de deur opengelaten voor deze man. Misschien kende hij zowel Keno als mijn vader.'

Rafes koele, observerende blik ging over de tuin. Hij verloor zijn eetlust en stond op, met een servet in zijn hand. 'Ik vraag me af… als hij Keno kende, zou dat alles veranderen.'

Wat wilde hij daarmee zeggen? Onzeker volgde ze zijn blik naar buiten.

'Als Keno op de hoogte was van zijn komst, zou hij hem over een of andere belangrijke zaak hebben willen spreken.' Hij richtte zijn intense blik weer op Eden. 'Jij gelooft dat je hem hier eerder hebt gezien? Dat is interessant. Ik ken alle mannen en hun gezinnen op Hawaiiana, maar ik herinner me hem niet. Gezien zijn witte pak en de ringen die hij kennelijk droeg, is het waarschijnlijk geen veldarbeider. En een moordenaar zou niet de tijd nemen om die ringen mee te nemen als ze niet waardevol waren.'

'Een moordenaar?' vroeg ze ongemakkelijk. 'Denk je dat echt?'

'Dat veronderstel ik. Ik kan ernaast zitten, maar het lijkt me dat iemand hem hierheen is gevolgd met het doel om hem te doden. De diefstal van de ringen was een gelegenheidskwestie.'

Eden huiverde, keek ongemakkelijk de tuin in en richtte haar blik vervolgens op de grote hal. 'Hoe weten we dat hij zich niet meer ergens in het huis verbergt? De man is nog niet lang dood. De moordenaar was er misschien nog toen ik naar binnen ging. Ik had een heel naar gevoel toen ik naar deze kamer liep.' Ze keek om zich heen.

Rafe pakte haar handen vast en keek haar recht in de ogen. 'Maak je geen zorgen, er is niemand hier. Ik heb snel even rondgekeken toen ik naar de keuken ging.'

Daarom had hij dus gedaan alsof hij zo'n trek had. Hij had niets gezegd om haar niet ongerust te maken.

'Als de moordenaar er nog was toen we aankwamen, is hij weggeglipt toen we in de tuin waren.'

Ja, dat klonk logisch. 'Een moordenaar,' fluisterde ze. 'Maar waarom?'

'Misschien heeft het iets met een opium- of gokkartel te maken. Wie weet? We moeten de zaken op een rijtje zetten voordat ik de sheriff laat komen.' Hij keek op zijn horloge. 'Keno kan elk moment komen. Ik wil graag weten wat hij hierover te zeggen heeft.'

Eden dacht aan de man die gisteravond bij dokter Jerome was geweest. Er waren twee mannen geweest. De dode in de tuin, die hem bij het ziekenhuis had opgezocht, en de man in het dure zijden gewaad, met zijn huurkoets. Opium... gokken!

'De moordenaar heeft die man dus misschien hiernaartoe gevolgd?'

'Precies. En op het moment dat het slachtoffer besefte dat hij in moeilijkheden zat, vluchtte hij naar de tuin, rennend voor zijn leven. De moordenaar haalde hem in en doodde hem.'

'Maar wat had hij gedaan om die moord uit te lokken? Als het opium is...'

'Dat is wat de politie zal willen weten. Als Keno hem kan identificeren, gaan we de goede kant op. En nu wil ik graag dat je me tot in detail vertelt wat er gisteravond is gebeurd.'

Eden liep ongemakkelijk door de langwerpige salon. Ze vond het moeilijk om haar vader met het duistere gebeuren in verband te brengen. Maar hoe meer ze probeerde zijn sporen uit te wissen, hoe troebeler alles werd. Ze moest erop vertrouwen dat haar vader niets verkeerds had gedaan, maar ze moest Rafe nog meer vertrouwen. Ze keerde zich met een ruk om en keek hem door de kamer aan. Het zonlicht stroomde naar binnen en gaf het houtwerk, koa, teak en mahonie, een warme gloed. Ze voelde dat Rafe naar haar keek. Ondanks alles leek hij de kalmte zelve, maar zijn ogen stonden verontrustend alert.

'Wat denk je ervan, Eden? Vertel me alsjeblieft alles, vanaf het begin en zonder iets weg te laten.'

Ze knikte met tegenzin. 'Jouw vermoedens omtrent dokter Jerome zijn waar. Hij was bij Hunnewell. Ik volgde hem de tuin in.'

★

Rafe luisterde zwijgend terwijl Eden hem alles vertelde wat er die avond was gebeurd. Hoewel hij intensief luisterde, had Eden soms het vreemde gevoel dat hij bijna alle feiten al kende.

'Wat mij betreft begon het allemaal een uur eerder in het ziekenhuis in Kalihi. Ik had even pauze van mijn werk met tante Lana en dokter Bolton in de quarantaine-afdeling voor leprapatiënten en ging naar de pauzeruimte voor de verpleging. Door de open deur had ik zicht op de gang, tot dicht bij de ingang van het ziekenhuis.

Mijn vader was de gang vanaf een andere kamer ingelopen en voordat ik hem kon vragen om samen koffie te drinken, hoorde ik zijn gedempte stem. Hij sprak met iemand in de gang. Het bleek de dode man te zijn.'

'De Chinese man die nu dood is?'

'Ja. Dokter Jerome begroette hem met "O, hallo," maar omdat hij zacht praatte kon ik de naam niet verstaan.'

Haar woorden trokken zijn aandacht. 'Wil je zeggen dat

dokter Jerome op vriendelijke toon met hem sprak? Hoorde je niet iets van tegenstand in je vaders stem of intonatie?'

Verwachtte hij dat er sprake was geweest van intimidatie? Ze aarzelde en vroeg zich af hoe ze de verandering in haar vaders emoties moest beschrijven zonder de verkeerde indruk te wekken. 'Nee, er was geen sprake van strijd, aanvankelijk niet.'

'Aanvankelijk niet, maar later wel?'

'Misschien niet direct strijd, Rafe, maar bezorgdheid.'

'Heb je nog iets anders opgevangen, of misschien een woord?'

Ze schudde haar hoofd. 'Ze spraken te zacht. Ik wist dat het geen patiënt kon zijn. Al onze patiënten zijn mensen die mogelijk lepra hebben en op de diagnose wachten. Ze mogen het omheinde gebied niet verlaten. Zijn aanwezigheid in de gang kwam mij dus vreemd voor.'

'En je zag het gezicht van de man, nietwaar? Want je hebt hem zojuist herkend.'

'Eerst niet. Hij stond met zijn rug naar me toe. Hij droeg – nou ja, dat weet je: hetzelfde wat hij nu nog aan heeft.' Ze keek in de richting van de lanai. 'Ik zag zijn gezicht toen hij een paar minuten later met dokter Jerome langs de kamer liep.'

'En je weet zeker dat het dezelfde man is?'

'Ja, hij is het.' Ze wreef ongemakkelijk over haar arm. 'En ik zag nog iemand anders, een vrouw, die buiten voor de ingang wachtte, maar ik kan niet met zekerheid zeggen of ze bij hem hoorde.'

'Een vrouw,' peinsde hij, in de verte kijkend. 'Wat deed ze?'

'Ze keek vanaf de trap buiten naar binnen. Ze bleef niet lang in het zicht. Ik heb haar gezicht maar heel vluchtig gezien. Ze was in het zwart en droeg iets op haar hoofd, waarschijnlijk een sjaal, die haar gezicht deels bedekte. Ik herinner me dat er vreemde, rode figuren op de sjaal stonden… maar ik kon ze niet thuisbrengen.'

Hij keek haar aandachtig aan. 'Tekens van de dierenriem?'

Ze keek hem verbaasd en nieuwsgierig aan, maar schudde haar hoofd. 'Ik weet het niet. Het ging te snel.'

'Dus dokter Jerome verliet het ziekenhuis met de Chinese man en de vrouw?'

'Niet met de vrouw. En ik weet ook niet of zij Chinees was. Ik heb de indruk van niet.'

'Dan zag je je vader en de Chinese man dus samen het ziekenhuis verlaten en naar het huis van de Hunnewells lopen. En wat deed die vrouw in het zwart?'

Ze glimlachte verontschuldigend. 'Er stond een koets voor haar klaar langs de straat.'

'Een mooie koets?'

Ze zweeg even en dacht na. 'Nu je het zegt, ja.' Ze keek verrast op. 'Hij leek veel op de koets van het Royal Hawaiian Hotel die we vandaag hebben gebruikt.'

Zijn ogen lichtten geïnteresseerd op. 'Aha. Zag je niet toevallig een bleke, magere man bij haar? Ook in het zwart?'

Ze vroeg zich af waarom hij het wilde weten. Had hij die vrouw en man ergens samen gezien?

'Ik zou het niet kunnen zeggen. De zon was al onder en het werd snel donker. Ik heb haar niet meer gezien. Maar het was wel vreemd dat ze bij het lepraziekenhuis opdook. En ze gedroeg zich nogal heimelijk op de trap voor de ingang.'

Rafe keek voor zich uit, beheerst en ondoorgrondelijk. 'En wat gebeurde er daarna? Ben je je vader gevolgd?'

Eden voelde de behoefte zich te verdedigen, hoewel ze er nog steeds van overtuigd was dat ze het juiste had gedaan. Ze plukte aan het kant van haar mouw. 'Ja, ik ben hem gevolgd en ik zal je zeggen waarom. Toen hij de man eerst begroette, was hij vriendelijk, maar in de loop van het gesprek veranderde zijn stemming. Hij kreeg een heel onthutste uitdrukking op zijn gezicht en de grote verandering baarde me zorgen.'

'Maar hij ging vrijwillig met de man mee?'

'Ja, volgens mij had hij haast om met hem mee te gaan. Gewoonlijk zou hij tijdens zijn dienst het ziekenhuis niet verlaten, behalve wanneer hij weggeroepen zou worden voor een noodgeval. Toen ik dus de uitdrukking op zijn gezicht zag en merkte hoe snel hij weg wilde, wist ik dat er iets mis moest zijn. Ik volgde hem naar het huis van de Hunnewells en onderweg bedacht ik dat grootvader Ainsworth hem misschien had laten komen. Misschien was iemand tijdens de vergadering van de annexatiebeweging onwel geworden. Misschien zelfs Ainsworth zelf...'

'Wacht even, liever. Hier moeten we even bij stilstaan. Hoe wist je dat je grootvader bij die vergadering, of liever die "geheime" bijeenkomst, aanwezig was?' vroeg hij met een grimmige ondertoon.

Eden draaide zich naar hem toe en glimlachte voor het eerst. Ze vond het leuk om Rafe met verrassingen te overvallen, omdat ze die gelegenheid maar zelden kreeg. En ze had nog een verrassing in petto. Met betrekking tot Oliver.

'O, heel eenvoudig,' zei ze uitdagend.

Hij kneep zijn ogen half dicht. 'Eenvoudig?'

'Ja, Candace vertelde me over de vergadering.'

'Candace,' herhaalde Rafe. 'En hoe heeft zij over de nieuwe Annexatie Club van Thurston gehoord?'

'O, zij weet heel veel tegenwoordig, dankzij een bepaald persoon.'

Hij keek haar vragend aan. 'En ga je die bepaalde persoon geheimhouden?'

'Ik heb geen geheimen voor jou,' antwoordde ze met een onschuldige blik.

Hij glimlachte, pakte haar arm vast en trok haar naar zich toe. 'Ben je me aan het plagen, lieverd?'

Ze zette haar hand op zijn borst en zette licht af. 'Candace kwam vroeger in de middag langs om met tante Lana over de trouwerij te praten – je weet dat Lana Stanhope over een paar weken met dokter Bolton trouwt?'

'Ja. Wacht eens even...' Zijn donkere ogen twinkelden. 'Hadden ze het niet over een huwelijksreis naar de leprakolonie op Kalawao?'

Zijn verloofde fronste.

'Een heel leuk stel,' zei hij vriendelijk. 'Goed, maar hoe wist Candace van die bijeenkomst?'

'Omdat Oliver het haar vertelde, natuurlijk,' zei Eden glimlachend.

'Oliver!'

'Ja, hij heeft twee weken geleden afgesproken om gisterenavond bij Candace te gaan dineren op Kea Lani, maar de bijeenkomst bij Hunnewell gooide roet in het eten. Hij moest Candace dus melden dat hij verhinderd was. Toen zij wilde weten waarom, moest hij dat uitleggen, nietwaar?' Ze probeerde zo onschuldig mogelijk te kijken.

'Natuurlijk moest hij dat uitleggen! De vrouwelijke nieuwsgierigheid dient te allen tijde bevredigd te worden!'

'En natuurlijk vertelde Oliver haar over de bijeenkomst van de Annexatie Club.'

'Dat was buitengewoon slim van hem. En ongetwijfeld wilde ze vervolgens weten wie er in die club zat, dus ik neem aan dat hij nog meer interessante weetjes heeft doorgegeven.'

'Je begrijpt het volkomen,' zei ze liefjes met een strak gezicht. 'Tenslotte had Candace veel tijd geïnvesteerd in een uitstekend diner. Ze had een nieuwe jurk aangeschaft en werd nu ernstig teleurgesteld.'

'Laat Keno niet horen dat ze teleurgesteld was,' merkte Rafe op.

'Ik betwijfel of ze het werkelijk zo voelde. Maar in elk

geval werd de verloren avond voor haar enigszins vergoelijkt door de interessante verhalen over de club waarvoor Oliver was uitgenodigd.'

'O ja, ik zie Oliver al helemaal voor me als een belangrijke geheim agent. Hij zou zijn geheimen nog aan de passaatwinden toevertrouwen om er zeker van te zijn dat Candace op de hoogte bleef.'

'Over geheimen gesproken, ik heb er nog een, als je het horen wilt.'

Hij trok een wenkbrauw op. 'Je hebt mijn onverdeelde aandacht.'

'Nou ja, het gaat weer over Oliver, eigenlijk. Wist je dat hij de Hawaïaanse monarchie steunt?'

Alle speelsheid verdween uit Rafes houding. Hij keek haar ernstig aan.

'Heeft hij dat verteld?' vroeg hij kortaf.

'Ja, hij weet dat ik de inspanningen van Nora voor de monarchie steun. Dat heeft Nora hem verteld, of misschien Candace. Hoe dan ook, hij begon er laatst over tegen mij. Hij had niet opener kunnen zijn over zijn eigen steun aan de koningin. Ik weet niet of het iets betekent, maar hij zei ook dat hij "niets dan respect heeft voor het Britse rijk". Maar hij heeft niet de moed om Thaddeus Hunnewell uit te leggen hoe hij erover denkt.'

'Dat zal ook wel niet, want zijn vader is een van de grondleggers van de annexatiebeweging in Honolulu – en hij gaat er voetstoots van uit dat zijn zoon dezelfde opvattingen deelt. En zoals ik de oude Hunnewell ken, zullen er maar weinig geheimen zijn die Oliver niet ter ore komen...' Hij stopte abrupt.

Eden keek hem aan. Ze herkende de afwezige blik op zijn gezicht. Een plotselinge inval nam hem volledig in beslag.

'Geheimen waarover?'

Hij keek haar weer aan. 'Dat zet de zaken weer in een

heel ander licht. Het betekent dat we een vierde man op onze lijst van mogelijke spionnen voor Liliuokalani moeten zetten. Dank je voor de informatie, lieverd. Ik trek mijn opmerkingen over Olivers onnozelheid terug. Kennelijk zijn wij hier degenen die te naïef zijn. Het betekent in elk geval dat hij slim genoeg is om in de gaten gehouden te worden.'

Alles wat met Oliver te maken had, baarde Eden zorgen vanwege Candace. 'Denk je dat hij in de tuin op iemand stond te wachten toen Keno toevallig langskwam?'

'Nu hij zich ontpopt heeft als een aanhanger van de monarchie? Het is mogelijk. Er is gisteren iets van het bureau van Thaddeus Hunnewell gestolen, iets dat belangrijk is voor de annexatiebeweging. De vraag wie het gestolen heeft, en waarom, wordt nog complexer omdat Oliver nu ook een van de mogelijke verdachten is, die uit verschillende motieven gehandeld kunnen hebben.'

'Liliuokalani zou geen betere spion kunnen hebben, toch?' zei Eden.

'Hij zit overal middenin. Je hebt me iets verteld om rekening mee te houden, lieverd. Wie van onze bonte stoet van mogelijke spionnen was in de tuin toen dokter Jerome met de Chinese man arriveerde?'

'Silas,' begon ze. 'Mijn vader, de Chinese man, Keno, Oliver en ikzelf. O ja, en *jij*.'

'Aha. En ik zou een heel waardevolle spion voor de koningin kunnen zijn, nietwaar? Net als Oliver heb ik toegang tot de diepste en donkerste bijeenkomsten met die rebellen van een Thurston en Dole. En bovendien ben ik de minst verdachte. De ideale positie voor wie kwaad wil.'

'En tot het telegram van Celestine kwam, was je van plan om met Thurston en grootvader naar Washington te gaan om geheime details van een mogelijke annexatie te bespreken. Ja, je zou een uitstekende spion zijn voor Liliuokalani.'

'Hoe komt het dat jij weet dat er "geheime details" in

Washington besproken zouden worden?'

'Grootvader had het er deze ochtend over met Silas.'

'Echt waar? Dat doet denken aan Hunnewell en zijn zoon Oliver. Het feit dat iemand familie is, betekent kennelijk dat hij of zij betrouwbaar wordt geacht. Maar ga verder. Zach zegt dat er een tweede Aziatische man in de schaduwen bij het hek van Hunnewell wachtte, aan de westkant. Heb je die toevallig ook gezien?'

'Ja, hij en dokter Jerome spraken elkaar een paar minuten. Toen werd hij kwaad, draaide zich om en stapte in een huurkoets.'

'Kwaad. Dat zou van belang kunnen zijn, met het oog op het slachtoffer in de tuin. En jij hebt evenmin als Zachary gehoord waar de discussie over ging?'

'Zachary?' Ze fronste haar voorhoofd. 'Wat is er met Zachary? En waarom heb ik steeds het idee dat jij allang weet wat ik gisteravond heb gezien?'

Rafe leek even te aarzelen, maar nam toen een besluit. 'Goed. Jij hebt beloofd open te zijn, en dat ben je ook, dus zal ik hetzelfde doen.' Hij schonk zijn koffiekopje vol.

'Nadat we gisteravond uit elkaar gingen – laten we zeggen niet in het beste humeur – zat Zach op mij te wachten in het hotel. Toen hij door het grote hek de tuin van Hunnewell was binnengelopen, werd hij door een kwaadaardige schim bewusteloos geslagen. Hij werd wakker onder de bomen bij het hek, maar tegen die tijd was de bijeenkomst van de annexatiebeweging voorbij en was alles weer rustig. Daarna was hij naar mijn hotelkamer gegaan om Silas voor al het kwaad op de wereld verantwoordelijk te stellen, inclusief de bult op zijn hoofd.'

'Is hij door dezelfde man aangevallen die de Chinees vermoordde?'

Rafe dacht na. 'Dat denk ik niet.'

De opmerking maakte haar argwanend. 'Dan moet iemand van de bijeenkomst hem hebben neergeslagen.'

'Misschien niet. Allerlei mensen van buiten zouden het gedaan kunnen hebben. Hartley, bijvoorbeeld.'

Herald, de medisch assistent van haar vader, had een paar dagen vrij genomen van zijn werk op het Grote Eiland, omdat hij rust nodig had. Eden kon echter niet bedenken waarom hij zoiets zou doen en wilde dat net zeggen toen Rafe verder ging.

'Silas is ook een mogelijkheid – hoewel je grootvader hem bij de groep haalde, beschouw ik hem niet als een echte aanhanger van de annexatie. Hij is te veel een nieuwkomer om zich zorgen te maken over het lot van Hawaï. Op het ogenblik is hij druk doende om de eerbiedwaardige patriarch tevreden te stellen met zijn toewijding aan alles wat Derrington is, tot grote frustratie van Zach.'

Wat Silas betrof, was Eden het met hem eens. Hij was een moeilijk te doorgronden man. Soms kwam hij over als nederig en oprecht dankbaar voor de warme ontvangst die hij kreeg bij zijn thuiskomst uit de 'onbekende verten', maar op andere momenten leek hij zo slim en sluw als de Bijbelse Jakob voordat hij Israël was geworden, een man van God.

'Ook de dode man in de tuin zou Zach geslagen kunnen hebben,' zei Rafe. 'Hij was immers bij jouw vader. En natuurlijk de moordenaar, die het slachtoffer misschien eerst van het ziekenhuis naar Hunnewell volgde, maar geen gelegenheid vond om iets te doen. Daarna bleef hij hem achtervolgen naar Hawaiiana.' Hij keek haar aan. 'Ik zal de tweede eerbiedwaardige man onder ons, naast Ainsworth, buiten beschouwing laten. Hoewel dokter Jerome in de tuin was en dus gelegenheid had, zie ik hem Zach niet toetakelen. Jerome is gefixeerd op Molokai,' vervolgde hij op lichte toon, 'maar hij is een fatsoenlijke man en een ware christen.'

Eden glimlachte verontschuldigend. 'Dank je,' zei ze. 'Ik ben blij dat je mijn vader een beetje krediet geeft, want wat ik over hem te melden heb, laat daar helaas maar weinig ruimte voor.'

Zijn donkere wenkbrauwen schoten omhoog. 'Dat is een interessante mededeling van jouw zoete lippen... zal ik doorgaan?' vroeg hij nonchalant, om daarna de daad bij het woord te voegen zonder haar reactie af te wachten. Achter-overleunend in de grote fauteuil, met zijn armen over elkaar geslagen, maakte hij de indruk alsof hij over het weer praatte. 'Goed, Zach volgde dokter Jerome op zijn uitstapje van het ziekenhuis naar Hunnewell, waar...'

Eden keek verbaasd op. 'Volgde Zachary mijn vader?' vroeg ze op verontwaardigde ondertoon. 'Waarom?'

Hij grijnsde een beetje sarcastisch. 'Ik vermoed, mijn lief-je, om dezelfde reden dan jij. Maar Zach dacht dat Silas bij je vader was, in plaats van de man die in de tuin buiten ligt.'

Ze schudde haar hoofd en schoof onrustig op haar stoel. 'Hij zit er meestal naast wat Silas betreft. En het is niet erg logisch dat Silas dokter Jerome naar het huis van Hunnewell zou brengen.'

'Misschien niet, maar waarom zou die Chinees jouw va-der dan wel naar die man in zijn zijden gewaad hebben ge-bracht?'

Eden zat verzonken in bezorgde stilte. Die vraag had ze zichzelf al tientallen malen gesteld, zonder een bevredigend antwoord te kunnen vinden.

Toen ze bleef zwijgen, ging Rafe met welbewuste te-rughoudendheid verder. 'Zach volgde hem te voet van het ziekenhuis naar het huis aan het strand. Ik neem aan dat jij hetzelfde deed?'

Ze keek hem aan. Hij hield zijn hoofd schuin en zijn blik verried dat hij haar drijfveren probeerde te doorgronden.

'Ik volgde hem vanaf het ziekenhuis. Maar waarom heb ik Zachary dan niet gezien?'

'Ja. Dat heb ik mij ook afgevraagd. Hij beweert dat hij

jou ook niet heeft gezien – nee, wacht. Laten we het erop houden dat hij niet heeft gezegd of hij jou daar heeft gezien. Wellicht heeft hij dat voor mij verzwegen omdat hij wist hoe ik zou reageren. Vooral na die klap op zijn hoofd. Geen erg gastvrije plek om alleen rond te wandelen, lieverd. Hoe dan ook, hij bleef halsstarrig vasthouden aan zijn verklaring dat Silas erachter zat.'

Rafe zette zijn kopje met een klap neer. 'Ik moet Za-chary vragen waarom hij verzweeg dat hij jou had gezien. Ik geloof niet dat hij van plan is de politie erbij te halen, omdat hij immers zijn oom Jerome volgde. Maar nu we met een moord van doen hebben, ligt het allemaal anders.' Zijn gezicht vertrok. 'Dat die Chinees uitgerekend op Hawaiiana vermoord moest worden! Dat levert weer allerlei nieuwe moeilijkheden op.' Hij dronk zijn koffie. 'Ik kan me hierdoor niet in Honolulu laten vasthouden. Niet met Townsend in San Francisco. Ik moet met die boot mee.' Hij keek haar aan. 'Maar ik kan niet zomaar vertrekken als ik er niet zeker van ben dat jij veilig bent. Geen nachtelijke wandelingen meer in die tuin.'

Ze glimlachte. Zijn bezorgdheid gaf haar een warm ge-voel. 'Ik beloof je dat ik om tien uur binnen zal zijn en vast in slaap. In elk geval kunnen we de sheriff vertellen dat we samen bij de kerk aan Beretania Street waren toen de man werd vermoord.'

'Ik kan het gewoon niet gebruiken dat het onderzoek van de sheriff me ophoudt.' Zijn blik zocht de hare weer. 'Laten we ze allebei even vergeten. Ik wil terug naar dokter Jerome en de dode Chinees in onze tuin voordat Keno terugkomt.'

Het woord *onze* trof haar bijzonder. Zelfs op dat trieste moment maakte het een nieuw verlangen in haar los om bij hem te horen. Ze stond niet alleen voor dit drama, ze zaten er samen in. Haar gevoel bij Rafe te horen was voor haar ook een zwakke, symbolische afspiegeling van de vreugde en vrede die haar overspoelden toen ze zich realiseerde dat ze bij Christus hoorde. De eeuwige God was *Abba*, Vader. Zelfs midden in de dood, ja, zelfs bij moord – zoals bij de eerste moord van Kaïn op Abel, na het paradijs. Op welk moment hun levens zich ook in een tegen God rebellerende wereld afspeelden, in tijden van revolutie, oorlog, zware vervolgingen of onzekerheid over wat er wachtte in Molokai en San Francisco, als gelovigen in Christus zouden Rafe en zij genoeg hebben aan Zijn genade.

Hij trok een wenkbrauw op. 'Lieverd? Ben je nog wakker?'

Eden knipperde met haar ogen en keek hem aan, terwijl hij haar aandachtig observeerde.

Ze glimlachte en ging op de rand van de bank zitten.

'Ik dacht aan *onze* mysterieuze tuin,' mompelde ze. 'Ons leven, begrijp je, *onze tuin*, als het ware. Ik bedacht hoeveel dingen er in onze tuin kunnen gebeuren en dat we er samen in "tuinieren". Begrijp je dat? En dat onze ware Vader ons zal behoeden en zegenen als wij op Hem blijven vertrouwen.'

Rafe liep naar haar toe, pakte haar handen en trok haar omhoog van de bank, dicht tegen zich aan.

'Dit is niet de verkeerde *plaats*, maar wel de verkeerde *tijd*. Maar je hebt gelijk, Eden. Het gaat om jou en mij, ongeacht hoe of wat. Zelfs met een dode in de tuin.' Zijn lippen raakten even haar slaap.

Ze kreeg tranen in haar ogen. 'Zo vreselijk, die arme man.'

'Terug naar de levenden.' Hij gaf een kneepje in haar hand. 'Dus Zach heeft jou het ziekenhuis niet zien verlaten, maar je vader wel. En jij zag hoe je vader een andere Chinees in een zijden gewaad ontmoette, bij de tuin van de Hunnewells, nietwaar? Maar je hoorde niet wat er besproken werd omdat het een lawaaiige, stormachtige avond was. Wat gebeurde er daarna?'

'Mijn vader liep via het grote hek de tuin in, samen met

de dode man. Een paar minuten later sloop ik ook de tuin in. Eenmaal binnen zag ik dokter Jerome voor me uit lopen, maar ik zag die andere man niet meer... tot zojuist.'

Rafe liep door de kamer. 'Onze gast onder de gardenia zou de man kunnen zijn geweest die Zach sloeg, hoewel ik er nog niet van overtuigd ben.' Zijn berekenende blik verried haar dat hem iets dwars zat. 'Logisch gezien zou jij degene moeten zijn geweest die van achteren op het hoofd werd geslagen, omdat jij als eerste door het hek liep.'

'Ja, dat dacht ik ook, maar zou Zachary je misschien iets op de mouw hebben gespeld met dat bewusteloos slaan?'

'Ik heb zijn hoofd van dichtbij bekeken. Als er iets van misleiding in het spel was, dan zou het moeten zijn dat hij Silas de schuld probeerde te geven. Hij was wel degelijk neergeslagen, dat staat als een paal boven water. Maar het is moeilijk uit te maken wanneer hij precies door de poort liep. Als hij zo dicht achter dokter Jerome bleef als hij zei, en twee of drie minuten na hem naar binnen ging, zou hij jou ook gezien hebben. Of jij hem.'

'Behalve wanneer hij via een andere weg kwam,' merkte Eden op.

'Hij zegt dat hij door de grote poort liep. Goed. We gaan verder. Dus toen je de tuin inliep, zag je alleen dokter Jerome, en niemand anders?'

Ze bleef zichzelf voorhouden dat ze niets te verbergen had, dat ze uit vrije wil was gekomen om de waarheid te vertellen. Dat ze even graag helderheid in de zaak wilde krijgen als Rafe. En hoe Rafe naar haar keek, was onmiskenbaar. Die ogen van hem, zo vastbesloten, konden je verlammen of verhitten.

'Nee, mijn vader was er alleen.' Ze legde haar hand tegen haar voorhoofd. 'Ik had zo graag naar hem toe willen gaan. Hij liep wanhopig op en neer over het tuinpad bij de hibiscusstruiken. Ik had zo met hem te doen. Hij moet er een besluit hebben genomen, maar wat dat besluit was, weet ik niet. Plotseling liep hij snel naar de achtertuin.'

'Naar de lanai aan de achterkant?' vroeg Rafe.

'Ja. De lanai achter. Er is een trap vanuit de tuin naar een soort bordes dat verbonden is met een van de salons. Daar ging hij naartoe. Ik wist van dat bordes omdat ik onlangs bij Claudia ben geweest. We zaten toen in dezelfde salon bij elkaar als de Annexatie Club gisteravond. Ik herinner me de veranda en het bordes. We liepen via die trap naar de tuin.'

Claudia was de jongere zus van Oliver, die zo goed als verloofd was met Zachary, maar zonder een officiële aankondiging of ring. Ainsworth bleef ernaar streven, net als de oude Hunnewell, maar Zachary wist zijn ontwijkende dans tot nu toe te rekken.

Er viel een stilte na de onthulling omtrent Jerome. Ze had een felle reactie verwacht van Rafe op wat kennelijk een welbewuste afluisteractie van haar vader was. Ze had zich voor zijn daad geschaamd en het verbijsterde haar nu dat Rafe niets zei en zelfs geen verrassing liet blijken. Zijn blik was niet te doorgronden.

Er was geen weg meer terug en dus ging Eden verder.

'Dokter Jerome stond daar in het donker op de lanai. Tussen waar hij stond en de verlichte kamer hing een bamboegordijn. Ik hoorde stemmen binnen. Er ontstond een ruzie, of althans, zo klonk het. Ik geloof dat de oude Hunnewell aan het woord was. Je weet hoe indrukwekkend hij kan bulderen. Als hij probeerde heimelijk te doen, zou niemand dat gedacht hebben. Mijn vader stond daar gewoon op de lanai te luisteren…' Ze draaide zich om en liep naar een raam om naar buiten te kijken en haar emoties in bedwang te houden. De wolken rolden voorbij naar de hoge bergen en de vlagerige wind blies nog onstuimig.

Rafe joeg haar niet op en wachtte rustig af tot ze verder ging. 'Maar ik bleef niet staan om te kijken wat hij deed of om uit te maken of hij iemand ontmoette. Ik was teleurgesteld, overstuur, en rende terug naar de grote poort met de bedoeling naar het ziekenhuis terug te keren.'

Na een haast voelbare pauze, toen duidelijk werd dat ze niets meer aan haar relaas had toe te voegen, liep Rafe naar haar toe. Haar hart begon sneller te kloppen toen ze zijn sterke maar tedere handen op haar armen voelde.

'Ik begrijp niet waarom jouw vader zo op de lanai achter het huis ging staan om te luisteren. Hij had bij Ainsworth door de voordeur binnen kunnen komen, en zijn komst zou geloofwaardiger zijn geweest dan die van Silas. Jerome is een Hawaïaan, ook al is hij de laatste jaren weggeweest, terwijl Silas naar mijn idee nauwelijks geloofwaardig is als het op hartstocht voor de eilanden aankomt. Hij is nog maar in april vanaf het vasteland aangekomen.'

Hij zweeg even. 'Eden, heb je echt geen idee waarom Jerome daar naartoe ging?'

Ze schudde haar hoofd. 'Nee. Wat je zei over het bijwonen van die bijeenkomst met grootvader klopt. Dat had hij zo kunnen doen. Ik heb vaak genoeg gehoord hoe grootvader probeerde een gesprek met hem te beginnen over politiek, maar mijn vader laat zich er vrijwel nooit over uit in een discussie.' Ze draaide zich om en keek bezorgd naar Rafe die haar blik kalm beantwoordde. 'Waarom ging hij daar naar boven? Waarom was hij zo overstuur? Waarom bleef hij in de schaduw staan om… af te luisteren!'

Zijn blik bleef vast. 'Misschien mocht hij door niemand worden gezien. Zijn gebrek aan interesse in de Hawaïaanse politiek is misschien een dekmantel.'

Eden verstijfde en haar emoties steigerden. 'Dat geloof ik niet van hem.'

'Lieverd, ik noem het alleen als mogelijk scenario, niet als feit, zelfs niet als iets waarin ik zou geloven. We weten alleen *dat* hij inderdaad op de lanai heeft gestaan.'

Ja, en zij was er de onwillige getuige van.

Rafe liep naar de tafel en schonk zijn koffiekopje weer vol. 'Toen hij daar stond, heeft hij zowel Hunnewell als Ainsworth horen oproepen tot een omverwerping van de Hawaiaanse troon. Zelfs de Amerikaanse marine is nog ter sprake gekomen: kapitein Wiltse van de *U.S.S. Boston* zou bereid zijn zo nodig assistentie te verlenen, als het tot bloedvergieten zou komen. Ik vond het van meet af aan onbezonnen om op die manier te vergaderen, met zo weinig voorzorgsmaatregelen.'

Eden nam hem op. Geloofde hij dat haar vader schuldig was?

'Kwam je daarom naar buiten?' vroeg ze plotseling. 'De vergadering was nog in volle gang.'

'Ik vermoedde dat er iemand achter het bamboegordijn stond. Ik was van plan om achterom te lopen en de afluisteraar, wie het ook zou zijn, te verrassen. Dat was het moment dat ik zag hoe jij je op de veranda verstopte.'

'Ik verstopte me niet... niet echt,' zei ze beschaamd. 'Ik wilde hulp halen maar de deur zat op slot. Toen hoorde ik jouw voetstappen aankomen en trok ik me terug in de schaduw om niet gezien te worden.'

Hij glimlachte vaag en trok zijn wenkbrauwen iets op. 'Het maakt niet uit. En wat Thaddeus Hunnewell betreft, heb je gelijk. Hij had net zo goed een spreekhoorn kunnen gebruiken om de koningin te waarschuwen dat er een bijeenkomst plaatsvond. Het is een slimme en getalenteerde advocaat, maar het ontbreekt hem aan inzicht in het menselijk karakter. Ik heb je verteld dat hij aan een belangrijk document werkte voor de Reform Party. Het is gisteravond gestolen. Zover ik weet, heeft hij niets gedaan om het werk veilig op te bergen tijdens de vergadering.'

Hij leunde met zijn schouder tegen de muur en keek haar aan. 'De perfecte spionne, een verpleegster, altijd ter plaatse wanneer ze nodig is, met lichtgroene ogen…'

Ze sloeg haar ogen neer.

'Ik zou jou in de rol kunnen zien als spion voor dokter Jerome, of zelfs voor je oudtante Nora,' ging hij op serieuzere toon verder. 'Nora zou de informatie die jij verschafte aan de koningin kunnen doorgeven om haar gunst te winnen voor de kliniek van dokter Jerome. Of misschien zou je vader het zelf kunnen doorgeven.'

Zou zij bereid zijn te spioneren om de kliniek op Molokai te kunnen realiseren? Ze was tenslotte een aanhangster van de Hawaïaanse monarchie, en daar schaamde ze zich niet in het minst voor. Zou ze kunnen spioneren? Misschien, tot op zekere hoogte – maar… ze dacht niet dat ze andere eerzame mannen zou kunnen verraden. Mannen die ze respecteerde, zoals Sanford Dole, of meer nog haar grootvader. En Rafe verraden? *Nooit.*

Ze deed moeite om haar stem vast te laten klinken. 'Rafe, ik verzeker je dat ik gisteravond *niet* met dokter Jerome samenwerkte als spionne.'

Rafe keek haar lang aan en zijn intense blik werd zachter en warmer. 'Goed gesproken,' zei hij vriendelijk. 'Ik accepteer je verklaring. Ik trok die conclusie wel wat erg snel, geloof ik.'

Ze staarde hem verbaasd en vertederd aan.

'Je geeft het toe?' zei ze zacht. 'Je gelooft me?'

'Ja. Jij hebt het ontkend en ik geloof je op je woord. Het zou wel een barre toestand worden als we elkaar niet zouden kunnen vertrouwen wanneer we getrouwd zijn.'

Ze voelde zich diep aangedaan in haar hart.

'Maar, niettemin,' hij tikte bedachtzaam op zijn kin en zijn levendige blik nam haar snel op, 'je zou een heel goede spionne zijn.'

'Dank u hartelijk, meneer Easton. Dergelijke complimenten, en dan van u, bezorgen me nog eens een appelflauwte.'

'Ik dacht dat alleen mijn kussen dat effect hadden.'

Eden hield zich wijselijk stil.

'Rafe, serieus, ik kan me niet indenken dat dokter Jerome voor de koningin zou spioneren. Hij is helemaal niet bij de politiek betrokken, zoals grootvader Ainsworth en Nora. Als Nora geen audiëntie bij de koningin had kunnen regelen, had hij haar nooit kunnen spreken. Hij heeft geen toegang tot de Blauwe Kamer.'

Hij sloeg zijn armen over elkaar, leunde tegen de muur en keek naar Eden. 'Je hebt je punt duidelijk gemaakt. Maar áls hij daar geweest zou zijn om de monarchisten te steunen, zou dat niet vanwege een hartstochtelijke politieke overtuiging zijn, maar alleen om toestemming te krijgen om zijn kliniek te stichten.'

Eden zuchtte en ging weer op de bank zitten. 'Ja,' zei ze bezorgd.

'Maar aan de andere kant,' ging hij verder, 'ook al is die kliniek alles voor hem, ik geloof niet dat hij de annexatiebeweging het vuur na aan de schenen zou leggen, niet met de diepe, politieke betrokkenheid van zijn vader Ainsworth en de bereidheid van Candace om een Hunnewell te trouwen. Zou hij zijn familie verraden om toestemming te krijgen voor de kliniek?' Langzaam schudde hij zijn hoofd. 'Ik geloof niet dat hij dat zou kunnen, hoewel hij wel toegewijd is aan zijn zaak, en als je het me wilt vergeven, lieveling, zelfs een beetje geobsedeerd.'

Ze hief haar kin iets maar was te opgelucht om zich beledigd te voelen. Als ze de waarheid moest spreken, geloofde zei ook dat haar vader 'een beetje' geobsedeerd was door de kliniek, en triest genoeg ook door de onmogelijke genezing voor Rebecca. Maar ze was bereid geweest om over die zwakheden heen te stappen omdat ze haar eigen redenen had om naar Molokai te gaan: om Rebecca van veraf te ontmoeten, en om te dienen.

'Maar toch,' ging Rafe verder, 'Jerome is een veel te fatsoenlijke christen om te denken dat het doel de middelen heiligt. Ambrose vertelde me dat je vader tegenwoordig een paar keer per week bij hem kwam om tot God te bidden voor de kliniek. Hij verwacht duidelijk meer van de voorzienigheid dan van de politiek.'

Een enorme molensteen werd van Edens schouders getild toen ze besefte dat Rafe met zijn redenatie zijn verdenkingen had ontkracht. Hij geloofde niet dat Jerome schuldig was aan spionage voor zijn eigen doeleinden. Ze stond op en voelde zich sterker en hoopvoller dan ze sinds gisteravond was geweest.

'Er is meer aan de hand dan de annexatie tegenover de Hawaïaanse soevereiniteit.' Hij maakte zich los van de muur en keek door het raam. 'Ik betwijfel of alle betrokkenen hetzelfde spel spelen. Misschien zitten we op het verkeerde spoor door alle gebeurtenissen en figuren met één enkele zaak in verband te willen brengen.'

'Wil je zeggen dat het streven naar annexatie of het tegendeel daarvan de oorzaak was van sommige gebeurtenissen van gisteravond, maar dat opium en gokken verantwoordelijk waren voor andere? En dat die twee dingen op een of andere manier door elkaar gingen lopen?'

'Precies. En misschien is er nog een derde reden voor enkele gebeurtenissen. Die Chinese man in zijn zijden gewaad lijkt op wat Ling een 'kingpin' noemde, een heerser. Nadat hij een niet anders dan heimelijk te noemen ontmoeting met Jerome had gehad, vertrok de kingpin in een dure huurkoets. Wie is hij en wat wilde hij van jouw vader? Zeer waarschijnlijk is de kingpin een leider van een van de kartels.'

Het klonk Eden logisch in de oren, maar ze bleef worstelen met de vraag waarom er contact werd gelegd met haar vader.

'Zach blijft erop hameren dat hij Silas naar een van de

Chinese gokhuizen in Rat Alley volgde, waar hij een ont-moeting had met de kingpin. Vervolgens ging Silas naar het ziekenhuis om dokter Jerome op te zoeken en hem naar de tuin van Hunnewell te brengen om de kingpin te spreken. Wat de details betreft, heeft Zach het waarschijnlijk bij het rechte eind. Maar ik denk eerder dat zijn "Silas" in wer-kelijkheid onze ongenode gast in de tuin onder de garde-nia was. Op welke manier was hij al eerder in beeld? Zeker niet in verband met de annexatievraag! Dus waarom kwam hij gisternacht naar het ziekenhuis om dokter Jerome naar Hunnewell te brengen? Niet om hem aan Hunnewell voor te stellen, maar om hem met de in zijde geklede kingpin te laten praten. Was het een boodschap van de opiumhandela-ren voor Jerome? Jij vermoedde dat de Chinees boos was. Waarom? Wat was de boodschap? Maar hoe het ook zij, lie-veling, je begrijpt dat ik niet langer denk dat Jerome voor de monarchie spioneerde om toestemming te krijgen voor zijn kliniek, of iets dergelijks.'

Eden keek Rafe lang aan terwijl ze in stilte naging hoe plausibel zijn scenario was. Juist! Rafe was dus tot de con-clusie gekomen dat dokter Jerome, de Chinese kingpin en de vermoorde man losstonden van de gebeurtenissen rondom de Annexatie Club. Ze voelde een enorme opluchting. Haar respect voor Rafe steeg nog meer omdat ze begreep dat zijn wens om de waarheid te ontdekken nooit bedoeld was om de geloofwaardigheid van haar vader te ondermijnen.

Ze gaf zichzelf een standje. *Hoe kon ik ooit denken dat ik voorzichtig moest zijn met Rafe!*

'De opiumhandel op de eilanden heeft zelfs contacten tot in San Francisco's Chinatown,' vertelde Rafe. 'Dat weet ik van Ling Li, die het me verschillende keren vertelde. San Francisco zou wel eens de achtergrond kunnen zijn van ons derde motief voor wat gisteravond is gebeurd.' Hij keek haar even aan, alsof hij iets besloot. 'Het is waarschijnlijk het spoor van en naar San Francisco dat met Herald Hartley en jouw vader verbonden is.'

Ze keek hem verbluft aan. 'Je denkt toch niet dat dokter Jerome op een of andere manier bij de opiumhandel betrokken is?' zei ze huiverend.

'Nee. Maar ik ben ervan overtuigd dat Hartley met huid en haar betrokken is bij de verdachte gebeurtenissen rond dokter Chen en het medisch dagboek dat hij een paar maanden geleden aan je vader gaf. Was dokter Jerome erbij betrokken? Misschien niet, maar als het juist is wat ik denk, is hij er nu waarschijnlijk wel van op de hoogte, sinds het gesprek met de Chinees in het zijden gewaad.'

Eden was sprakeloos. Alleen al het noemen van Chinatown in San Francisco riep een onplezierige herinnering bij haar op. Dokter Chen, een collega van haar vader in het medische onderzoek naar lepra, leek uit de nevelen tevoorschijn te zijn gekomen, en met hem verscheen er nog iets onprettigs. Iets waar ze liever niet aan dacht en wat haar niet helemaal oprecht leek te zijn. Dat was de uitleg die haar vaders assistent Herald Hartley gaf voor de plotselinge dood van dokter Chen in Chinatown, en voor het opduiken van diens medisch dagboek in Honolulu, in Heralds koffer, als een gift van dokter Chen voor dokter Jerome. Een oude, half vergeten angst hief zijn uitgemergelde gezicht opnieuw en eiste gehoord te worden. *Dokter Chen en het dagboek. Dokter Chen die onverwachts was overleden, nadat hij een fout had gemaakt bij het consumeren van een van zijn eigen giftige kruiden, in het kader van zijn onderzoek.*

'Rafe, ga je… ga je iets zeggen over dit alles, en over wat ik je heb verteld?'

Hij trok een wenkbrauw op. 'Tegen dokter Jerome?'

'Tegen hem, of grootvader Ainsworth, Thaddeus Hunnewell, wie dan ook.'

Hij sloeg zijn armen over elkaar. 'Nee.'

'Nee!' Ze staarde hem aan en er verscheen een vaag glim-lachje rond zijn mond. 'Maar… ik dacht,' zei ze, voordat ze stilviel.

'Ik weet wat je dacht, liefje. Dat ik dit allemaal zei om een zaak tegen hem op te bouwen en dat ik, nu ik die eenmaal heb, het erop aan ga sturen om mijn toekomstige schoon-vader te vernederen. Je kent me echt nog niet, is het niet, Eden?'

Ze keek stomverbaasd naar hem op.

'Misschien vraag ik Ambrose om met dokter Jerome te praten, of misschien doe ik het zelf, als me dat verstandig lijkt, maar niet waar jij bij bent. Hij zou het me nooit verge-ven als ik hem dwong iets toe te geven wat niet al te flatteus is, terwijl zijn dochter het allemaal te horen kreeg.'

Weer toonde hij zijn wijsheid, bedacht ze. Misschien had hij gelijk en kende ze hem echt niet zo goed als ze gedacht had. Ze keek naar hem op, die knappe en vaak zo raadselach-tige man.

'We gaan verder,' zei hij zacht. 'Je draaide je om en liet je vader achter op de lanai achter het huis. Je haastte je weg en liep… Keno en Oliver tegen het lijf?'

'Ja. Ik verschool me achter de struiken. Ze praatten. Oli-ver was bot en zelfs beledigend tegen Keno.' Ze zuchtte diep. 'Keno sloeg hem en Oliver belandde in de struiken. Keno was overstuur, draaide zich om en liep weg in de richting van de poort.'

Rafe gaf haar even een adempauze, voordat hij de vol-gende vraag stelde.

'Dit is belangrijk. Hoe lang duurde het voordat Silas op-dook na Keno's vertrek?'

'Ongeveer een minuut.'

'Hij zag Oliver in de struiken. En toen?'

'Nou,' gaf ze met tegenzin toe, 'hij grinnikte even, alsof hij het grappig vond. Ik kwam naar voren en hij moet mijn voetstappen hebben gehoord. Snel bukte hij om naar Oliver te kijken. Ik weet niet wat hij gedaan zou hebben als ik mijn aanwezigheid niet kenbaar had gemaakt, maar ik geloof dat hij Oliver in de struiken zou hebben laten liggen en zou zijn weggegaan. Ik denk niet dat hij Oliver Hunnewell mag. Op dat moment begon Oliver echter weer bij te komen. Ik liep naar voren en vroeg Silas of hij gewond was.'

'Was hij verbaasd om jou te zien?'

'Je kent Silas. Hij is bijna even onverstoorbaar als jij. Hij vroeg me alleen om de oude Hunnewell op te halen. De deur vanaf de zijveranda naar de bibliotheek zou open zijn. Ik liep dus de trap op om het huis binnen te gaan en was van plan een van de bedienden naar meneer Hunnewell te sturen. Maar Silas zat er naast. De deur op de veranda was dicht.'

Zijn aandacht was gewekt. 'Dacht Silas dat hij open was? Dat is vreemd.'

Eden vond er niets vreemds aan.

'Thaddeus Hunnewell gebruikt het bureau in de bibliotheek om te schrijven,' legde Rafe uit. 'Het manifest waarover ik je vertelde lag op dat bureau.' Hij keek haar aan. Ze zag er kennelijk vermoeid uit, want zijn ogen werden zacht en hij keek verontschuldigend.

'Ik vrees dat ik je nogal uitput. Nog maar een paar vragen, lieveling, dat beloof ik. Kun je het nog aan?'

Ze glimlachte. 'Ik word niet moe van jouw vragen. Ik lag vannacht pas erg laat in bed.'

Hij liep naar de tafel en schonk koffie voor haar in. 'Je ging het huis binnen met Silas en Oliver. Ging dokter Jerome ook naar binnen via de lanai aan de achterkant, bijvoorbeeld om Olivers verwondingen te onderzoeken?'

Ze nam het kopje aan en liep naar de zuilengang, maar stopte toen ze bedacht wat daarbuiten onder de gardeniabloesems lag. Ze liep weer naar binnen en keek Rafe aan. Hij keek alsof hij haar worsteling kon zien en haar hart bonkte ongemakkelijk.

Nu kwam het persoonlijke deel waarbij *zij* betrokken was, de actie die ze had ondernomen en die haar nu liet blozen van schaamte. Ze was onverstandig geweest door de angst om haar vader en had iets dwaas gedaan. Ze kromp ineen bij de herinnering. Ze wilde het niet aan Rafe toegeven, hoewel ze het al als zonde aan God had voorgelegd. Het leek er nu echter op dat ze het moest opbiechten aan de man met wie ze zou trouwen en de rest van haar leven zou doorbrengen.

Ze begon de uitleg langzaam, om naar de redenen voor haar daad toe te werken. Ze hield het kopje tussen haar handpalmen en keek naar de donkere drank.

'Als mijn vader al vanaf de lanai binnen is gekomen, heb ik het niet gezien. Toen meneer Hunnewell binnenkwam om naar Oliver te kijken, zag ik mijn kans schoon om weg te glippen. Ik ging naar de salon waar de bijeenkomst had plaatsgevonden. Alle heren waren ofwel naar huis gegaan, of stonden bij de oude Hunnewell, die Oliver ondervroeg. Ik liep de lanai achter het huis op, maar dokter Jerome was er niet meer. Toen ik later in het ziekenhuis terugkwam, was hij aan het werk alsof hij nooit weg was geweest.'

'En Oliver?'

'Oliver bleef zijn verhaal over Keno's "aanval" herhalen. Ik wist dat het een leugen was, maar hoe kon ik dat op dat moment zeggen? Toen hij erop stond om sheriff Harper te laten komen, wist ik dat ik Keno zou moeten verdedigen, ook al betekende het dat ik mijn dekmantel moest opgeven. Ik wachtte tot de sheriff met meneer Hunnewell en Oliver had gesproken en glipte weg toen Harper naar de bungalow van Ambrose vertrok. De rest van het verhaal ken je.'

'Toen je het huis samen met Oliver en Silas binnenging, wie ging toen meneer Hunnewell ophalen?'

'Silas.'

'Kwam hij terug met Hunnewell om naar Oliver te kijken?'

Eden dacht na. Ze had er niet specifiek op gelet. 'Nee, hij kwam niet terug, nu ik erover nadenk. Meneer Hunnewell kwam na een paar minuten. De mannen die bij de vergadering aanwezig waren geweest, kwamen met hem mee om te kijken wat er met Oliver was gebeurd. We waren allemaal in de bibliotheek. Er was veel commotie, iedereen praatte door elkaar. Ik heb Silas daar niet gezien.'

'Als hij dus gewild had, zou Silas naar de lege salon van de vergadering kunnen zijn teruggekeerd, terwijl de rest van jullie met Oliver bezig was. Zou hij achter het bamboegordijn met dokter Jerome hebben kunnen spreken?'

Rafes stem klonk verraderlijk nonchalant. Maar de indicatie was allesbehalve vrijblijvend.

'Ja, dat had gekund,' beaamde ze.

'Ben jij het eerst vertrokken, of Silas?'

Ze dacht na. 'Silas. Ik heb Oliver eerst verzorgd.'

Rafe liep naar haar toe. Zijn stem was rustig. 'Luister, in de tuin zei je iets over het ophalen van dokter Jerome, om Oliver te onderzoeken.'

Ze voelde de warmte naar haar wangen stijgen.

'Ja, dat heb ik gezegd.'

'Waarom zei je dat, terwijl je wist dat Jerome niet in het ziekenhuis was maar op de lanai achter het huis?'

Ze probeerde hem rustig te blijven aankijken, maar haar blik dwaalde af. 'Ik wilde hem tegenover jou en Silas een alibi verschaffen, en later tegenover meneer Hunnewell en de andere heren – want ik heb hetzelfde tegen hen gezegd. Iedereen heeft me gehoord. Ik – ik deed alsof ik hem een boodschap stuurde in het ziekenhuis.' Ze beet op haar lip. 'Daarna vertelde ik Oliver dat dokter Jerome niet kon komen, omdat hij midden in de behandeling van een patiënt zat. Ik bood aan naar Kalihi te gaan en Lana op te halen. Ik was ook van plan om dat te doen, maar Oliver zei dat hij zich al beter voelde. Ik wist dat hij niet ernstig gewond was en eigenlijk geen dokter nodig had.'

'Ik begrijp het.'

Ze huiverde. Ze kon niets opmaken uit die drie eenvoudige, rustig uitgesproken woorden, maar ze voelden aan als dolken. De gloed van de vernedering brandde op haar wangen en ze draaide zich met een ruk naar Rafe om. 'Alsjeblieft! Je hebt me gedwongen het te vertellen. Ben je nu tevreden? En nu schaam je je zeker voor mij,' zei ze beschuldigend, terwijl ze haar verdedigingsmuur voelde instorten. 'En je hebt er ook alle reden voor,' ging ze verder, in tranen uitbarstend. 'Ja, ik heb *gelogen*! Maar ik heb het allemaal al aan God opgebiecht...'

Met een onverwachte beweging overbrugde Rafe de kloof tussen hen. Met twee stappen was hij bij haar en pakte haar vast, maar ze rukte zich los. Hij greep haar opnieuw, sloeg zijn armen om haar heen en hield haar stevig tegen zich aan.

'Mijn lieve Eden. Ik leef niet met een illusie. Als ik verliefd op je was geworden omdat ik dacht dat je zonder zonde was, waar zou ik dan in die relatie passen? Dan zou ik in de kou blijven staan omdat jij mijn aanwezigheid niet zou kunnen verdragen.'

Zijn mooie jasje met de bronzen knopen werd nat van haar tranen. 'Ik heb het aan God voorgelegd...'

'Ja, dat geloof ik onmiddellijk,' suste hij, haar loslatend. 'Het was een opoffering van jouw kant om mij de waarheid te vertellen. Denk je dat ik het tegen je ga gebruiken, nu je mij je vertrouwen hebt gegeven?'

Ondanks haar pijn wist Eden dat ze alles wat er tussen hen was – inclusief alle vragen, alle misverstanden, en alle hoop op een gezamenlijke toekomst – in de liefdevolle handen van God moest leggen. *Ik houd van deze man. En de liefde hoopt alle dingen en verdraagt alle dingen.* Haar ogen werden wazig onder zijn blik.

'Bovendien,' legde Rafe uit, 'dat ik eiste dat je de waarheid zou vertellen, was niet om jou op een tekortkoming te betrappen, maar omdat ik moest weten wat er echt was gebeurd. Als we de huwelijkse gelofte afleggen, Eden, is dat in voor- en tegenspoed. En je mag van mij aannemen dat ik nog steeds denk dat ik het liefste en mooiste meisje van heel Honolulu krijg.'

'Rafe.' Overweldigd door plotselinge opluchting wierp ze zich weer in zijn armen die hij om haar heen sloeg. Ze voelde hoe hij zijn gezicht in haar haar duwde. Zijn lippen raakten haar slaap, haar hals – het volgende moment kuste hij haar hartstochtelijk op haar lippen, terwijl ze haar armen om zijn nek sloeg en zijn liefkozing beantwoordde.

'Er mag nooit iets tussen ons komen,' zei hij.

'Niets,' fluisterde ze.

Een teder moment lang drukte hij haar ringvinger tegen zijn lippen. 'Deze keer blijft die ring op zijn plaats. Er zullen meer worstelingen volgen, maar wij beloven elkaar plechtig om er samen doorheen te komen.' Zijn hand sloot ferm om de hare die ze tegen zijn borst drukte. 'Totdat de dood ons scheidt.'

Ze drukte zich tegen hem aan. 'Nee, lieveling, zelfs dan niet, want ik zal je eeuwig liefhebben.'

'Jij gaat naar Molokai om Rebecca te ontmoeten, zodat je haar levensverhaal kunt optekenen zoals je dat wilde,' zei hij. 'Dat hebben we allemaal in Hanalei al besproken. En ik ga naar San Francisco. Over een jaar ontmoeten we elkaar weer, hier in Honolulu en laten we ons door Ambrose trouwen. Dat is een belofte waar niets tussen mag komen. Afgesproken?'

Ze knikte, niet in staat de woorden te vinden. Hij schudde haar even bij haar schouders. 'Zeg het.'

'Ja! Ja!' Ze had ook op dat moment met hem willen trouwen, als hij het haar had gevraagd. Ze hadden naar Ambrose kunnen gaan en niemand zou iets geweten hebben voordat de ceremonie voorbij was. Het lag haar bijna op de lippen, maar hij boog voorover en kuste haar opnieuw.

Ergens in haar koortsachtige brein hoorde Eden een deur slaan. Of was het een droom? De stem van Keno kwam hen van verre tegemoet. Hij stampte met zijn voeten.

'Och kijk eens, wat een verrassing! Hallo iedereen,' zei hij met zijn luide, onschuldige stem met voorgewende verbazing. 'Ik stoor toch niets… serieus?'

Rafe liet haar eindelijk los. Eden deed een stap achteruit en hield zich aan de rugleuning van een stoel vast. Rafe tastte in zijn zak en gaf haar een doekje. 'Alsjeblieft. Zakdoek.'

Met trillende handen veegde Eden haar ogen droog. Rafe wendde zich tot Keno, die met een grote, onschuldige grijns op zijn gezicht rondliep. 'Het werd tijd dat je kwam,' bromde hij. 'We hebben een dode in de tuin liggen, met een mes in zijn hart… vakkundig aangebracht. Ik moet weten of je hem kent. Het is een Chinees, ongeveer veertig jaar oud. Met een tamelijk dikke buik.'

Keno bleef als aan de grond genageld staan en probeerde uit te maken of Rafe op de een of andere manier een grap maakte. Maar nadat hij de beschrijving van de man had gehoord, haalde hij diep adem en streek met zijn vingers door zijn haar.

'Dat klinkt als Sen Fong, vrees ik.'

'Dus je kent hem?' vroeg Rafe geïnteresseerd.

'Als het Sen is, ken ik hem. Hij zat me vanochtend om vijf uur op te wachten in de oude veldbungalow.' Dat was de benaming die hij gebruikte voor de hut waarin Rafes kantoor gevestigd was. 'Hij zag er nogal vermoeid uit. Hij wilde praten, zei hij. Maar toen kwam de *luna* net zijn orders voor de dag halen, en ik had geen tijd meer voor Sen. Ik zei hem dat ik hem hier bij het huis zou spreken met de lunch. Hij moest naar binnen gaan, waar het veilig was.'

'Veilig?' herhaalde Rafe. Ook Eden keek snel op naar Keno.

'Had hij gezegd dat hij gevaar liep?' vroeg Rafe.

Keno keek Eden aan. 'Ik zal het uitleggen. Maar laat me eerst zien waar hij ligt.'

'Rafe, dat was de naam die ik me probeerde te herinneren. Sen Fong. Dokter Jerome sprak die gisteren op een vriendelijke manier uit in het ziekenhuis: "O, hallo, Sen Fong. Wat doe jij hier?" of iets in die geest.' Ze wierp Keno een snelle blik toe. 'Ik herinner me nu dat Ambrose die naam ook noemde.'

'Ambrose?' Hij draaide zich naar haar toe. 'Als hij iets met die Sen Fong te maken heeft, zijn we van de verkeerde veronderstelling uitgegaan.'

'Als je Sen Fong voor iets anders hield dan een nieuw bekeerling tot Christus, dan sla je de plank enorm mis,' zei Keno.

Met een hand in zijn zij stond Rafe tegen zichzelf te mopperen. 'Dit zet alles in een ander licht.'

Eden liet zich op een stoel zakken. 'Inderdaad.'

Keno keek nieuwsgierig van de een naar de ander. 'Problemen?'

Rafe knikte naar hem en gebaarde naar de achtertuin. 'Laten we eerst gaan kijken of hij de man is over wie je ons vertelde.'

12

De wind joeg agressief door de struiken en bomen en liet witte bloesems over het tuinpad tuimelen, terwijl langgerekte, zilverkleurige wolken voorbijschoven.

Rafe voelde de wind aan zijn kleding rukken toen hij naast Keno stond en naar de dode keek.

'Ja, dat is Sen Fong.' Keno knielde naast het lichaam en tilde het witte jasje op. 'Akelig scherp mes.'

'En zeer vakkundig gebruikt. Het ziet ernaar uit dat die moordenaar veel ervaring had.' Rafe dekte het lichaam af met de kleine deken die hij van de achterveranda had meegenomen onderweg naar de tuin. Nu hij wist dat Sen een broeder in Christus was, bekeek hij het stoffelijk overschot met andere ogen.

'Zijn zorgen zijn voorbij,' zei hij. 'Wat weet je over hem, Keno?'

'Ik wilde er niet over beginnen in het bijzijn van mejuffrouw Groenoog. Het is geen mooi verhaal. Ambrose kent alle details.'

Als de man zich onlangs tot Christus had bekeerd, had Ambrose daar ongetwijfeld mee te maken, bedacht Rafe. En dan was er het feit dat de Chinees naar het ziekenhuis ging en dokter Jerome meenam voor een mogelijke ontmoeting met de kingpin. Had dokter Jerome misschien ook iets te maken met Sens bekering?

'Dan moeten we met Ambrose praten. Haal jij ondertussen de sheriff op. Hoe langer we een vermoorde man in de tuin hebben liggen, hoe meer vragen we zullen krijgen.'

Keno keek hem snel aan. 'Ben je vergeten hoe graag hij me gisteravond wilde arresteren? Olivers leugens hebben me in het nauw gedreven, en nu zou ik moeten gaan rapporteren dat ik een lijk met een mes in zijn hart heb gevonden? Vergeet het maar.'

'Je zit niet meer in het nauw. Ik heb vanochtend met Thaddeus Hunnewell gepraat. Hij wil het onderzoek naar gisteravond laten stoppen. Hij zit niet op slechte publiciteit over Oliver te wachten, net zomin als Ainsworth krantenartikelen over Townsend op prijs stelt. Maar ik stuur wel een van de jongens naar de sheriff.'

'Hunnewell heeft het onderzoek laten stoppen? Wauw! Bedankt dat je het hebt aangekaart. Ik dacht al dat ik de volgende tien jaar wc's kon gaan schoonmaken in de gevangenis van Oahu.'

Rafe stuurde een van de jongere Hawaïaanse bedienden op weg om de sheriff te halen. Hij schreef de boodschap op en plakte de envelop dicht, zodat de jongen het nieuws niet onderweg aan zijn vrienden kon doorgeven: 'Makua Rafe heeft dode man in zijn tuin – met mes in hart.'

Op Rafes verzoek bleef Eden in het huis op sheriff Harper wachten om hem naar de tuin te brengen. De ware reden voor zijn verzoek was echter de eerdere opmerking van Keno dat zij niet belast moest worden met de details van Sen Fongs levensverhaal.

Ambrose was de man met wie hij moest praten. Hij kende de Chinese suikerarbeiders op Kea Lani en Hawaiiana en wist wat er onder hen leefde dankzij de kleine Bijbelgroepjes die hij had opgericht. Rafe was bij de opzet betrokken geweest toen hij nog op de ananasplantage woonde, maar nu hij meer tijd moest doorbrengen op Hanalei en in Honolulu, werden de lessen hier gegeven door Keno, onder supervisie van Ambrose.

Twintig minuten later kwamen Rafe en Keno aan bij de zendingskerk, waar ze Ambrose aan het werk vonden in zijn kantoor in de kerk. De deur was meestal open voor iedereen die binnen wilde komen om in de kerkbanken te gaan zitten, in de Bijbel te lezen en te bidden in een stille, rustige omgeving – of voor wie gewoon even alleen wilde zijn. Rafe kwam er vaak. Hij hield van de stilte. Er was niets te horen, behalve het ruisen van de wind door de palmen. Er was iets in dat geluid dat hem geestelijk aansprak, hoewel hij het niet precies kon uitleggen.

Ambrose had hen binnen horen komen en verscheen in de deuropening van zijn kantoor. Het licht uit de kamer achter hem benadrukte zijn krachtige Eastongestalte.

'Kijk eens aan, kom binnen jongens,' zei hij met lichte verbazing. Hij liep tussen de kerkbanken door naar hen toe, want het kantoor was te klein om er gemakkelijk te kunnen zitten met drie man. Hij keek hen aan en hun gezichten verrieden kennelijk dat er moeilijkheden waren, want hij gebaarde dat ze op de voorste bank moesten gaan zitten.

'Wat brengt jou hier, Rafe? Had je vanmiddag geen ontmoeting met de koningin?'

'Morgen,' antwoordde hij. 'Kort nadat Nora met Jerome en Eden naar Iolani gaat om toestemming te krijgen voor de kliniek.' Zijn stem verried niets van zijn eigen gevoelens over de kliniek, die ze zeker zouden krijgen, maar Ambrose wist al dat hij er niet blij mee was, ook al had hij op dit punt aan Edens verlangens toegegeven.

'O ja. Jerome vroeg me nog te bidden voor de kliniek. Het ziet ernaar uit dat koningin Liliuokalani op het punt staat om toestemming te geven. Als dat inderdaad gebeurt, wil hij al binnen veertien dagen naar Molokai vertrekken.'

Er was geen medeleven te zien in Ambroses blik. Daar kende hij Rafe te goed voor, die al vanaf zijn kindertijd nooit sentimentele aandacht van zijn vaders oudste broer wilde.

'We moeten wat dit betreft op God vertrouwen,' was alles wat hij zei. 'Jerome probeert eerst geld in te zamelen voor medicijnen en voedsel,' ging hij op ontspannen toon verder.

'Ze zullen ook hout nodig hebben, voor de gebouwen. Ik heb hem gezegd dat de gemeente met genoegen alles zal doen wat ze kan. Helaas zal dat bij lange na niet genoeg zijn. Herald heeft niets om in te brengen, heb ik gehoord. Edens verdiensten in het ziekenhuis en de toelage die Jerome van Ainsworth krijgt, leveren samen niet genoeg op om er met zijn drieën van te kunnen leven.'

Rafe bleef zich erover verbazen hoe weinig Ainsworths jongste zoon als toelage ontving uit het riante familievermogen dat op de bank van Spreckels stond. Als er een reden gezocht moest worden om voor de monarchie te spioneren, was Jeromes behoefte aan geld om de kliniek op te bouwen en het onderzoek te bekostigen zeker een motief.

Maar hij geloofde niet langer dat spionage een geloofwaardige verklaring was voor de aanwezigheid van dokter Jerome, die nacht. Zoals hij al tegen Eden had gezegd, was er misschien iets af te dingen op haar vaders obsessie met zijn kliniek, maar zeker niet op zijn oprechtheid en christelijk geloof. Dokter Jeromes gezondheid was niet optimaal, zoals Rafe onmiddellijk had gemerkt bij hun laatste ontmoeting, maar toch ging hij stug door met zijn werk in het ziekenhuis en bleef hij Ambrose assisteren bij het Bijbelonderricht op de plantages.

'En dan is er nog veel geld nodig voor een drukpers,' zei Ambrose.

Rafe bedacht dat Eden hem misschien eerder om een lening had willen vragen om de pers te kopen en te helpen de kliniek op te bouwen, maar ze had er de moed niet voor gevonden. Hij zou haar tweestrijd om het hem regelrecht te vragen makkelijk kunnen oplossen, maar dat zou het spel bederven. Hij vond het ironisch dat hij wellicht een van de geldschieters zou worden van dokter Jeromes kliniek.

'Wanneer was Jerome hier?' vroeg hij.

'Minder dan een uur geleden.'

Keno keek Rafe onmiddellijk aan.

'Waarom?' vroeg Ambrose, die kennelijk moeilijkheden voelde opkomen. 'Hadden jullie met hem willen praten?'

'Niet direct... ken je Sen Fong?'

De uitdrukking op het gezicht van de dominee veranderde, maar niet ten goede. Rafe zag zorgelijke rimpels. Ambrose haalde een kleine bril uit zijn borstzak en begon de glazen met een wit doekje schoon te poetsen. Hij dacht na, nam meer tijd voor zijn bril dan nodig was en zette hem uiteindelijk op zonder profijt te hebben van zijn werk, want hij keek Rafe over de rand van het montuur aan.

Ambrose vroeg zich dus af of hij hem moest vertellen wat hij wist. Rafe wachtte af, met de ontwapenende glimlach die vrijwel altijd het pleit won bij zijn oom.

'Ja,' gaf de dominee tenslotte toe. 'Ik ken Sen. En zijn achtergrond.'

Rafe keek Keno aan en knikte even.

'Hij is vermoord,' verklaarde de assistent-dominee. 'Zijn lichaam ligt in de tuin van Hawaiiana. Hij werd neergestoken.'

Ambrose bleef even stil en zuchtte vervolgens bezorgd.

'Goed, we moeten praten. Doe jij die ramen even dicht, Keno? En kom er dan bij zitten, hoewel je het verhaal al grotendeels kent.'

'Is het zo erg?' vroeg Rafe, terwijl Keno alle ramen sloot om te voorkomen dat ze afgeluisterd konden worden.

'Het is niet allemaal even erg, voor zover het de plantage-arbeiders betreft. Onder leiding van dokter Jerome zijn er vorderingen gemaakt op het gebied van de ziekenzorg. We hebben het gokken kunnen terugdringen, net als het opium-gebruik onder de Chinezen op Kea Lani en Hawaiiana. Sen Fong was een van de grootste distributeurs op de eilanden. Je kunt beter gaan zitten, het is een lang verhaal.'

★

Rafe en Keno zaten op de kerkbank tegenover hun oom. Het zonlicht viel door de zijramen naar binnen. Rafe luisterde bedachtzaam terwijl Ambrose vertelde over de ontwikkelingen die zich hadden voorgedaan toen hij weg was, in beslag genomen door Hanalei en het werk in de Legislatuur.

'Het opiumkartel uit Shanghai is op alle plantages op de eilanden geïnfiltreerd en het misbruik onder de suikerwerkers en hun families is toegenomen,' vertelde Ambrose. 'Zoals je weet heeft koning Kalakaua de deuren wijd open gezet voor een bepaalde drugsbaron, die het alleenrecht kreeg om de suikerwerkers van opium te voorzien en gokhuizen en bordelen te openen.'

Rafe was zich bewust van de ondeugden van de eilanden. Als jongen was hij al suikerwerkers op Kea Lani tegengekomen die opium rookten, en die cultuur was niet veranderd.

'Uiteraard ontvingen de Hawaïaanse koning en zijn regering geld als tegenprestatie. Een van de kingpins overtroefde de anderen en betaalde een enorm bedrag voor het alleenrecht drugs te mogen leveren.'

'Zoals je weet, is de opiumhandel niet nieuw,' ging Ambrose verder. 'Wel nieuw is de manier van infiltratie. De dealers hebben zich tussen de gecontracteerde arbeiders en hun gezinnen gemengd. Keno heeft het gezien. Het betekent dat ze nu bolwerken midden op de plantages hebben. De hutten van de leiders worden gebruikt als opslagruimte voor de opium, totdat het spul kan worden gedistribueerd en verkocht, niet alleen op de velden, maar ook in Honolulu en in San Francisco, op het vasteland.'

Ambrose schudde zijn hoofd en moest opstaan vanwege zijn enorme verontwaardiging. 'Is dit wat Hawaï wil? Duizenden mensen die ten prooi vallen aan machtige geldwolven, die drugs roken en op de stranden, straten en in de goten liggen, gevangen in een schijnwereld die levens verwoest en families uit elkaar rukt? Een dergelijke ontaarding kan God nooit toestaan!'

Hij had uiteraard gelijk. De opium- en gokkartels werden steeds machtiger en brulden als Goliath hun intimiderende bedreigingen tegen de schuchtere eilandbewoners.

'Stukje bij beetje, stap voor stap, winnen ze terrein. We kunnen ons tegen deze vorm van misleiding slechts op de enige manier verzetten die we hebben – door ons niet te schamen voor het ware Licht van het Evangelie van Christus,' zei de dominee hartstochtelijk. 'En dat brengt me bij Sen Fong.'

Ambrose keek hen aan en Rafe herinnerde zich de tijd waarin zijn oom hem en Keno als jongens had geleerd de waarheid lief te hebben en weerstand te bieden tegen de verleidingen van de jeugd. Hij pakte dan zijn oude, beduimelde bijbel en zwaaide ermee onder hun neuzen alsof het een oudtestamentisch reukoffer was. Op zijn rustige en stellige manier zei hij: 'Dit boek is het fundament van het leven, voor nu en altijd. En als je iets anders denkt, heb je een groot probleem, jongens. Elk Bijbelboek,' ging hij verder, op het boek tikkend, 'tot en met de beschrijvingen van de offers in Leviticus, is het Woord van God en de moeite van het bestuderen waard.'

Rafe merkte hoe Keno ongemakkelijk verschoof op de kerkbank, met een ernstige uitdrukking op zijn gezicht. Het zat hem nog steeds dwars dat hij Oliver de avond daarvoor had geslagen en dat de sheriff naar de bungalow van Ambrose was gekomen.

'Sen Fong was een van de kingpins in Oahu,' vertelde Ambrose. 'Hij handelde in drugs op Kea Lani, Hawaiiana, op de plantage van Hunnewell...'

Rafe sprong er direct op in en onderbrak de dominee. 'Hunnewell?'

'Ja, bij Hunnewell, Collier, Palmer, Dutton, iedereen.'

Hunnewell. Rafe dacht aan de Chinese man in het zijden gewaad die bij de grote gietijzeren hekken van het huis had gewacht, wat kennelijk vertrouwd terrein voor hem was geworden.

'Jerome en ik hebben campagnes gehouden in Oahu. In samenwerking met welwillende plantagehouders hebben we de arbeiders de boodschap van Christus gebracht. De resultaten zijn bemoedigend. Op alle plantages waar we gewerkt hebben, zijn Chinezen tot geloof gekomen. Jerome behandelt de zieken onder de arbeiders, terwijl hij hun waarschuwt voor de gevaren van opium en gokverslaving. En ze luisteren.'

'En Sen Fong is door een van die campagnes ook tot Christus gekomen?' veronderstelde Rafe.

Ambrose glimlachte. 'Dat is wat ik bedoel, Rafe – een overwinning, ondanks de moorddadige afloop. Zoals je je kunt indenken, werd ons werk niet erg op prijs gesteld door het kartel. Het licht van de waarheid is een directe bedreiging van hun gangsterpraktijken.'

Rafe nam de informatie bedachtzaam en rustig op. Het was zo ongeveer wat hij verwachtte.

'Sen Fong kwam onlangs naar een bijeenkomst om na te gaan in hoeverre wij een gevaar betekenden voor het kartel. Ik sprak een paar dagen op de velden van Hawaiiana en Jerome vertelde de mensen over de medische gevaren van opium. In die tijd drong het Woord door tot zijn hart. De Geest werkte in hem en op een avond kwam Keno vrij laat met Sen naar de bungalow. Vertel hem maar wat er gebeurde, Keno.'

'Ik was vanaf het begin al nieuwsgierig naar hem,' begon Keno. 'Ik wist dat hij niet bij een van de Bijbelgroepen hoorde die ik leidde. Ik vroeg hem of hij een christen was, en hij zei ja. Ik geloofde hem niet, maar dat was precies waar het in die bijeenkomsten om ging, om zondaren tot de Verlosser te brengen. Laat hem dus binnen en laat hem het heilige vuur voelen! En dat deed hij. Een paar dagen later kwam hij naar me toe. Hij was bang dat hij gezien zou worden, en hoewel hij me niet vertelde voor wie hij precies bang was, kon ik dat wel raden. Hij vroeg me om hem heimelijk naar Ambrose en dokter Jerome te brengen. Dat deed ik en Ambrose liet ons binnen. Sen vroeg of ook dokter Jerome erbij kon zijn, dus ik ging op pad om hem op te halen. Het was de avond dat hij vrij was van het werk in het ziekenhuis en ik kon hem dus op Kea Lani vinden. Het duurde even voordat een van de bedienden wakker werd en in beweging kwam, maar uiteindelijk kwam dokter Jerome naar beneden. Hij ging met me mee naar de kerk. Hij en Ambrose moeten wel langer dan een uur met Sen hebben gepraat. Ik viel achterin de kerk in slaap.'

'Drie uur,' corrigeerde Ambrose. 'Zoiets had ik nog nooit eerder meegemaakt. Sen beende op en neer als een gekooide hyena. Vragen, vragen, vragen. Uiteindelijk bad hij samen met mij en gaf zich over aan Christus. Hij had oprecht berouw en was bovendien zeer schuldbewust wat zijn werk betrof. Hij beloofde plechtig nooit meer iets met de opiumhandel te maken te willen hebben. Vanaf dat moment verkeerde hij in groot gevaar.'

'Hij wist te veel,' vulde Keno aan.

'De grootste kingpin beschouwde hem als een bedreiging,' redeneerde Rafe. 'Sen kende al hun smokkelroutes, opslagplaatsen, tussenpersonen en natuurlijk de grote leider van het kartel zelf. En dus liet hij hem door een moordenaar aan het mes rijgen.'

'Nadat hij was gedoopt, maakte de openbare belijdenis van zijn geloof hem tot een potentiële martelaar,' merkte Ambrose op.

Rafe sloeg op de kerkbank voor hem en stond op. 'Als ik

hier was geweest had ik hem misschien uit Oahu weg kunnen halen.'

'Om hem vervolgens op de Grote Muur van China aan het werk te zetten,' grapte Keno. 'Die is inmiddels wel aan reparatie toe.'

'Het zou het risico waard zijn geweest.'

'Nu je het zegt, ik heb je nog wel een bericht gestuurd,' zei Keno ongelukkig. 'Ik wilde hem samen met jou spreken hier op Hawaiiana. Maar toen je niet reageerde, dacht ik…'

'Ik heb die boodschap niet ontvangen,' antwoordde Rafe. 'Waar heb je die naartoe gestuurd?'

'Hanalei.'

'Ik zat de laatste twee weken in het hotel.'

'Niet doen, jongens, niet doen,' zei Ambrose met een opgeheven hand. Hij had een smekende uitdrukking op zijn gezicht. 'God gaat over deze mysteries van het leven. De gemiste afspraken, verloren kansen, schipbreuken, hartaanvallen… op die momenten wordt ons geloof in Hem getest. Hoe sterk is het? Nadat Sen Fong gered was van de eeuwige verdoemenis, werd zijn gewelddadige dood toegestaan, om redenen die God alleen kent. Maar hoe dan ook, ik verzeker jullie dat het kwaad niet definitief zal overwinnen. Dat is onze zekerheid in dit leven vol beproevingen. Alle dingen werken samen ten goede voor degenen die God liefhebben. Geef jezelf dus niet de schuld voor een boodschap die niet aankwam.'

Rafe liep naar het raam en deed het open. Hij had frisse lucht nodig. Met het briesje en het geluid van zingende vogels kwam ook de geur binnen van bloemen.

'Het schiet me nu te binnen dat Sen vertelde hoe hij dokter Jerome had gewaarschuwd dat de kingpin niet wilde dat hij zich met hun werk bemoeide.'

Rafe draaide zich om bij het raam. 'Wanneer heeft hij je dat verteld?'

'Gisteren.'

Dezelfde dag dat Sen Jerome meenam uit het ziekenhuis om de Chinese man in het zijden gewaad te spreken.

Hij keek op naar Ambrose. 'Waarom zocht hij dokter Jerome uit? Jij predikt het meest.'

'Sen dacht dat het misschien was omdat ze gehoord hadden dat Jerome de zendingskerk stichtte. En hij is ook meer op de voorgrond getreden met zijn pogingen de Opiumwet via de Gezondheidsraad in de Legislatuur te laten ontkrachten.'

Sen Fongs bezoek aan het ziekenhuis begon nu verklaarbaar te worden. Sen was gestuurd om Jerome te vertellen dat een kingpin hem wenste te spreken bij Hunnewell. Misschien was het de hoogste leider zelf die hem wilde ontmoeten. Welke boodschap kreeg hij daar? Zowel Eden als Zach zeiden dat de Chinees kwaad werd, maar de woede kwam misschien pas nadat Jerome zijn medewerking had geweigerd. Eiste hij van de dokter dat die zijn campagne tegen hen zou stoppen? Misschien vroeg hij hem ook om de koningin tijdens hun onderhoud, de dag daarna, aan te sporen om druk uit te oefenen op haar Legislatuur zodat de Opiumwet aangenomen zou worden. Had hij hem iets beloofd? Een grote omkoopsom? Of was het een waarschuwing annex bedreiging?

Wat er ook gezegd was of als dreiging geuit, het had Jerome overstuur gemaakt. Eden zag hem wanhopig in de tuin op en neer lopen. Daarna was hij naar de lanai achter het huis gegaan, maar waarom? Dat kon alleen dokter Jerome zelf uitleggen, net als de verdwijning van Sen Fong in de tuin – Eden had hem niet meer gezien.

Had Sen Fong de kingpin misschien naar de goktent gevolgd? Het was niet meer dan een veronderstelling van Rafe, maar Sen had het misschien als zijn nieuwe, christelijke plicht gezien om de leider van het kartel aan te spreken op de manier waarop hij dokter Jerome had behandeld, een fatsoenlijke man die alleen maar probeerde de Chinese arbeiders te helpen. Misschien had hij geprobeerd de kingpin uit te leggen waarom Jerome weigerde mee te werken met het kartel. Maar wat hij ook had gezegd of gedaan, Sen werd de dag daarna vermoord.

'Ik geloof dat dokter Jerome gisteravond gewaarschuwd werd om zijn kruistocht tegen de Opiumwet te staken,' merkte Rafe op, zich tot Ambrose wendend. 'En die waarschuwing geldt waarschijnlijk ook voor jou. Het zou gevaarlijk kunnen worden voor jullie beiden, hoewel ze meestal acties tegen haole vermijden. Maar als er geld in het geding is, weet je het maar nooit.'

'Wacht eens even, jongen. Wat zei je daar over Jerome die gewaarschuwd werd bij Hunnewell?'

Rafe vertelde hem over Sen Fong en Jerome bij het ziekenhuis en over Zachary die bewusteloos werd geslagen toen hij de tuin inliep. Hij zweeg echter over Eden en over Jeromes aanwezigheid op de lanai achter het huis.

Keno floot tussen zijn tanden. 'Wie zou Zachary geslagen hebben, en waarom?'

Voor het eerst keek ook Ambrose bezorgd. 'Heb je Zachary onderzocht en gezien waar hij werd geraakt?'

Rafe begreep direct waarom de dominee het vroeg. Hij achtte het zeker niet uitgesloten dat Zachary zich emotioneel zo zou opwinden dat hij van alles zou verzinnen om zijn aartsrivaal Silas zwart te kunnen maken.

'Ik heb hem onderzocht. Hij had inderdaad een buil die paste bij het verhaal dat hij vertelde. Hij was nog half verdoofd toen ik hem in mijn hotelkamer vond.' Hij keek Keno aan. 'Heb je nog iemand in de tuin of buiten de poort gezien toen je na die confrontatie met Oliver de tuin uitliep?'

Keno fronste en keek naar de vloer. 'Ik weet het niet zeker.'

'Niet zeker?' Het antwoord trok Rafes aandacht.

'Ik dacht dat er misschien nog iemand was. Mogelijk een beweging van iemand in de buurt, toen ik de tuin binnenkwam, maar... nou ja, het was donker en het stormde. De struiken en de palmen bewogen in de wind. Toen ik bij Oliver wegliep was het een chaos in mijn hoofd. Het gebeurde allemaal zo snel. Ik vind het vreselijk om te suggereren dat er nog iemand rondsloop toen ik in de tuin aankwam. Ik ben er niet zeker van.'

Als er iemand na de aanvaring in de buurt was, zou dat Silas kunnen zijn geweest. Afgezien van Zachary's obsessie met Silas, leek het er werkelijk op dat Silas, of Oliver, in de buurt van het hek konden zijn geweest toen Zach binnenkwam. Er zat voor Rafe weinig anders op dan de zaak voorlopig te laten rusten.

'Ik zou graag blijven om dit allemaal uit te zoeken,' merkte hij op, terwijl hij zijn frustratie probeerde te beheersen. 'Maar de boot naar het vasteland vertrekt zondagochtend uit Honolulu.'

Hij keek Ambrose recht aan. 'Heb jij dezelfde waarschuwingen ontvangen als dokter Jerome?'

Ambrose keek onaangedaan. 'Nee. Geen kik. En het zou ze ook niet veel helpen. Ik denk dat ze dat wel weten. Ik wil niet dat jij je zorgen over mij maakt, jongen. Als God nog niet klaar is met mij en het werk dat we hier doen, verspillen ze hun tijd.'

'*Wanneer een sterk, goed bewapend man zijn domein bewaakt, dan zijn zijn bezittingen veilig,*' citeerde Rafe de woorden van Christus.

Ambrose knikte ernstig. 'Ook dat. En dat zal ik ook doen.'

Rafe dacht aan Hiram Bingham, de eerste zendeling op Hawaï. De meeste walvisvaarders hadden een hekel aan hem omdat hij hun seksuele veroveringen op Hawaï belemmerde. Op een avond was een aantal van hen dronken en volgde Hiram toen hij het huis van de koning verliet. Ze waren van plan hem te doden. Maar een Hawaïaanse christen had er lucht van gekregen en volgde de zendeling eveneens. Toen de dronken walvisvaarders hem wilden bespringen, sloeg de Hawaïaan hen af. De walvisvaarders probeerden ook Hirams bungalow en een kerk plat te branden. Het gok- en opiumkartel deed Rafe aan de walvisvaarders denken. Ze wilden niet dat de verkondiging van Christus door Ambrose en dokter Jerome vrucht droeg onder de Chinese suikerwerkers.

Hij greep zijn hoed. 'De sheriff zal inmiddels wel op de hoogte zijn van de moord op Sen Fong. Ik moet terug naar het huis om hem mijn verklaring te geven.'

'Hij zal ook mij erover willen spreken, en Jerome,' zei Ambrose.

Hij had gelijk, de sheriff zou niet zomaar voorbijgaan aan het feit dat dokter Jerome en Sen Fong elkaar de avond daarvoor hadden getroffen. 'Als Jerome de kingpin kan identificeren, moet de sheriff naar het gokhuis in Rat Alley gaan,' merkte Rafe op.

Keno keek hem aan. 'Waarom Rat Alley? Er zijn overal in Honolulu goktenten.'

Rafe overlegde wat hij moest zeggen. 'Zach beweert dat hij Silas daarheen volgde. Daar ontmoette hij de kingpin die bij de tuin van Hunnewell op dokter Jerome stond te wachten.'

Keno kreunde. 'Dat wordt dus dubbele ellende. We zijn allemaal verwerkt tot Peking-eend voordat dit voorbij is.'

'Waar is Eden?' vroeg Ambrose bezorgd.

'Op Hawaiiana.'

'Hoeveel weet ze van dit alles?'

'Te veel. Zoals gewoonlijk zit ze er middenin. Zij was het die de dode vond.'

13

Wanneer het erom gaat te vergeten wat Townsend deed, zijn sommige herinneringen er nog niet aan toe om begraven te worden – nog niet.

Rafe voelde hoe de wind aan zijn jas rukte op de begraafplaats van Hanalei, bij het graf van Matt Easton. Regendruppels sloegen in zijn gezicht toen hij naar de kustlijn keek, waar de schuimende golven op het strand sloegen. Iets verderop was nog een graf, dat van zijn grootvader Daniel Easton.

Twee mannen, twee erfdelen, peinsde Rafe. 'Mijn vader wist hoe hij de productie van het land moest opvoeren en mijn grootvader wist hoe hij naar de sterren moest kijken om Gods stille voetstap door de eeuwigheid gewaar te worden. Ik ben de rusteloze erfgenaam van beiden en God zal mij verantwoordelijk houden voor de weg die ik heb gekozen. Ik kan niet zomaar leven zoals ik verkies, om vervolgens een speciale behandeling van God te verwachten omdat Daniel Easton zo godvrezend was geweest.'

★

Eden en Herald Hartley verlieten het ziekenhuis in Kalihi elke ochtend vroeg om de korte wandeling te maken naar het geïmproviseerde laboratorium van dokter Jerome in de dependance van het hospitaal, in Kakaako, dicht bij de ingang van de haven van Honolulu. Het was de afdeling waar vermoedelijke leprapatiënten de definitieve diagnose moesten afwachten.

De dependance stond op een zonovergoten kustterrein

dat vooral uit zandvlakten bestond, met hier en daar toefjes uitgedroogd, geel gras. Als de zuidenwind opstak, werd de zee ver over het terrein opgestuwd om het te doordrenken met pekelwater. De vermoedelijke leprapatiënten werden hier lang vastgehouden, totdat de dokters konden vaststellen of hun zweren en verwondingen het gevolg waren van lepra, of van een andere, minder ernstige aandoening. Eden wist dat de meeste mensen in Kakaako als leprapatiënten zouden worden aangemerkt, en zodra die vaststelling was gedaan werden ze zo snel mogelijk op de lepraboot naar Molokai gezet – de kolonie van verstotenen, waarvan niemand naar de gewone wereld terugkeerde.

God zij dank dat het getuigenis van Gods genade ook daar is, dacht Eden. De leprakolonie van verdoemden was een afspiegeling van de mensheid zonder de verlossing die in Christus' kruisdood te vinden was.

'Ik heb nagedacht over de rechtvaardiging van het opsluiten,' zei Herald Hartley tegen haar toen ze het ziekenhuis verlieten en in de richting van de haven van Honolulu naar Kakaako liepen. 'Ik begrijp dat jouw gevoelige natuur makkelijk aanstoot kan nemen aan deze faciliteit, maar wat maakt het eigenlijk uit dat sommigen van deze onwetenden nu nog geen lepra hebben?'

'Dat maakt voor hen heel veel uit. En het is oneerlijk om ze af te doen als onwetenden.'

'Misschien. Maar zelfs als sommigen van hen andere tropische huidziektes hebben, zijn ze nog een gevaar voor de gezondheid.'

'Maar dat is oneerlijk, Herald.'

'Niettemin, ze zijn en blijven gevaarlijk! Als ze geen lepra hebben, dan is het misschien een besmettelijke tropische huiduitslag, huidtuberculose of een vergevorderd stadium van syfilis. En wat gebeurt er dan? Wij stellen vast dat ze geen lepra hebben en ze worden vrijgelaten. Opgelucht keren ze terug naar huis en vertellen iedereen dat ze schoon zijn. Maar is dat ook zo? Het gevaar is dan nog veel groter dat ze de ziektes verspreiden die ze wel hebben! Dus nogmaals, mededogen leidt in dat geval tot negatieve gevolgen. We moeten deze kwesties met strikte handhaving van de wet aanpakken.'

'Je klinkt afschuwelijk hardvochtig. Bijna alsof je niet meer over individuen praat, die allen uniek zijn, geschapen naar Gods beeld. Is dat voor jou geen indicatie hoe kostbaar ze zijn voor onze Schepper?'

'O, zeker, zeker. Maar als we het over de ziekte hebben, kunnen we niet anders dan realistisch handelen. Dus we moeten ze in kooien opgesloten houden of...'

Eden was zich de afgelopen maanden gaan ergeren aan de jongeman. Als de secretaris van haar vader was Herald Hartley zijn steun en spreekbuis geweest, maar als zijn medisch assistent vertoonde hij een steeds meer op de voorgrond tredende onverschilligheid. Hoe gemakkelijker hij zich in haar gezelschap ging voelen, hoe meer hij een kant van zijn karakter liet zien die soms haast harteloos leek. Ze zuchtte toen ze bedacht hoe ze dag in dag uit met hem zou samenwerken op Molokai.

Maar deze ochtend toonde hij niet zijn normale felheid, ondanks zijn gebruikelijke verhalen over de kracht en zwakheid van de medische wetenschap. Het viel Eden op dat hij vermoeid keek en zijn schouders hingen een beetje af onder de witte doktersjas.

'In elk geval gaan we nu snel naar Molokai,' zei hij. 'Dokter Jerome is opgetogen over de vooruitzichten die ons morgen bij koningin Liliuokalani wachten. Juffrouw Nora heeft je vader een uitstekende gelegenheid bezorgd. Een geweldige dame, die juffrouw Nora. Heel praktisch, zonder emotionele onzin.'

Eden draaide haar hoofd en keek hem aan. Wilde hij zeggen dat zij te emotioneel was? Maar wat hij over oudtante

Nora zei, was wel waar. Ze was die ochtend heel opgewekt geweest nadat ze bericht had gekregen van het Iolani-paleis. Het was de bevestiging voor de audiëntie van dokter Jerome bij Liliuokalani, de volgende middag. 'Laat je zelfvertrouwen door niets of niemand verstoren, Jerome,' zei ze hem bij het ontbijt. 'Ze heeft me beloofd dat ze niets tussen de afgesproken ontmoeting laat komen, zelfs niet die irritante leden van de Reform Party die ze zal ontvangen.'

Ook Ainsworth, Hunnewell en Rafe Easton behoorden tot die 'irritante' Reform-aanhangers, zoals oudtante Nora ze, zonder het te beseffen, noemde.

Dokter Jerome had kennelijk groot vertrouwen in Nora. Voordat hij met Eden vanuit het huis op de plantage naar het ziekenhuis vertrok, verzekerde hij haar dat hij de kwestie van de goedkeuring van de kliniek overgaf aan de 'genade van Gods bedoelingen'. Hij was nu in Kakaako in zijn geïmproviseerde laboratorium aan het werk, waar hij de van lepra verdachte bewoners een voor een nauwkeurig onderzocht en alle wondjes en bulten bekeek.

Maar het was Eden opgevallen dat haar vader, net als Herald, stiller en bedachtzamer was, vooral sinds het nieuws over de moord op Sen Fong de dag tevoren. Soms zag ze hem in het ziekenhuis uit een raam staan kijken, nadenkend met een frons op zijn voorhoofd en zijn handen op zijn rug. Ook Herald leek op zijn tenen rond te lopen, en hij schrok toen haar vader zich plotseling omdraaide en tegen hem begon te praten.

Toen ze hem vroeg wat hem dwars zat, glimlachte haar vader alleen vermoeid en klopte haar op haar schouders. 'Eden, mijn liefje, je hebt al genoeg aan je hoofd.'

'Is het de moord op Sen Fong?' vroeg ze zacht. Vrijwel op hetzelfde moment liet Herald een medicijnflesje vallen. De inhoud spetterde over de vloer en haar vader reageerde geprikkeld.

Daarna had hij haar ernstig aangekeken, met zijn diepliggende ogen. 'Ja, Sen Fong. Die moord is afschuwelijk voor zijn nabestaanden. Hij had een gezin in San Francisco... ik heb ze geschreven en geprobeerd een beetje troost en hoop te geven. Ik weet niet of Sen nog de tijd heeft gehad om hun over zijn bekering te schrijven, maar ik heb zo goed mogelijk uitgelegd wat er met zijn hart en verstand is gebeurd en waarom hij een christen is geworden. Laten we bidden dat ze meer willen weten als ze mijn brief hebben ontvangen en dat ze net zo zullen reageren als hij.'

Ze had graag meer vragen gesteld, maar het was duidelijk dat hij de details wilde vermijden en na nog een klapje op haar schouder was hij verdwenen. Hij liep snel terug naar het onderzoekslaboratorium om samen met dokter Bolton een test uit te voeren.

Nu, met Herald onderweg naar Kakaako, was het Edens beurt om te fronsen. Haar vader wist meer over Sen Fong dan hij wilde zeggen. Wat was er gebeurd toen hij bij de tuin van de Hunnewells met de Chinese kingpin sprak?

Ze naderden het quarantainestation. Herald bleef plotseling staan en plukte onbewust met zijn lange vingers aan de linnen ceintuur om zijn middel. Zoals zo vaak begon een spiertje bij zijn mondhoek te trekken. Eden volgde zijn blik naar een karig, worstelend grasveldje op de zandvlakte, waar een knappe jongeman in een wit overhemd met wijde mouwen en een donkere broek naar hen stond te kijken.

'Dat is Easton,' zei Herald vlak.

'Ja, ik verwacht hem,' antwoordde Eden verheugd. 'Als lid van de Legislatuur kan Rafe Easton het lot van de mensen in dit kamp bij de anderen onder de aandacht brengen. Dat hoop ik althans.'

Herald knikte, maar zonder enige geestdrift. In plaats van aan te bieden om mee te lopen en de noden aan Rafe te tonen, ging hij er vandoor.

'Dokter Bolton zei dat de overheid niet meer fondsen voor de Gezondheidsraad kan uittrekken. Goed, ik ga aan het werk. We hebben het druk deze ochtend. Ik zie je straks wel, Eden.' Met die woorden wendde hij zich af en liep naar het gebouw.

Ze keek hem na en bedwong haar irritatie. Even later stond Rafe naast haar. Ook hij keek Herald na.

'Die heeft nogal haast, is het niet?'

'Volgens mij wil hij jou vermijden,' antwoordde Eden met een glimlachje.

'Ik heb dat effect op sommige mensen.' Zijn ogen werden warm toen hij haar aankeek en haar hart begon iets sneller te kloppen. 'Zolang jij maar geen vleugels krijgt en wegvliegt, mijn lieftallige juffrouw Derrington.'

'Maar dat zou ik nooit doen, meneer Easton. Ik heb een chaperon nodig voor het diner dansant in het Iolani-paleis,' gaf ze opgewekt terug.

'Er gaat niets boven nodig zijn.'

'Maar nu serieus, heb je al meer nieuws over Sen Fong?'

'Niets behalve onze eerdere verdenkingen. De mijne zijn niet veranderd. De sheriff houdt de goktenten in de gaten sinds hij hoorde dat daar mogelijk aanwijzingen te vinden waren. Ik betwijfel echter of hij iets vindt wat hem bij de moordenaar brengt. En nu…' Hij glimlachte. 'Waarom ben ik naar Kakaako gebracht?'

Ze keek hem recht aan. 'Geld.'

'Dat dacht ik wel. Hoe lang duurt de rondleiding? Daarna wil ik graag even met je praten over het een en ander.'

'Het duurt niet zo lang.' Ze liep door naar het lepra-quarantainekamp en legde Rafe uit hoe hoog de nood gestegen was.

'Ik heb met dokter Bolton gesproken, maar dit gaat hem ver boven zijn macht. Het is eigenlijk niemands schuld, het geld is er gewoon niet voor.'

Kakaako was geen nieuw of comfortabel kamp voor de potentiële leprapatiënten om hun diagnose af te wachten. Het terrein was kaal, zonder bomen of struikgewas, en nergens was schaduw te vinden behalve naast de vervallen hutjes op staken. Ze waren op palen gebouwd omdat de harde zuidenwind de zee vaak over de zandvlaktes stuwde zodat het gebied overstroomde. De omstandigheden bevorderden alleen maar de verveling waardoor de ellende van de gedetineerden nog groter werd.

Eden hoefde niets te zeggen om haar zorgen uit te leggen toen ze langzaam langs de smerige kooien liepen waarin de van lepra verdachte personen werden opgesloten. Hun gezichten stonden apathisch, alsof ze alle hoop al lang hadden opgegeven.

'Als Gods Woord een kingpin als Sen Fong kon bekeren, dan zou het hier ook veel goed werk kunnen doen,' merkte Rafe op toen ze terugliepen naar het ziekenhuis in Kalihi. 'Vrijheid begint met een hart dat verzoend is met God. Wat die patiënten het hardst nodig hebben, is hoop, hoop uit de Bijbel, die hun situatie overstijgt. Ik zal Ambrose vragen om hier voor geestelijke bijstand te zorgen. En ik zal de noden in elk geval weer aan de orde stellen in de Legislatuur. De vorige keer werd het onderwerp weggestemd. Maar zelfs als ze niet meer geld aan de Gezondheidsraad willen geven, komt de kwestie toch in de krant. Misschien dat een paar liefdadige instellingen of individuen interesse tonen. En we laten Zach een uitgebreid artikel schrijven in de *Gazette* over de grote nood die hier heerst. Misschien dat Parker Judson en Celestine op het vasteland de aandacht van de Amerikaanse kerken op deze kwestie kunnen vestigen. En ondertussen…'

Eden keek stralend op. 'Dat zijn uitstekende ideeën, Rafe. Ik zal met Ambrose en Zachary praten op de familievergadering van morgen. Er zijn hier ook een paar nonnen,' zei ze zacht. 'Walter Murray Gibson heeft ze hier naartoe gehaald.

Hij heeft een mooi klooster en een klein ziekenhuis voor hen gebouwd op Molokai.'

'Toen hij die nonnen stuurde, dacht Gibson waarschijnlijk aan priester Damiaan, die jaren geleden naar Molokai ging. Maar als hij dacht dat hij daarmee eer kon inleggen, zat hij ernaast. Hij was en bleef een corrupte politicus totdat ze hem van Hawaï hebben verjaagd.'

Toen Walter Murray Gibson vertrok, werd hij bijna gelyncht door mensen uit Honolulu, die over zijn financiële gesjoemel hadden gehoord. Maar Sanford Dole haastte zich naar de kade en redde zijn leven. Gibson ging aan boord van een boot naar San Francisco, maar overleed onderweg.

Ze hadden het grasveld voor het ziekenhuis bereikt, een veel aangenamer plek om te praten, met ruisende palmen, bananenbomen en bloeiende struiken. Rafe bleef staan en draaide zich naar haar toe. Glimlachend pakte hij haar armen vast. 'En nu het goede nieuws. Met Kip komt het in orde. Het was mijn reden om in de Legislatuur te gaan zitten, en het is een groot succes geworden. Ik heb nu werkelijke toestemming om de adoptieprocedure te beginnen, hoewel ik het via het agentschap in San Francisco moet spelen.'

Eden hield haar adem in. 'Lieveling, dat is geweldig nieuws!' Ze kon zichzelf niet inhouden en omhelsde hem. Een beetje beschaamd om haar uitbundigheid lachte ze even en wilde zich losmaken, maar zijn armen hielden haar tegen.

'Niet zo snel.' Hij keek haar aan met zijn levendige ogen en kuste haar zacht. 'De volledige beloning wordt op een ander moment uitgekeerd. Mag ik uit je vreugde afleiden dat je er nog steeds volledig achter staat om zijn moeder te worden?'

'Lieverd, ik kijk ernaar uit om zijn moeder te zijn,' zei ze gedecideerd. 'Die groene ogen van hem…' Ze stopte zodra ze het zei en probeerde gewoon door te praten, in de hoop dat hij het niet had opgemerkt. Maar dat was niets voor Rafe, die al een nieuwsgierige wenkbrauw optrok.

'Wat is er met zijn groene ogen?'

Ze probeerde het met een schouderophalen en een afleidingsmanoeuvre. 'O, nou ja, ik heb ook groene ogen en ben dus een perfecte mama voor hem.' Maar zelfs dat lukte niet, want hij bracht Kip met haar in verband.

Er viel een gespannen stilte. *O nee, als zijn gedachten maar niet die kant opgaan...* ze zag een nieuwsgierige twinkeling in zijn ogen. Wanhopig zocht ze naar iets anders om hem af te leiden, maar er wilde haar niets te binnen schieten. Ze wachtte op de onvermijdelijke volgende vraag: Rebecca heeft toch ook groene ogen, is het niet?

Er ging een ongemakkelijke minuut in stilte voorbij, maar toen hij zijn mond opendeed, liet hij de vraag rusten, alsof er niets was gebeurd. Ze wist echter dat hij zich haar moeder Rebecca herinnerde... Molokai... de baby op het strand... de vrouw achter de rotsen die weigerde zich bekend te maken en was weggerend toen ze zag dat hij de baby van een wisse dood had gered.

'Ja, je hebt uitdagend groene ogen,' zei hij. 'Dat heb ik altijd al gevonden.'

Dankbaar ging Eden verder. 'En wanneer haal je Kip naar Hanalei, lieverd?'

'Ik wil wachten tot we getrouwd en gevestigd zijn, aan elkaar "aangepast", zoals Ambrose het uitdrukt.' Zijn ogen twinkelden ondeugend. 'Ik weet niet of ik me ooit aan jou kan "aanpassen" of niet, maar dat wil ik graag ontdekken.'

'Ik zal de ideale partner voor je zijn,' merkte Eden liefjes op. 'Maar waarom moet je hem in San Francisco adopteren?'

'Als veiligheidsmaatregel. Hij was aan boord van de *Minoa* toen ik daar voor het eerst aanlegde na Frans Guyana.'

Eden herinnerde het zich. Zij zat op de verpleegstersopleiding toen Nora aankwam met koning Kalakaua's entourage die in het Palace Hotel verbleef. Ze was naar het hotel gegaan om Nora te ontmoeten en te eten met een grote groep mensen rond de koning. In het hotel had ze ook Rafe ontmoet – hij had verpletterende indruk gemaakt. De volgende dag had ze hem aan boord van de *Minoa* opgezocht om de nieuwe ananassen die hij had meegenomen te zien en te proeven. Parker Judson was ook in San Francisco en toonde grote interesse. Eden had Kip aan boord ontdekt en ten onrechte slechte ideeën over Rafe gekoesterd – die op zijn beurt te koppig was om haar ervan te overtuigen dat de baby niet zijn biologische kind was. Wat een drama was dat tussen hen geweest! Dat was het moment waarop grootvader Ainsworth probeerde om Rafe en Candace met elkaar te laten trouwen.

Onwillekeurig legde Eden haar hand op zijn arm, alsof hij opnieuw uit haar hart weg zou kunnen glippen.

'En dus blijft Kip bij Celestine in San Francisco totdat wij getrouwd en "aangepast" zijn,' besloot ze, het plan overdenkend. Ze zou het niet erg vinden als Kip vanaf het begin van hun huwelijk bij hen zou zijn, maar als Rafe er de voorkeur aan gaf om te wachten, zou ze daar niet tegenin gaan. Kip was in heel goede handen bij Celestine, een van de beschaafdste en meest ingetogen dames die Eden kende. Het was vanaf het begin Rafes idee geweest om Kip te adopteren en hij had ook diens 'ontvoering' naar San Francisco op touw gezet om te voorkomen dat de Gezondheidsraad hem terug zou zenden naar Molokai. Eden accepteerde zijn plannen daarom zonder meer.

En wat zou er gebeuren als haar verdenking omtrent Kip en Rebecca waar zou blijken te zijn? Hoe zou Rafe op dat nieuws reageren?

Zodra ik op Molokai de waarheid ontdek, zal ik hem via het bevoorradingsschip een boodschap sturen, bedacht ze. 'Wanneer vindt de adoptie officieel plaats?'

'De procedure duurt zes maanden, dan kan ik het officiele document tekenen.'

Tijd genoeg om Rebecca op te zoeken en Rafe de feiten mee te delen. En als die knagende vermoedens niet waar bleken te zijn? Dan zou ze Rafe er nooit mee lastig hoeven te vallen.

'Goed, Eden,' begon hij, 'heb je nog iets dat je graag met mij zou willen bespreken voordat ik naar het vasteland vertrek? Misschien wil je het uit bescheidenheid liever niet naar voren brengen?'

Ze dacht eerst dat hij het over Sen Fong had, en de verdachte gebeurtenissen van een paar dagen geleden in de tuin van Hunnewell. Die bleven helaas onopgelost en nog even duister als tevoren, misschien nog erger door het verstrijken van de tijd. Maar toen drong het tot haar door dat ze misschien niet zo subtiel was geweest als ze dacht toen ze over het probleem vertelde om geld bij elkaar te sprokkelen voor een drukpers. Dokter Jerome maakte zich grote zorgen over de lening die hij moest zien te krijgen om de bevoorrading en bouw van de kliniek te financieren. Eden had eraan gedacht dat ze misschien een lening van Rafe zou kunnen krijgen, maar ze kon zichzelf er niet toe brengen om erom te vragen.

Ze haalde diep adem en besloot de kwestie aan te snijden met de rechtstreeksheid die Rafe kennelijk bij haar waardeerde. Hij hield niet van gekonkel, of vrouwelijke lagen en listen.

'Het gaat over die drukpers,' zei ze. 'Ik heb er al eerder over verteld. Rebecca begon erover in de brief die ik een paar maanden geleden had ontvangen. Weet je dat nog?'

'Ja. Ambrose heeft het er ook nog over gehad. Rebecca kent daar een moedeloze jongeman die zijn handen nog goed kan gebruiken. Ambrose zei dat je de patiënten kinderboeken wilt leren drukken, en zelfs bijbels. En jullie beiden hopen dat Ambrose die jongeman kan leren met de drukpers om te gaan, zodat hij misschien een krant voor de kolonie kan maken. Die drukpers was jouw idee, geloof ik. Ik ben niet verbaasd. Het was te verwachten, want jouw hart wordt bewogen door de geestelijke behoeften en de hopeloosheid van anderen. Je ziet, lieverd, ik heb aandacht voor wat jou beweegt.'

Eden kon haar verrassing niet onderdrukken. Ze had gedacht dat ze een lange en gedetailleerde uitleg zou moeten geven waarom de drukpers zo belangrijk was.

'Ambrose zei ook dat jij de drukpers misschien met de *Minoa* naar het eiland kon brengen,' ging ze voorzichtig verder.

'Waar denk je een drukpers vandaan te halen?'

'Ambrose stelde zich voor dat die vanuit San Francisco overgebracht zou kunnen worden.'

'Dat zou maanden in beslag nemen. Ik neem aan dat het tamelijk urgent is om die jongen een doel in zijn leven te geven? Waarom kopen we er niet één van jouw oudtante Nora? Ik ben er zeker van dat de reden daarvoor haar zal aanspreken. En maak je geen zorgen over het geld.'

'Van Nora…?' zei ze beduusd.

'Als ik me goed herinner, heeft ze vorig jaar een nieuwe drukpers voor de *Gazette* gekocht, maar gebruikt ze die niet. Ze heeft kennelijk niet veel haast. Ik koop deze pers van haar en zij kan een nieuwe bestellen wanneer ze eraan toe is.'

Eden kreeg een brede grijns op haar gezicht. 'Natuurlijk! Nu weet ik het weer. Zachary praatte haar aan dat ze een nieuwe pers moest kopen en achteraf was ze er helemaal niet gelukkig mee, vanwege de kosten. Schat, dat is geweldig! Die pers is beter dan ik ooit had durven dromen. En betekent het ook dat je hem echt kunt afleveren?'

'Alles om jou weer met deze gelukkige lach en twinkelende ogen te zien. Ja, dus. Zodra ik terugkom uit San Francisco, of anders kan Keno hem eerder afleveren. Ambrose kan met hem meegaan om de pers te installeren. En ja, mijn lieveling, ik zal het geld lenen om de kliniek te bouwen. Er zou een of andere overtuigende reden moeten zijn om een onderneming te sponsoren waar ik altijd tegen ben geweest, maar ik kan maar niet bedenken wat dat is,' zei hij ondeugend.

'Lieverd! Echt waar? O Rafe, dit zal ik nooit vergeten! Ik houd zoveel van je.'

'Ik wist dat er een reden was – en *dit* moet hem wel zijn.'

Ze lachte. 'Wacht maar af tot mijn vader hoort dat Rafe Easton hem het geld leent om de kliniek te bouwen. Hij zal waarschijnlijk geen idee hebben wat hij van al die veranderingen bij ons moet denken.'

Rafe grijnsde. 'Ik denk dat hij heel goed begrijpt wat hij ervan moet denken. Een wijs man tekent op tijd een vredesverdrag met zijn aanstaande schoonvader.'

Ze veronderstelde dat haar vader ook wijs genoeg zou blijken om vrede te sluiten met Rafe. Het ontging haar niet dat het uiteindelijk Rafes toegeeflijkheid was die dokter Jerome bij hem in het krijt zette.

'Trouwens, wat Keno betreft, Ainsworth biedt hem vreemd genoeg land aan op het Grote Eiland om suikerriet te verbouwen, en een financiële lening,' vertelde Rafe. 'Ik heb het terrein bekeken, het is goed bouwland. Het probleem is echter dat Keno niet de mentaliteit heeft voor een suikerplanter. Hij is meer iemand voor ananas of koffie.'

Eden keek snel naar hem op. Ze had met Ambrose over beloftes gesproken en hij had haar verteld wat de Bijbel daarover zei. Hij wees op Jefta, die een snelle gelofte aan God deed, waardoor zijn dochter haar hele leven ongetrouwd was gebleven. In die dagen was het voor een joodse vrouw een schande om ongehuwd en kinderloos te blijven, en de dochter van Jefta beklaagde haar door de haastige belofte van haar vader bepaalde lot dan ook diep. Er waren meer voorbeelden van onbezonnen geloftes, maar de ergste was die van de kwaadaardige Herodes. Om zijn belofte gestand te doen gaf hij opdracht om Johannes de Doper te onthoofden! Ambrose had haar niet gezegd wat ze moest doen. Hij had de beslissing aan haarzelf overgelaten, en Eden had een besluit genomen. Hoe zou ze de waarheid voor Rafe verborgen kunnen houden wanneer hun huwelijk aanstaande was? Dat kon ze niet!

'Denk je dat Keno het aanbod zal accepteren?' vroeg ze eerst.

'Ik heb het hem niet verteld. Ainsworth heeft mij gevraagd om als tussenpersoon op te treden en zijn betrokkenheid niet aan Keno te vertellen. Er is iets aan dat plan wat mij niet lekker zit. Met betrekking tot Keno heb ik liever dat alles gewoon open en eerlijk is. Hij vertrouwt me en dat wil ik zo houden.' Hij keek haar aan. 'Ik wil je grootvader op geen enkele manier beledigen, want ik denk dat hij over het geheel genomen een goede man is. Maar er moet meer achter dit aanbod zitten. Hij is er niet de man naar om dergelijke filantropische daden te verrichten zonder een zeer gedegen reden. Je grootvader heeft Keno altijd genegeerd – zelfs toen Candace al zijn kwaliteiten van de daken schreeuwde. En nu ze met hem gebroken heeft om met Oliver te trouwen besluit Ainsworth plotseling om zijn weldoener te worden? Dat is nogal verdacht, vind je ook niet?'

Ze *voelde* de onderzoekende blik in zijn ogen.

'Je hebt gelijk,' bekende ze. 'Er zit ook iets ongepasts achter. En ik weet wat dat is.'

Hij keek haar intens aan. 'Zoiets dacht ik al.'

'Ik kon er niet eerder over praten. Candace stond erop dat ik haar een belofte van stilzwijgen deed. Ik heb er helaas aan toegegeven, en het heeft me sindsdien steeds dwarsgezeten. Ik heb met Ambrose gepraat over het verbreken van een belofte, maar ik heb hem niet verteld wat het probleem precies was.'

'Het was verstandig van je om het met Ambrose te bespreken en tot een oprechte beslissing te komen. Ik denk dat ik wel weet wat er achter Ainsworths ongebruikelijke vrijgevigheid zit, maar ik wil het van jou horen.'

'Grootvader heeft het beste voor met Candace, en ik denk met ons allemaal. Zoals gezegd, hij is een fatsoenlijke man, maar hij is zoals je weet nogal rechtlijnig als patriarch van de Derringtons.' Ze fronste. 'De manier waarop Keno is behandeld is niet te verontschuldigen en hij heeft Candace gemanipuleerd. Ik kan het niet anders uitleggen.'

'Dus hij beloont Candace door Keno die plantage te geven als zij met Hunnewell trouwt?'

'Ja, maar er is nog meer. Als ze niet met Oliver trouwt, zal hij er persoonlijk voor zorgen dat Keno van de eilanden verdreven wordt.'

Rafes kaak verstrakte en zoals ze verwachtte zag ze de woede in zijn ogen oplaaien. Rafe had met Townsend zelf het soort verbanning ervaren waarmee Ainsworth nu Keno bedreigde. Een paar jaar terug werkte Rafe voor Nora bij de *Gazette*. In die tijd had hij commentaren ten gunste van de monarchie geschreven die kwaad bloed hadden gezet bij haar grootvader. Hij vreesde dat Rafe de planters tegen annexatie kon opzetten. Ainsworth had Townsend toestemming gegeven om Rafe van het eiland te pesten. Sinds die tijd was er veel veranderd en Rafe was nu een overtuigd aanhanger van de annexatiebeweging. Townsends dreiging om hem van het eiland te verdrijven had hij met een uitdaging begroet, maar Rafe was al van plan geweest om naar zee te gaan. Hij vertrok naar Frans Guyana om veel later terug te komen met voldoende middelen om de Derringtons de voet dwars te zetten. En nu waren de gevoelens van Ainsworth voor Rafe natuurlijk 180 graden omgedraaid en was het Townsend die Hawaï moest verlaten vanwege zijn eigen losbandige levenswijze.

'Candace weet dat grootvader Keno weg kan sturen en dat hij dat ook zal doen als hij het noodzakelijk vindt,' ging Eden verder.

'Dat valt nog te bezien,' verklaarde Rafe. 'Zolang ik er nog iets over te zeggen heb, gaat Keno helemaal nergens heen. Zo nodig haal ik Parker Judson over om hem een aandeel in Hawaiiana te laten nemen. Ik had al iets dergelijks bij Ainsworth geopperd voordat hij met zijn idee van een plantage op het Grote Eiland kwam.'

Het verraste haar niet. Ze had het akelige gevoel dat er een keiharde confrontatie tussen Rafe en Derrington zou ontstaan als Ainsworth iets tegen Keno ondernam. Dat zou tot een onwrikbare stellingenoorlog kunnen leiden.

'Hoe dan ook, Candace nam de dreiging van grootvader serieus en gaf toe om Keno de kans te geven zijn droom waar te maken. Ze denkt dat het land haar verlies voor hem goed kan maken en dat hij iemand anders zal vinden om mee te trouwen.'

'Zeer opofferingsgezind, maar onverstandig. We kunnen niet toestaan dat Ainsworth en Thaddeus Hunnewell hun kans op huwelijksgeluk dwarsbomen met een nieuwe versie van *Romeo en Julia*. Keno is gek op haar. Hij zal nooit over dat verlies heenkomen. Daar ken ik hem te goed voor.'

'Maar wat wil je eraan doen?' vroeg ze dringend.

'Ik ga ervoor zorgen dat deze kuiperij aan het licht komt, lieverd. Keno zal te horen krijgen waarom Candace bij hem weg is gegaan en Ainsworth krijgt te horen dat zijn chantage niet doorgaat. Keno zal zijn eigen plantage krijgen, maar niet van Ainsworth. Er is geen kwestie van dat Keno dat land krijgt. Hij en ik hebben een afspraak gemaakt voordat we naar Frans Guyana gingen. Ik zou hem financieel steunen. We zouden wachten totdat Hawaiiana winst zou gaan opleveren. Maar daar hoef ik niet langer op te wachten. De erfenis van de Eastons is aan mij overgedragen en binnenkort volgen de parelbedden. Er is dus genoeg om Keno te steunen.'

Ze kon haar reactie niet onderdrukken en een glimlach brak door bij haar mondhoeken. 'Ik hoopte al dat je tegen grootvader in het geweer zou komen. Hij heeft een zeer hoge dunk van jou. Als jij het zo hoog voor Keno opneemt, denk ik haast dat hij zal toegeven.'

'Aan een huwelijk met Candace?' vroeg hij weifelend. 'Dat zie ik nog niet gebeuren.'

'Wat het huwelijk betreft, heb je misschien gelijk, maar als Candace door heeft dat grootvader Keno's toekomst op Hawaï niet zal kunnen ruïneren... dan denk ik dat ze misschien weer de Candace wordt die wij beiden kennen. Wat ga je doen?'

'Er zijn nog een paar dingen die niet kloppen. Daar zal ik naar moeten kijken voordat de boot zondag vertrekt. Maar ik weet in ieder geval dat ik Keno niet ga verleiden om een stuk land aan te nemen, hoe groot ook, als compensatie voor het verlies van de vrouw van wie hij houdt.'

Ja, je hebt gelijk, dacht ze huiverend. Als Keno ooit het bedrog zou ontdekken, zou hij misschien de grond waarop hij liep gaan haten, in de wetenschap welke prijs de vrouw van zijn hart moest betalen. En Rafe zou als tussenpersoon deel uitmaken van het bedrog. Ze was opgelucht dat Rafe het grote gevaar had onderkend en zich had teruggetrokken.

Haar woede tegen de lagen en listen van haar grootvader wilde oplaaien, maar ze bleef zichzelf voorhouden dat Ainsworth er waarschijnlijk niet op uit was om kwaad aan te richten, maar om de familie te versterken. Wat hij kennelijk niet begreep, of weigerde onder ogen te zien, was dat de voorspoed van de familie niet voortkwam uit pragmatische manipulaties om rijkdom en invloed te verwerven, maar uit het erkennen en eerbiedigen van Gods geopenbaarde waarheden in levens en relaties.

Hoe volwassener Eden werd, hoe verontrustender het voor

haar was om de dwalingen en misplaatste acties van de eerbiedwaardige patriarch, zoon van een vroege zendeling, te zien.

'Soms begrijp ik Ainsworth niet,' merkte ze bezorgd op.

Rafe keek haar aan en merkte hoe ze de last van haar familie op zich voelde drukken.

'Hij was tenslotte de zoon van een geweldige zendeling.'

'Je zou denken dat kinderen die opgevoed werden door godvrezende ouders zelf ook zo zouden worden,' stemde hij in. 'Maar we weten dat het niet altijd het geval is. Samuël en zijn zoons zijn daar een voorbeeld van. Terwijl Samuël trouw was aan God en Israël, namen zijn zonen als corrupte rechters omkoopsommen aan en werden ze mede de aanleiding voor Israël om een koning te willen hebben, wat in Gods ogen opstandigheid tegen Hem betekende. Ik bedacht laatst ongeveer hetzelfde, op Hanalei.'

Eden keek hem nieuwsgierig aan.

'Ik heb iets gedaan wat ik na de begrafenis zelf, jaren geleden, nog nooit had gedaan. Ik heb het graf van mijn vader bezocht,' vertelde hij. 'Ik dacht aan mijn grootvader, die net als Ainsworths vader zendeling was. Mijn grootvader, zijn zoon Matt en ik zijn alle drie verschillend. Dat onze ouders of grootouders godvrezend waren, betekent niet dat wij minder verantwoordelijk zijn voor onze beslissingen en God zal de gevolgen van onze acties niet uitwissen omdat we toevallig uit een christelijk gezin komen. Ook landen die op rechtvaardige principes zijn gegrondvest, ontvangen niet noodzakelijk de zekerheid van voorspoed en zegen voor de volgende generatie.'

Eden had altijd aangenomen dat haar eerbiedwaardige en soms overheersende grootvader, die uitblonk als suikerplanter en politicus, weinig minder was dan een heilige die ook op het gebied van geloof en gebed een grote wijsheid bezat. Ze dacht aan het schilderij van de godvrezende Jedaiah

Derrington dat in het huis op Kea Lani boven de trap hing en realiseerde zich nu dat Jedaiahs geesteshouding niet kon garanderen dat Ainsworth in zijn voetsporen zou treden.

'Ik heb nog geen trek in de lunch. Zullen we een stukje wandelen?' stelde Rafe voor.

'Heeft mijn grootvader je verteld dat er morgenavond een familiebijeenkomst wordt gehouden over Townsend?' vroeg Eden.

'Ja. Maar ik zie niet in wat dat voor ons zou moeten opleveren. Townsend is in deze kwestie over de grens van zijn vaders beslissingsmacht gestapt. Ik zou willen dat de autoriteiten hem aanpakten.' Hij keek haar ernstig aan. 'Ik heb Parker Judson vanochtend een telegram gestuurd. Hij had eerder gesuggereerd om het detectivebureau Pinkerton in te schakelen. Ik heb hem gevraagd een detective in de arm te nemen. Ik wil Townsend laten opsporen – hoe eerder hij door de autoriteiten wordt ondervraagd, hoe eerder we allemaal verder kunnen met ons gewone leven.'

'Daar zal mijn grootvader het niet mee eens zijn, maar mij lijkt het een wijze beslissing. En Celestine zal zich dan ook veel veiliger voelen.'

'Precies. Ik wil niet dat mijn moeder zo bang is dat ze het huis niet uit durft met Kip.'

'Denkt hij misschien dat ze niet op de hoogte is van zijn gerommel met de medicijnen van Nora? Misschien denkt hij dat ze hem binnen zal laten. Hij is tenslotte haar echtgenoot.'

'Het is het huis van Parker Judson. Hij bepaalt wie er binnenkomt of niet. Maar je hebt wel een punt. Townsend denkt misschien dat hij de dans kan ontspringen omdat Celestine niet weet wat er is gebeurd.'

'Rafe,' zei ze, haar pas inhoudend om hem aan te kijken, 'je denkt toch niet dat hij – dat hij hun iets wil aandoen?'

Zijn ogen werden koud en hard en Eden vroeg zich af of

ze er verstandig aan had gedaan om erover te beginnen.

'Townsend heeft een gevaarlijk karakter. Net als Kaïn wordt hij overheerst door jaloezie. Hij meent er recht op te hebben om Ainsworths erfgenaam te zijn, en hij denkt werkelijk dat hij meer recht heeft op mijn vaders nalatenschap dan ik. Of dat redelijk is of niet, iemand die zo denkt is tot vrijwel alles in staat om *zijn rechten* te verdedigen.'

Eden dacht na over de typering die Rafe van haar oom gaf en concludeerde dat hij gelijk had. Townsend had altijd gevochten voor wat hij als zijn eigendom beschouwde, maar slechts weinig van wat hij opeiste had hij ook verdiend. Hij toonde geen dankbaarheid aan God omdat hij 'alleen opeiste wat van hem was'. Jarenlang had Rafe al gezegd dat haar oom verantwoordelijk was voor de dood van zijn vader. Ze was het daar tot op zekere hoogte mee eens geweest, maar ze had er nooit de afschuwelijke conclusie aan verbonden dat Townsend een reëel gevaar was.

'Zou hij Celestine iets aan doen?' peinsde Rafe. 'Ik maak me zorgen, want ik vertrouw hem absoluut niet. Zo nu en dan heeft hij een ongezonde jaloezie jegens zijn vrouw tentoongespreid en hij heeft een meedogenloze manier om de ander langzaam kapot te maken.'

Eden huiverde toen ze terugdacht aan ruzies tussen haar oom en de moeder van Rafe. In het verleden dachten zij en anderen op zulke momenten alleen maar: *dat is typisch Townsend, zo is hij nu eenmaal.* Ze nam zich voor om meer te bidden dat Rafe in zijn komende confrontatie met Townsend wijs zou zijn en de berechting van de misdadiger aan de rechter zou overlaten. En wat voor haar nog belangrijker was, ze bad dat Rafe ongeschonden uit het conflict tevoorschijn zou komen, zonder dat zijn band met God verstoord zou zijn door wereldse wraak.

Laat het alstublieft zo zijn, God. Bewaar Rafe en laat hem niet in de val van wraak en rampspoed lopen.

14

Candace Derrington pakte haar koffer uit en hing haar avondjurk in de kledingkast van de logeerkamer in het huis van de Hunnewells. Ze zou die avond dineren met Oliver en zijn vader, de weduwnaar Thaddeus die zich voorbereidde op zijn reis naar Washington D.C. Er zouden nog meer gasten zijn, onder wie haar neef Zachary – de onwillige tafelgenoot van Claudia Hunnewell – de Britse vertegenwoordiger en consul-generaal op Hawaï, James H. Wodehouse, en verschillende leden van zijn staf met hun vrouwen en een paar assistenten.

Het had Candace verbaasd te vernemen dat Wodehouse de eregast zou zijn. Waarom zou de Britse regeringsvertegenwoordiger hier zijn opwachting maken? De vraag hield haar bezig totdat ze gelegenheid had om na de lunch even op Waikiki te gaan wandelen met Oliver.

Haar verloofde scheen haar vragen niet serieus te nemen. Zijn opgewekte gelach bevestigde voor haar alleen maar dat hij geloofde dat vrouwen, ook intelligente vrouwen als Candace en oudtante Nora, zich verre van politiek dienden te houden.

'En waarom zou de Britse regeringsvertegenwoordiger niet komen dineren?' vroeg hij met een arrogante grijns op zijn gezicht. 'Vriendschappen zitten soms vreemd in elkaar, mijn lieve Candace.'

Mijn lieve Candace. Ze verfoeide de manier waarop hij het zei. *Pijnig je vrouwelijke hersentjes toch niet met zulke moeilijke dingen, liefje.*

Een huwelijk met Oliver zou heel wat spanning en stress opleveren.

Keno sprak haar nooit zo aan. Hij zag haar als een echte vrouw. Hij was romantisch, grappig, charmant en behandelde haar goed. Candace met haar hogereschoolmanieren, haar opleiding, haar interesse voor Grieks. Hij had oprechte waardering voor haar prestaties en had nooit het gevoel dat ze zijn mannelijke trots konden bedreigen. Hij accepteerde haar en hield van haar zoals ze was. Hij voelde zich niet haar mindere omdat ze toevallig van Grieks hield.

'Dat is waar,' antwoordde ze heel nadrukkelijk. 'Maar het blijft vreemd. Ik bedoel, jouw vader.'

'Waarom dan?' Ze liepen over het witte zand, waarop zich hun lange schaduwen aftekenden. Hun breedgerande hoeden leken elkaar te raken.

'Het lijkt me nogal duidelijk wat ik bedoel,' zei Candace. 'Jouw vader is toch een fervent aanhanger van Thurston en Dole? Hij is zelfs bereid om zijn koffer te pakken en naar Washington te reizen om het idee van annexatie aan de Amerikaanse president te verkopen.'

'Dat is waar, ja.'

'En ondanks dat komt Wodehouse bij hem op de thee. De Britse regeringsvertegenwoordiger die mordicus tegen annexatie is. Een man die, als er al zoiets rampzaligs als een annexatie zou moeten geschieden, veel liever zou zien dat Hawaï een Britse kolonie werd. Vind je dat dus niet een beetje vreemd, *mijn lieve Oliver?*'

Oliver glimlachte geduldig, alsof ze zich te veel had opgewonden over het politieke spel in een mannenwereld en weer tot rust moest komen. Vakkundig stapte hij op een ander onderwerp over.

Toen Candace later die middag nog eens over de situatie nadacht, ging ze aan haar bureau zitten en schreef een kort briefje dat ze door een van de bedienden bij Eden liet bezorgen, in het ziekenhuis in Kalihi.

Eden ontving de boodschap en las hem geïnteresseerd.

Er is vanavond om acht uur een diner hier bij de Hunnewells.
Raad eens wie er na alle opwinding van drie nachten geleden komt
eten? De Britse regeringsvertegenwoordiger. Vind je dat ook niet
vreemd? Thaddeus Hunnewell is sterk voor annexatie door Ame-
rika, maar Groot-Brittannië is daar zwaar op tegen. Hoe dan ook,
Alice heeft de zaken nog gecompliceerder gemaakt door verkouden
te worden en nu hebben we een tafelgenote nodig voor Bill Wallace.
Kun jij komen? Ik weet zeker dat Rafe geen bezwaar zal hebben,
omdat er niets romantisch achter zit. Dit is jouw kans om erbij te
zijn en te observeren. Misschien kun je je knappe verloofde bij jul-
lie eerstvolgende afspraak iets interessants vertellen.
Candace.

Nadat Eden met haar tante Lana had afgesproken dat ze die
avond vrij zou zijn, schreef ze snel een briefje aan Rafe in
de Legislatuur.

Lieverd, vind je het heel erg als ik vanavond bij kaarslicht met
Bill Wallace (en nog een stuk of tien anderen) ga dineren in het
huis van de Hunnewells? Candace heeft me gevraagd. Alice is
verkouden geworden en iemand moet die arme Bill gezelschap
houden achter de geroosterde kip op tafel. Je voelt ongetwijfeld
diep met hem mee.
O ja, en mijn eigen reden om te gaan? Raad eens wie er ook bij
is? De Britse regeringsvertegenwoordiger Wodehouse. Gisteren op
Hawaiiana zei je te vermoeden dat er ergens een stukje informa-
tie ontbreekt. Het zou kunnen dat ik hier interessante dingen te
horen krijg – misschien zelfs van Bill.
Voor altijd de jouwe, Eden

Eden stond bij de ingang van het ziekenhuis toen een Hawaiaanse jongen de trap op rende.

'Een boodschap uit de Legislatuur voor juffrouw Eden Derrington.'

'Dank je wel.'

Snel scheurde ze de envelop open en las Rafes handschrift.

★

Geen diner bij de Hunnewells. Geen kaarslicht. Geen medeleven voor Bill Wallace.
R.

★

Eden maakte een prop van het papiertje en schreef snel een briefje aan Candace.

★

Candace glimlachte toen ze Edens antwoord ontving: *Knappe verloofde is er faliekant tegen.*

'Dan zal ik degene zijn die de gebeurtenissen observeert,' mompelde ze.

Later die avond keek Candace Rosalind Derrington afstandelijk naar haar spiegelbeeld – kastanjebruin haar in een wrong, helderblauwe ogen, een ernstig gezicht, hoge jukbeenderen en scherp getekende wenkbrauwen. Ze droeg een donkerblauwe, zijden jurk met hoge halslijn en lange mouwen, afgezet met kant.

Ze dacht na over het nieuws dat Oliver haar die middag onverwachts had verteld tijdens hun wandeling op het strand. Hij was haar vragen kennelijk beu en begon over Keno. Hij vertelde haar hoe hij hem 'betrapt had' toen hij een paar avonden geleden in de tuin 'rondsloop' om haar te bespioneren.

'Hij dacht dat het diner van vanavond, met jou erbij, eergisteren zou plaatsvinden,' legde hij uit.

Het ergste van alles was voor Candace dat Oliver en Keno slaags waren geraakt. Ze was geen meisje dat haar ego voelde groeien omdat twee mannen om haar vochten. Integendeel, ze vond het afschuwelijk, en Keno was zelfs bijna gearresteerd. Ze was Eden dankbaar dat ze Keno verdedigd had, en Rafe omdat hij Thaddeus Hunnewell aansprak over Olivers eis om Keno te laten vervolgen, alsof hij de eerste de beste snotneus was!

Met een klap legde Candace haar haarborstel neer op de kaptafel. Ze zag niets vleiends in het feit dat twee mannen op de vuist gingen terwijl zij zogenaamd op de achtergrond ademloos stond af te wachten om zich op de overwinnaar te storten, die haar vervolgens in triomf meenam, de zonsondergang tegemoet.

'Absurd,' mompelde ze nors tegen zichzelf. 'Als ze mij beschouwen als een buit waarom gevochten kan worden en die je vervolgens over de rug van je paard gooit, als een zak aardappels, dan heb ik een verrassing voor ze – ik geef ze een draai om hun beide oren!'

Wat zou het heerlijk zijn om zondag stiekem mee aan boord te gaan met grootvader Ainsworth en zich bij Rafes moeder Celestine te verstoppen in San Francisco. Niet dat Candace zichzelf als een slachtoffer beschouwde van haar grootvaders manipulaties om haar met Oliver te laten trouwen. Ze had vrijwillig meegewerkt aan zijn patriarchale beslissingen over de familie. Toen hij haar zei dat hij Keno van Hawaï zou verdrijven als ze met hem zou trouwen, wist ze dat hij dat op een of andere manier ook werkelijk zou doen. 'Wij hebben de Hunnewells nodig en zij hebben ons nodig,' had hij gezegd. 'Net zoals we de Eastons, Judsons en Doles nodig hebben. We moeten samen optrekken, dat is van essentieel belang voor de toekomst van de eilanden. Want daar gaat het uiteindelijk om, Candace, om de eilanden van Hawaï te redden en ze bij de Verenigde Staten te laten aansluiten.'

Ging het daar werkelijk om? Maar hoewel ze een sterk verlangen kon koesteren om Oliver en Keno zo nodig een draai om hun oren te geven, was dat niet het geval bij grootvader Ainsworth. Misschien had ze te veel van zijn persoonlijkheid geërfd om zich tegen hem te verzetten.

Het moest de vaderfiguur zijn, bedacht ze met een zucht. Zowel Eden als zij verlangde naar de afwezige vader-dochterrelatie, een stabiele gezagsfiguur. Hoewel ze wisten dat die te vinden was in een persoonlijke relatie met hun ware Vader, God, voelden ze beiden nog de emotionele behoefte om het 'kleine meisje' te zijn, peinsde Candace.

Het was natuurlijk dwaas, hield ze zichzelf ongeduldig voor. Ze was een volwassen vrouw.

Maar toch… was het niet diezelfde diepgewortelde behoefte die Zachary parten speelde? De afwijzing en vernedering die hij door zijn vader Townsend onderging had door de jaren heen zijn zelfbeeld beschadigd. En Rafe Easton? Zijn sterke persoonlijkheid voelde de behoefte om zijn vader te verdedigen en te beschermen wat hij op Hanalei had opgebouwd.

Zij en Eden hadden hun vergelijkbare gevoelens een week geleden besproken, en later had Eden twee Bijbelverzen genoteerd en in de bijbel van Candace gelegd.

Voordat ze naar beneden ging om een diner bij te wonen waar ze liever niet bij zat, liep Candace terug naar de kaptafel en pakte haar bijbel, die van haar vader, Douglas, was geweest. Ze haalde het opgevouwen papiertje uit het boek en las welke twee verzen Eden had genoteerd: Johannes 20:17 en 2 Korintiërs 6:18.

Ik vaar op naar mijn Vader en uw Vader.

Ze wist dat Jezus deze woorden tegen Maria Magdalena zei toen ze bij het graf huilde. De eerste aan wie Christus levend verscheen na Zijn kruisiging, was een vrouw.

Ik zal u aannemen, en Ik zal u tot Vader zijn en gij zult Mij tot zonen en dochteren zijn, zegt de Here, de Almachtige.

Hoewel ze wist dat het woord zonen in de Bijbel vaak voor 'mensen' werd gebruikt, hield ze vooral van dit vers vanwege het noemen van de 'dochteren'.

In een zeldzame, emotionele opwelling deed ze wat ze Eden had zien doen. Ze hief de Bijbelverwijzing naar haar lippen en kuste die.

★

Candace verliet de logeerkamer en liep de stille gang in. Er klopte niets van het beeld van Keno die in de tuin rondsloop, bedacht ze met afkeer… om haar te bespioneren! Ze kende hem te goed om dat te geloven. 'Wat een mallepraat!' zou oudtante Nora zeggen. Candace fronste toen ze de trap afliep. Keno was er de man niet naar om door ramen te gluren. Als hij op een confrontatie met Oliver uit was, zou hij dat in alle openheid doen.

Haar kaak verstrakte. Hij had met haar willen praten, maar zij had hem vermeden omdat ze haar eigen hart niet vertrouwde. Hij was zo oprecht en bescheiden dat het niet eens in hem was opgekomen dat dat de reden voor haar terughoudendheid kon zijn. Misschien was dat ook maar beter zo.

Keno had op Hawaï misschien geen prominente positie, maar hij had iets wat meer waard was dan land of suikerriet – hetzelfde wat Rafe Easton in hoge mate bezat: karakter.

Beide mannen waren betrouwbaar en moreel hoogstaand, zodat ze vanaf het begin indruk op haar hadden gemaakt, net als bij Eden. Hij en Rafe Easton leken in dat opzicht zoveel op elkaar dat ze een tweeling hadden kunnen zijn. Ze veronderstelde dat het de belangrijkste reden voor hun vriendschap was. Rafe had Keno in dat opzicht veel geleerd toen ze tieners waren. De twee leken zelfs fysiek op elkaar, met hun donkere haar en gespierde lichamen…

Ik mag niet aan Keno denken, hield ze zichzelf tandenknarsend voor, terwijl ze in stevige pas van de trap afliep. *Voor zijn eigen bestwil mag ik niet aan hem denken.*

Het zou niet lang meer duren voordat grootvader Ainsworth een stuk land voor hem zou aankopen. Dan zou Keno haar op een dag vergeten… althans, in zoverre dat de herinnering minder pijnlijk zou zijn.

Ze hief haar hoofd. *Hij zal een goed meisje tegenkomen – hij verdient een goed meisje. Iemand met een lief karakter die hem steunt in zijn leven. Laat hem trouwen en kinderen krijgen.*

En Candace Rosalind Derrington? Hij zal me sneller vergeten als hij gelooft dat ik hem onrechtvaardig heb behandeld, dat Olivers naam en geld meer voor mij betekenden.

Ze rechtte haar schouders. *Ik offer mezelf op, ik weet het. Sommigen zullen het dwaas vinden, maar dat komt doordat ze niet echt liefhebben. Zij willen een man die al hun behoeftes vervult, maar…*

Er is geen grotere liefde dan je leven te geven voor je vrienden. Offergave voor de *geliefde*.

En Oliver? Haar hart sloeg over. *Ook al houd ik niet van hem, ik kan leren hem te mogen. Ik kan hem in elk geval respecteren als de vader van onze kinderen. Dat moet ik kunnen. Ik zal proberen een toegewijde vrouw voor hem te zijn en misschien dat ik op een dag, ooit, kan leren hem lief te hebben. Niet zoals Keno, natuurlijk, maar er zijn verschillende vormen en verschillende graden van liefde.*

Het huis was prachtig. Ze was er altijd graag met Eden naartoe gegaan om Claudia te bezoeken. Claudia en Zachary stonden nu in de hal onderaan de trap. Ze waren in een verhitte discussie verwikkeld, maar spraken zacht. Candace ging langzamer lopen op de trap.

Zachary, een lange en knappe jongeman, was altijd correct gekleed en gedroeg zich navenant wanneer hij indruk wilde maken, wat de laatste tijd niet meer het geval leek te zijn.

Claudia Hunnewell had kastanjebruin haar en was een beetje grof en verwend. 'Als je er zo over denkt,' ving Candace op, 'dan zeg ik het tegen vader.'

'Claudia, dit is niet het moment om ruzie te maken. Ik ga naar San Francisco. Mijn werk voor de *Gazette* vergt nu eenmaal dat ik reis.'

Candace kuchte zacht en liep de trap verder af om op de onderste trede te blijven staan, met haar hand op de leuning.

'Hallo, Zachary. Komt grootvader Ainsworth vanavond ook?'

'Hij was wel uitgenodigd, maar moest afzeggen.'

Candace begreep dat haar neef het liefst hetzelfde had gedaan.

'Hij is op Kea Lani en rust uit voor de reis van zondag,' ging hij verder.

'Kom mee, Zach, we moeten praten,' drong Claudia aan, die zijn arm vasthield. Ze troonde hem door de hal mee naar een andere salon.

Het weer was opgeklaard na de grote storm van twee dagen geleden en de avond was typisch Hawaïaans, met de maan boven een rustige zee en een verkoelend briesje. Candace liep naar de met hordeuren afgesloten lanai die afliep naar het strand van Waikiki. De andere gasten begonnen binnen te druppelen en verzamelden zich in de salon. Ze kon de stemmen horen die hoffelijkheden uitwisselden, en zo nu en dan lachte er iemand.

Ik heb een paar minuten nodig voordat ik hun onder ogen kan komen, en Oliver, dacht ze vermoeid.

Ze liep over de lanai in de richting van het strand, stapte door de deuropening en bleef op het verharde pad om het zand aan weerszijden te vermijden.

De zee was glad als een spiegel en kabbelde vredig op wat in het daglicht een hagelwit strand was. Een eenzame wolk, eenzaam als haar eigen hart als ze haar masker even liet vallen, dreef voor het volle gezicht van de maan langs.

Ze tuurde in het donker naar waar de winden uit verschillende hoeken om voorrang streden. De duisternis viel als een sluier over het water en een briesje streelde bloemen en bladeren met zachte hand.

Haar ogen dwaalden naar de poincianaboom waar Keno volgens Oliver die nacht gestaan zou hebben voordat hij naar het raam liep. Ze knipperde snel. Een ogenblik leek het alsof het tafereel zich voor haar ogen herhaalde. De vlam van een lucifer laaide op. Er stond daar iemand. Bijna in trance begon ze in zijn richting te lopen. Keno?

'Wanneer kan ik het manifest verwachten?'

De Britse stem klonk zacht en gearticuleerd en bracht Candace weer tot bezinning. Ze bleef abrupt staan.

'Ik had alles voorbereid om het die avond van zijn bureau te halen, maar ik werd op het laatste moment gedwarsboomd. Toen ik de map opendeed, was die leeg.'

De stem van Oliver!

'Enig idee wie het geweest kan zijn?'

'Ja. Maar het probleem is dat ik geen zekerheid heb,' antwoordde Oliver.

De man met het Britse accent mompelde iets wat haar grotendeels ontging. Het enige wat ze in de wind opving was 'voorzichtig' en 'veel op het spel'.

'Wie zou ooit de zoon van een van de felste voorstanders van annexatie verdenken? Mijn vader in elk geval niet. Hij zal me tot het bittere einde blijven steunen.'

Ze ving een glimp op van Oliver die onder de bomen praatte met iemand die met zijn rug naar haar toe stond. Het moest een van de assistenten zijn uit de groep die met de Britse regeringsvertegenwoordiger was meegekomen.

'Als die vriend van Easton zich herinnert dat hij jou hier vandaan zag komen...'

Olivers stem klonk laatdunkend. 'Wie zou hem na gisteravond nog geloven? Ze zouden denken dat hij het verzon. Hij wil wraak nemen omdat ik met juffrouw Derrington verloofd ben. Dat hij zomaar kwam binnenvallen, was een gelukkig toeval, ook al moest ik er een klap op mijn kin voor incasseren.'

'En zijn bewering dat hij ook een Hunnewell is?'

'Volmaakte onzin,' gromde Oliver.

'Zijn vader was inderdaad een Hunnewell, het was jouw oom Philip.'

'Onzin!'

'Tja, mijn beste. Het is aan jou of je de feiten accepteert. Je hebt mij gevraagd erin te duiken. Hoe dan ook, je oom is inmiddels overleden. Hij werd door een troep op hol geslagen olifanten onder de voet gelopen toen hij in Rhodesië op jacht was naar ivoor.'

'En de vrouw?'

'Hawaïaans. Een heel mooi meisje. Ook overleden.'

'Wie weet hiervan? Hoe zit het met mijn vader en Ainsworth Derrington?'

De stem van de man brak door de wind. 'Wie zal het zeggen?... Hangt ervan af of hij van plan is de zaak in handen van een advocaat te geven.'

'Daar zouden allerlei moeilijkheden uit voort kunnen komen.'

'Meneer Hunnewell zou de kwestie niet graag aan de grote klok willen hangen. Hoe sneller je met juffrouw Derrington trouwt, hoe beter je uitgangspositie om het vermogen van de Hunnewells en de Derringtons te erven, mijn beste. Maar bedenk, de oude Derrington is een koppige man. Als je het hem niet naar de zin maakt, kan hij de teugels zo overgeven aan Easton. Die valt zeker ook niet te onderschatten, hoor ik, en hij staat op het punt om met de dochter van de dokter te trouwen.'

De wind trok weer even aan en liet de palmbladeren droog kraken, alsof ze afkeurden wat de twee mannen onder de boom bekonkelden.

'We kunnen beter naar binnen gaan voordat onze afwezigheid opvalt,' zei de Engelsman.

'Niet samen. Ga jij maar eerst, ik kom even later. Ik wil met juffrouw Derrington naar binnen lopen.'

Candace draaide zich om en rende terug naar de lanai, naar de uitnodigende schaduwen, waarin ze uit het zicht verdween.

15

Met een vastberaden gebaar trok Rafe zijn hoed dieper over zijn voorhoofd en hij liep verder langs de rand van de parellagune. De volle maan klom boven het zwartblauwe water en liet het fonkelen als een donkere diamant. De grillige silhouetten van kokospalmen tekenden zich af langs de waterkant die hij vanaf het strand bereikte. Kea Lani was niet ver meer. Hij wilde Nora opzoeken om over het medicijnflesje te praten. Ze had iedereen verteld dat ze het per ongeluk had weggegooid, maar dankzij de verspreking van Zachary – als het een verspreking was – wist Rafe beter. De grote uitdaging was nu om Nora over te halen hem het flesje te geven. Hij moest haar alleen zien te spreken, terwijl Ainsworth uit de buurt was, want Rafe achtte hem er niet te goed voor om Nora onder druk te zetten, zodat ze het flesje achter zou houden of aan Ainsworth zelf zou geven.

Aan de overkant van de weg stond een houten gebouw op een als tuin aangelegd stuk land dat ooit van de Derringtons was geweest, maar nu deel uitmaakte van een groot terrein dat zijn stiefvader Townsend aan Parker Judson had verkocht.

Toen Rafe een samenwerking met Parker Judson aanging, bewoog hij eerst hemel en aarde om zijn partner te laten instemmen met het behoud van het historische kerkje op zijn eigen stukje grond, samen met de bungalow van Ambrose.

Hij had een groter en beter huis voor Ambrose en Noelani gebouwd, dicht bij zijn eigen plantershuis op Hawaiiana, maar Ambrose ging altijd weer terug naar de kleine bungalow. Rafe nam het hem niet kwalijk. Voor zijn preekvoorbereiding en overige activiteiten als dominee was het makkelijker dat hij dicht bij de kerk woonde.

Bovendien had Ambrose niet veel met luxe huizen. 'Ik wil net zo wonen als mijn gemeenteleden, Rafe. En je weet dat zij merendeels Hawaïanen zijn. De rijke planters en hun gezinnen gaan gewoonlijk naar de Kawaiahaokerk,' zei hij, doelend op de kerk van de koninklijke familie, nabij het Iolani-paleis.

Rafe liep langs de parellagune. Zoals hij Eden in het ziekenhuis had uitgelegd, werden de financiële zaken van de Eastons nu behartigd door de advocaat van de familie. Het parelbed was weer van Celestine en zij was bezig de zeggenschap officieel aan Rafe over te dragen. Voor Townsend was dit verlies, samen met het verlies van Hanalei, de oorzaak van zijn wrok. In zijn arrogantie had hij zichzelf ervan overtuigd dat hij het recht had de bezittingen van de Eastons uit te melken. Hij kon het niet bewijzen, maar Rafe was ervan overtuigd dat Townsend pas besloot zijn tante Nora Derrington iets aan te doen nadat hij de zeggenschap over de bezittingen van de Eastons had verloren. Silas had hem niet lang geleden verteld dat hij getuige was geweest van een ruzie tussen Townsend en Celestine, rond de tijd dat Eden haar oudtante Nora het medicijn van dokter Bolton bracht. Townsend had zijn vrouw het recht betwist om de erfenis van Matt naar haar zoon te laten gaan, en het klonk alsof Celestine werd geslagen.

'Ik heb je dat toentertijd niet verteld omdat ik bang was dat je Townsend te lijf zou gaan,' had Silas gezegd. 'Hij zou het trouwens wel verdiend hebben, want Celestine is een bijzonder vriendelijke dame, die een veel betere man verdient dan Townsend. Na zijn aanslag op Nora en nu hij plotseling in San Francisco opdook, vond ik dat ik het je moest vertellen.'

Rafes gezicht verstrakte. De gedachte dat Townsend zijn moeder had geslagen en Matt had laten doodgaan, bracht zijn bloed aan de kook.

De zendingskerk kwam in zicht, tussen de wuivende palmen rond de bungalow van Ambrose. Het licht achter het vertrouwde raam was als een warm welkom in de avondschemer.

Met een ernstig gezicht ging Rafe verder, stak het erf over en liep de treden op naar de voordeur. Het was al na elven toen hij zacht aanklopte. Hij bezocht Ambrose vaker zo laat, als hij van Hanalei terugkeerde. Hij leunde even tegen de deurpost en dacht bezorgd na over zijn besluit om Townsend op te sporen. Achterom kijkend over de trap zag hij de kleine zendingskerk en hij voelde zijn hart overslaan toen de Hawaïaanse wind zijn gezicht beroerde en het maanlicht op het witte kruis scheen.

Ambrose verwachtte hem en deed open. Zijn zonverbrande, vaderlijke gezicht en levendige, bruine ogen leken extra donker onder het zilvergrijze haar en de lange, borstelige wenkbrauwen, die eruit zagen alsof ze door de storm verwaaid waren. Rafe glimlachte. 'Goedenavond, Ambrose.'

'Aha, kom binnen jongen.'

Ondanks het benauwd vochtige weer had Rafe de dominee maar zelden in het openbaar gezien zonder zijn knielange geklede jas over een gesteven, wit katoenen overhemd. En steevast hing het kettinkje van zijn oude, gouden horloge uit zijn vestzak. Vanaf hun kindertijd hadden Rafe en Keno altijd pret gehad om het horloge, dat nooit goed op tijd liep. Ambrose stond altijd tien minuten te laat op de kansel en hield de Hawaïanen tot tien minuten na afloop van het kerkuur vast. Het was een regelrechte traditie geworden. Zijn oom had altijd wat Rafe noemde een frisse, dominees eigen houding over zich die het beste in hem naar boven haalde. Ambrose had hem een groot deel van Psalm 119 uit zijn hoofd laten leren toen hij twaalf jaar was, en vroeg soms bepaalde verzen terug, alsof het een quiz was: *'Hoe kan wie jong is zuiver leven?'*

'Door zich te houden aan Uw woord,' had Rafe geantwoord.

Ambrose had tevreden geglimlacht en hem op zijn schouder geklopt. 'Zorg dat je dat ook doet,' had hij hem opgedragen.

De dominee stond nu in de deuropening en nodigde hem binnen. Rafe liep de kamer in en zag de open bijbel op de armleuning van de grote fauteuil, naast de brandende lamp. Voordat hij naar bed ging 'zoog' Ambrose het Woord gewoonlijk op, zoals hij het uitdrukte, en leerde daarbij vers na vers uit zijn hoofd. Als jongens maakten Rafe en Keno er soms een spelletje van om te voorspellen hoe lang Ambrose zou kunnen spreken zonder een bijbelvers aan te halen.

'Ik ruik koffie.'

'Staat op het fornuis. Eden is langs geweest na haar dienst in het ziekenhuis.'

'Ik heb haar vanochtend gezien.'

'Dat vertelde ze.' Ambrose liep achter hem aan naar de keuken, waar Rafe voor zichzelf inschonk. Ook het bordje met koude kip was goed aan hem besteed, zoals Noelani had verwacht, hoewel ze zelf al vast in slaap was op de bovenverdieping.

'Ja, ze zei dat je buitengewoon vrijgevig was geweest.'

'Vraag me niet naar mijn drijfveren, het is allemaal puur eigenbelang.'

Ambrose grijnsde. 'Zoiets dacht ik al. Eden is er in elk geval erg blij mee.'

'Dat medisch dagboek dat volgens dokter Jerome een schatkamer van degelijk onderzoek naar lepra is, maakt weinig indruk op mij. Ik geloof niet dat lepra genezen kan worden met exotische recepten van zeldzame kruiden uit verre, onbekende landen.'

Ambrose zuchtte en leek zich zorgen te maken over de dokter. 'Nee, Jerome kan nog heel wat tegenwind verwachten in zijn kleine bootje, ben ik bang. Wat mij het meest zorgen baart, is hoe hij zal reageren wanneer zijn droom in duigen valt. Ik heb bericht gekregen van Molokai dat Rebecca met de dag zwakker wordt.'

Rafe schrok. 'Weet Eden dat ook?'

Ambrose schudde zijn hoofd en ging in de fauteuil zitten. 'Niemand weet het. Rebecca vroeg haar *kokua* om niets tegen Eden te zeggen. Ze hoopt dat ze haar nog in levenden lijve zal zien. En daarna…'

Het werd stil in de kamer. Rafe maakte zich zorgen om Eden.

'Jerome gaat een zware tijd tegemoet, om het zacht uit te drukken,' merkte Ambrose op. Hij keek op naar Rafe, die met zijn koffiekop in de hand tegen het aanrecht leunde.

'Niettemin denk ik dat je het juiste doet met betrekking tot Jerome en Eden, jongen. We zijn je dankbaar dat je hem een rentevrije lening geeft om de kliniek te bouwen en dat je de drukpers van Nora voor ons koopt. En ik denk dat Jerome je dubbel dankbaar zal zijn. Die is straks in zijn nopjes. Trouwens, Eden zei dat je Keno wilde vragen om de drukpers met de *Minoa* af te leveren?'

'Dat regel ik nog voordat ik vertrek.'

'Mooi. Er is daar een jongen die wel een beetje hoop en avontuur kan gebruiken. Rebecca vertelde me over hem. Als hij een krantje kan opzetten, geeft hem dat weer een beetje aardigheid in het leven. Ik wil hem helpen de liefde van God langs die weg te ontdekken.'

'Dat zei Eden. Bijbels en Bijbelverhalen voor kinderen. Heb je alles wat je nodig hebt?'

De ogen van de dominee schitterden ondeugend. 'Ik stuur jou de rekeningen wel.'

'Doe dat. Ik ga morgen met Nora praten. Ik denk niet dat het een probleem is om die drukpers van haar te krijgen, maar de andere kwestie waar ik haar voor moet spreken, zal ze me zeker niet in dank afnemen.'

Ambrose keek nieuwsgierig op. 'O nee? Waarom niet? Ik denk dat ze blij is om haar geld terug te krijgen van die dure pers die Zachary kocht. Hij zei dat ze wekenlang boos op hem was.'

'Die pers is het probleem niet, zoals ik al zei. Waar het om gaat, is het medicijnflesje waarvan ze beweert dat ze het heeft weggegooid nadat ze vergiftigd werd.'

Rafe vertelde wat hij van Zachary had gehoord en wat hij hoopte te bereiken als hij Nora de volgende dag op Kea Lani zag, tijdens de familiebijeenkomst over Townsend. Toen hij Zachary's relaas had weergegeven, schudde Ambrose peinzend zijn hoofd.

'Dat is heel gevaarlijk nieuws, Rafe. Je mag God wel dankbaar zijn dat Townsend niet in Honolulu is. Als hij dit te weten zou komen, zou ik me zorgen maken over Nora's veiligheid – én die van jou.'

Het sombere antwoord van zijn oom verraste Rafe. 'Wat Townsend betreft kan ik wel op mezelf passen. Ergens zou ik het zelfs leuk vinden om eens een stevig robbertje met hem te vechten.'

'Dat is dus precies wat mij zorgen baart, Rafe.'

Hij wilde er verder niet op ingaan. 'Maar Nora is inderdaad een ander verhaal, en misschien loopt zelfs Ling nog gevaar.' Rafe fronste. 'Misschien kan ik haar laten inzien hoe ze ervoor staat. Ze heeft bewijs in handen dat Townsend voor jaren achter de tralies zou kunnen brengen.'

'Op zijn minst,' beaamde Ambrose, die hem bezorgd aankeek. 'Wie weten er nog meer van dat flesje?'

Rafe schudde zijn hoofd en nam een hap kip. 'Alleen Zach, voor zover ik weet. Hij heeft zich opzettelijk bij mij versproken, of hij begrijpt de enorme waarde van die informatie niet. Maar dat kan ik moeilijk geloven. Zach is niet achterlijk en beschikt over een gezonde dosis argwaan.'

'Dus jij denkt dat hij het je opzettelijk heeft verteld?'

'Dat is wat ik nu denk.'

'Maar dan is het wel vreemd dat hij het niet eerder te berde bracht.'

'Zo is Zach soms. Hij en ik kunnen tegenwoordig goed op-

schieten, zoals je weet, maar zelfs nu heeft hij soms nog terug-
vallen. De laatste tijd heeft hij veel spanning gehad, vanwege
Townsend en Silas. Hij voelt zich in de verdediging gedrongen.'

'Jij kent hem beter dan wie ook. Je hebt hem altijd in
bescherming genomen, ook al besefte hij dat niet.'

'Hij komt nu in elk geval naar me toe als hij in moeilijkheden zit. Dat geeft me de kans om in te grijpen voordat hij
de zaken nog erger maakt voor zichzelf.'

'En voor anderen.'

'Ja.' Rafe keek ernstig. 'Ik moet dat medicijnflesje morgen
te pakken krijgen. Ik wil het meenemen naar San Francisco.'

'Het lijkt me verstandiger om de kwestie door de autoriteiten te laten afhandelen, jongen. Wat Townsend betreft,
bedoel ik.'

Ambrose was bang dat hij zijn zelfbeheersing zou verliezen en zich persoonlijk op Townsend zou wreken. Zelf
had hij ook zijn twijfels. Nu hij van Silas had gehoord dat
Townsend zijn moeder zelfs had geslagen, besefte Rafe dat
zijn zelfbeheersing zwaar op de proef gesteld zou worden.
Hij had Ambrose niet verteld wat Silas had gezegd. Dat zou
zijn oom alleen maar sterken in de opvatting dat hij zo ver
mogelijk bij Townsend uit de buurt moest blijven. Rafe hield
zichzelf voor dat hij de kwestie al een plaats had gegeven.
Zijn woede was onder controle.

Townsend was altijd een tiran geweest. Als hij in het nauw
werd gedreven, was er geen staat op te maken wat hij zou doen.
Rafe verbeet zijn frustratie. Het zouden twee tot drie lange
weken worden aan boord van het schip naar het vasteland.

*Ik moet naar het huis van Parker Judson op Nob Hill. Ik zal
Townsend vinden.*

En als hij hem vond? Daar zou hij later over nadenken.
Hij at het laatste stukje kip op.

'Als je al wat wilt, Rafe, dan zou je een discrete privédetective kunnen inschakelen om Townsend op te sporen en

bewijs te verzamelen,' merkte Ambrose op.

Rafe keek hem aan. 'Daar wilde ik met je over praten. Parker Judson stuurde me vandaag een telegram. Hij had het over een man die hij kent bij detectivebureau Pinkerton. Natuurlijk zal Ainsworth tegen zijn. Hij heeft me al gevraagd om te wachten totdat we in San Francisco zijn. Hij zou Townsend het liefst zelf opzoeken en met hem "praten". Het kost me de grootste moeite om niet te gaan schelden als hij op zo'n manier bezig is. Ik erger me soms vreselijk aan hem.'

Ambrose schudde zijn hoofd vol medeleven. 'Ja, Ainsworth is jaren geleden een verkeerd pad ingeslagen, en hij heeft nooit de weg terug kunnen vinden in de richting die zijn vader Jedaiah voor hem had uitgestippeld. Ainsworth kreeg het te druk met het opbouwen van het bedrijf van de Derringtons om zich nog af te vragen of hetgeen hij bouwde wel voldeed aan Gods specificaties. De mensen geloven het niet, jongen, maar geld en een bevoorrechte positie kunnen een vloek zijn. Jonge mensen die hard moeten werken en ontbering kennen, zijn uiteindelijk beter af dan degenen die toegeeflijke ouders hebben die hun kinderen alles op een gouden dienblad aanreiken. Zij maken de volgende generatie kapot. In plaats van mannen voeden ze verwende kinderen op, die zwak en zelfzuchtig zijn. Wee de generatie die onder dergelijk leiderschap moet zuchten!'

Ambrose had al een paar maanden eerder de suggestie van een privédetective naar voren gebracht, toen het ernaar uitzag dat de Derringtons de kwestie Townsend wederom in de doofpot wilden stoppen, zoals ze jaren daarvoor hadden gedaan met de dood van Matt Easton.

Rafe had hem verteld over het incident op Koko Head met Nora's ziekte, de brandstichting in Lings Hut en het lakse optreden van de politie in Honolulu. Daarop had de dominee Ainsworth en Nora aangeraden om een detective in de arm te nemen.

'O zeker, dat doen we,' had Ainsworth gezegd. 'Maar eerst moet ik Townsend vinden en met hem praten, Ambrose. Ik wil weten wat dit allemaal te betekenen heeft.' Nora had er somber en zwijgend bij gezeten en geweigerd Rafe of zelfs maar Ambrose aan te kijken. Op dat moment had Rafe er geen weet van dat zij het medicijnflesje had opgeborgen.

'Als er iemand is die een betrouwbaar detectivebureau kan aanbevelen, is het Parker Judson wel,' reageerde Ambrose. 'Hij zit tenslotte in San Francisco.'

Rafe dacht aan Celestine, aan Kip... en aan Townsend. De boot zou pas over een paar dagen vertrekken. Hij besloot de volgende ochtend een telegram naar Parker Judson te sturen. Ze konden geen drie weken wachten met het inschakelen van een detective. Hij zou Parker vragen de man onmiddellijk aan het werk te zetten.

Zelf zou hij geen risico nemen waar het Townsend en zijn woedeuitbarstingen betrof. Als hij zijn zelfbeheersing verloor, werd hij een onbeheersbaar instrument van het kwaad.

'Ik stuur Parker morgenochtend een telegram. Ainsworth zal het niet op prijs stellen, maar deze keer zal hij de waarheid onder ogen moeten zien.'

De volgende ochtend verliet Rafe het Royal Hawaiian Hotel en nam, voordat hij naar de ananasplantage ging, een huurkoets naar het telegraafkantoor op de hoek van Bethel en Merchant Street. Hij liet de koetsier buiten op hem wachten en liep het kleine kantoor in.

'Ik wil een telegram verzenden naar San Francisco.'

Een minuut later schreef hij aan Parker Judson:

Vertrek zondag uit Honolulu naar SF. Wacht niet op mijn aankomst en schakel een detective van Pinkerton in. Probeer hem T.D. zo snel mogelijk te laten opsporen.
R.E.

16

De dag na het diner bij de Hunnewells keerde Candace met haar kleine rijtuig over de onverharde weg terug naar Kea Lani, nadat ze Hawaiiana had bezocht. Ze was naar de ananasplantage gegaan om de groep Chinese christenvrouwen te begroeten. Het deed haar goed om gebed en bemoediging met hen te delen voordat ze zondag voor het eerst in maanden de Bijbelstudiegroep weer zou leiden. De vrouwen ontvingen haar met veel glimlachende gezichten.

Een van de aanwezigen had naar Hui gevraagd, de vrouw van Ling Li. Zij was een van de steunpilaren van de groep geweest, tot hun bungalow in vlammen opging, aangestoken door Townsend. Rafe Easton had het gezin van Ling overgebracht naar Hanalei op het Grote Eiland om zijn getuigenverklaring tegen Townsend zeker te stellen. Candace verzekerde hun dat het goed ging met Hui en Ling.

Op de terugweg naar Kea Lani speelden er allerlei gedachten door haar hoofd. Ze dacht aan Oliver en het gesprek dat ze bij Hunnewell had gehoord – en aan wat hij over Keno had gezegd. Die middag zou er een familiebijeenkomst zijn om over oom Townsend en het telegram van Celestine uit San Francisco te praten. Ze betwijfelde of dat goed zou gaan. Nora had ervan afgezien om een aanklacht tegen haar neef in te dienen en haar grootvader zou er geen voorstander van zijn om de autoriteiten erbij te halen – niet wanneer de naam Derrington op het spel stond.

En nu was er die moord op die Chinese man Sen Fong, waarover ze die ochtend hoorde, op de terugweg naar Kea Lani. De vrouwengroep had haar gezegd dat ze wisten wie Sen Fong was, maar dat ze geen idee hadden wie hem vermoord kon hebben. Candace geloofde hen. Hun geloof in Christus maakte hun getuigenis betrouwbaar. Eén ding was haar echter wel in het bijzonder opgevallen. Het jongste lid van de vrouwengroep, Luli, familie van Ling Li en hun voornaamste vertaalster naar het Engels, was die dag niet gekomen. Toen Candace naar haar vroeg, reageerden de vrouwen een beetje ongemakkelijk. Misschien moest ze dat aan Rafe melden. De vreselijke moord had tenslotte op zijn plantage plaatsgevonden en misschien durfde Luli niet naar voren te komen met iets wat zij over de dood van Sen Fong wist. Ze had er een hekel aan om de vrouwen moeilijkheden te bezorgen, maar het was haar burgerplicht om alles te doen wat ze kon om een moordenaar voor het gerecht te brengen.

Candace naderde Kea Lani en was nog met haar gedachten bij de familiebijeenkomst toen ze verderop iemand langs de kant van de weg zag lopen.

Ze kwam dichterbij en herkende haar neef Silas. Hij liep te zwaaien met een wandelstok alsof hij voor een fanfare met trombones, hoorns en trommels uitliep. Ze reed hem voorbij voordat ze stopte en keek hoe hij met een vriendelijke grijns op zijn gezicht dichterbij kwam. Silas is een merkwaardig figuur, dacht ze nieuwsgierig. Ondanks Zachary's afkeer van zijn halfbroer, wist zij niet wat ze van hem moest denken, evenmin als Eden.

Silas lijkt zich niet de minste zorgen te maken over die familiebijeenkomst over zijn vader, dacht ze.

Hij was een knappe man van achter in de twintig, met kastanjebruin haar. Hij was iets ouder dan zij, maar niet veel. Toen hij net aankwam, had hij nog een verzorgd sikje, maar nu was hij gladgeschoren. Ze vond hem er beter uitzien zonder baardje.

'Goedemorgen, nicht,' riep hij. 'Bedankt voor de lift. Het is een prachtige ochtend.' Hij kwam naast haar in het rijtuigje zitten. Hij had dezelfde lichtblauwe ogen als Zachary en hoewel hij stevig gebouwd was, had hij geen belangstelling voor inspannende buitenactiviteiten, zoals Keno en Rafe. Wat de mode betrof, was hij een buitenbeentje op de eilanden, met zijn hagelwitte linnen overhemden, glanzend gepoetste, modieuze schoenen en zijn bolhoeden en wandelstokken. Ze keek naar het exemplaar dat hij bij zich had, met een zware zilveren greep in de vorm van een wolvenkop.

Hij zag hoe ze keek, want hij glimlachte verontschuldigend en legde de wandelstok opzij. 'Niet echt kenmerkend voor Hawaï, nietwaar?'

'Wolven doen me denken aan het wilde noordwesten,' merkte ze op, terwijl ze de teugels liet knallen. 'Ben je daar ooit geweest?'

'Ik? O nee. Ik houd er niet zo van om door de wildernis te trekken. Ik… eh, ik heb die wandelstok met een weddenschap gewonnen in Sacramento, voordat ik naar Honolulu kwam. Hij is mooi, maar ik ben niet zo kapot van de greep, hoewel ik niets tegen wolven heb.' Hij glimlachte naar haar.

Candace beantwoordde zijn lach niet, maar keek recht voor zich uit. Zachary had haar al uitgebreid over de goklust van Silas verteld. Volgens haar grootvader had Silas afstand genomen van dat alles en ze hoopte dat het waar was. Ze mocht haar neef wel, maar aan de andere kant leek er iets niet helemaal in de haak met hem. Of oordeelde ze misschien te snel?

'Je zou zondag naar de zendingskerk moeten komen,' zei ze botweg. 'Dat zou goed voor je zijn.'

Silas grinnikte, maar het klonk niet echt geamuseerd. 'Dat geloof ik onmiddellijk. Zoals het zoveel andere goedgeklede hypocrieten goed doet, zoals mijn goede oude vader, Townsend. Ja ja, mijn oude heer,' zei hij spottend. 'En dan hoor ik dat hij Rafes vader misschien om zeep heeft geholpen en Nora heeft vergiftigd. Verbazingwekkend! Het heeft hem echt goed gedaan dat hij op zondag in zijn beste kleren naar de kerk ging, vind je niet?'

Ze dacht na over zijn uitspraken, hoewel ze meer verrast werd door de diepe verachting die in zijn stem doorklonk. Ze was het niet gewend dat hij zijn vriendelijke en meegaande houding liet vallen om een bittere aard te tonen.

'Ik kan je geloof ik beter mijn verontschuldigingen aanbieden. Ik had je niet moeten choqueren.'

'Je hebt mij niet gechoqueerd. Ik weet al heel lang dat mijn oom niet te vertrouwen is. Wat ik niet wist, is dat hij gevaarlijk kan worden als hij in het nauw wordt gedreven. Mijn geloof is niet zo zwak dat een beetje welverdiende kritiek op hypocrieten het zou ondermijnen. Maar als we het toch over hypocrieten hebben, waarom dan niet over de allerergste? Vergeet niet dat Judas bij Jezus was, Zijn wijsheid hoorde en Zijn vele wonderen zag, net als de rest van de discipelen. Maar het heeft hem ook niet echt geholpen, nietwaar? Als iemand een hart heeft als Judas of de farao van Egypte, kan het zelfs verharden door het horen van de Waarheid.'

'Meen je dat?' vroeg hij enigszins meesmuilend.

'Absoluut. Het gaat er meer om of je de waarheid liefhebt. Je hoeft dus geen verontschuldigingen aan te bieden als je oprechte twijfels uit.' Ze beantwoordde zijn ironische blik onaangedaan voordat ze haar aandacht weer op de weg richtte.

Hij glimlachte sluw. 'Je hebt mijn bezwaren precies op de kop gezet – zeker iets om over na te denken, maar niet op zo'n prachtige dag.' Hij zuchtte en keek naar de hoge, blauwe lucht. 'Geen wonder dat de aanhangers van annexatie dit eiland met hand en tand verdedigen. Hoe langer ik hier ben, hoe liever ik wil blijven.'

Ze keek hem nadenkend aan. Silas leek zijn plaats te veroveren in de familie Derrington. Toen hij aankwam, had ze het idee dat hij niet lang zou blijven, dat hij slechts met een bepaald doel voor ogen was gekomen en weer op zwerftocht zou gaan zodra hij dat bereikt had – wat het ook mocht zijn.

'Je zou de eerste niet zijn. Maar je zegt het alsof je denkt dat je weer weg zal moeten.' Ze keek hem even van opzij aan. 'Als ik naar grootvader luister, is hij er aardig mee in zijn nopjes dat jij je steeds meer thuis lijkt te voelen in de familie.'

Silas werd ernstig. 'Hij is meer dan rechtvaardig geweest tegenover mij. Een fatsoenlijke man. Maar als het aan mijn geliefde halfbroer ligt, verdwijn ik binnen de kortste keren in zee, als haaienvoer.'

Candace hield haar mond over Zachary.

'En wie zou dat zijn, daar voor ons?' vroeg hij met een knikje naar de smaller wordende, rode zandweg.

Candace had de man op het kastanjebruine paard al gezien en haar adem stokte. *Keno.* Ze perste haar lippen samen en bad in stilte om kracht.

'Je kunt maar beter afremmen,' zei Silas geamuseerd. 'Hij stopt midden op de weg. Ik stap hier weer af, een prima plek voor mij. We staan bijna bij de splitsing van de wegen naar Kea Lani en de zendingskerk. Bedankt voor de lift, nicht.'

'Je hoeft niet te gaan,' zei ze stijfjes.

Silas keek naar de gespierde jongeman op het paard en zijn ogen schitterden. 'O ja, ik moet absoluut gaan. Het ziet ernaar uit alsof Keno verwachtte dat je hier langs zou komen. Goedemorgen, dame,' zei hij met een buiging, waarna hij afstapte en verder wandelde naar de bocht in de met palmen omzoomde weg.

Had iemand Keno verteld dat ze alleen onderweg zou zijn?

Candace keek Silas nog even na en richtte toen haar blik op Keno die op haar af reed.

'Goedemorgen,' riep Keno. 'Ik sta toch niet in de weg, hoop ik?'

Ze glimlachte verontschuldigend. 'O nee, dat zou je nooit doen.'

Zijn houding was ontspannen en ontwapenend, merkte ze. En hij was ook knap. Nu ze wist wie zijn vader was, kon ze de Hunnewell in hem zien, in de trekken die ze eerst aan een Schotse walvisvaarder had toegeschreven. Zijn overhemd hing open en hij had waarachtig een cowboyhoed in oud-Texaanse stijl op zijn hoofd, met een koket veertje aan de zijkant. Haar hart bonkte. Ze voelde een akelige steek en haar handen grepen de leidsels. Keno was het geweest die haar tot het geloof in Christus had gebracht. Voor die tijd was ze wel naar de kerk gegaan, maar had ze geen persoonlijke relatie met Jezus als Verlosser en God gehad. Ze had ook niet de minste belangstelling gehad voor de Bijbel, die ze alleen op zondag meenam naar de kerk en na afloop weer in de la liet verdwijnen.

'Ik heb nogal haast, als je het niet erg vindt.' Ze hield haar emoties onder controle en liet haar stem zo koel mogelijk klinken.

'Ik zal je niet lang ophouden. Als ik geweten had dat je op Hawaiiana zou zijn, was ik bij je gekomen.'

Ik wilde niet dat je bij me kwam.

'Ik heb net van Rafe gehoord dat je hierheen was gekomen om de vrouwen te zien,' zei hij.

Zo zat het dus. Rafe Easton. Hoe wist Rafe dat? Eden moest hem verteld hebben dat ze de Bijbelstudiegroep van de vrouwen weer zou gaan leiden.

'Dus hij is al op Kea Lani?'

'Hij is enorm bezorgd. De boot vertrekt zondag. Hij wil dat meneer Derrington iets onderneemt om jouw oom op te sporen.'

'Ja, en ik wil niet te laat komen voor de bijeenkomst.'

'Luister, Candace, ik moet met je praten. Ik neem aan dat je iets gehoord hebt over die aanvaring met Oliver?'

'De sheriff kwam langs om je te arresteren wegens insluiping en mishandeling. Denk je dat ik daar niet over gehoord zou hebben?'

'En ik neem aan dat Oliver je verteld heeft dat ik in de

struiken lag te wachten om hem te bespringen, zoals een kat een rat bespringt?'

'Absoluut, hoewel hij zichzelf niet als de rat beschouwt.'

'Nee, dat zal wel niet.'

'Hij zegt dat je zijn kaak bijna brak.'

'Dat had inderdaad kunnen gebeuren. Hij was…' Hij hield abrupt zijn mond en duwde zijn hoed hoger op zijn hoofd. Hij leek zich te schamen. Het was die trek van bescheidenheid en overgave aan God die ze zo in hem liefhad. In haar ogen maakte het hem alleen maar mannelijker, in tegenstelling tot Oliver, met al zijn grijnzende arrogantie. Keno besefte niet wat zijn verlangen om God gehoorzaam te zijn met haar hart deed. Ze had al met Eden over de aanvaring tussen de twee mannen gepraat en Eden had de details beschreven, tot en met een paar van de termen die Oliver had gebruikt.

'Het was verkeerd van mij om hem te slaan,' zei Keno.

Ze beet haar tong bijna af om niet te zeggen dat hem minder blaam trof dan Oliver.

Ze hield haar hoofd schuin en nam hem op. 'Ik hoorde dat jij ook een Hunnewell bent. Dan zijn Oliver en jij neven.'

Hij huiverde. 'Ik heb nog liever een slang als neef. Van wie heb je gehoord wie mijn vader is?'

Candace dacht aan alles wat ze de vorige avond had gehoord. Haar hart bonkte. Ze had nog steeds niet besloten wat ze ermee moest doen. Als ze het Keno vertelde, zou hij er zeker op staan dat ze ook haar grootvader inlichtte. Maar ze had tijd nodig om na te gaan wat Oliver bedoelde met zijn raadselachtige uitspraken, zonder dat Keno haar aanspoorde om direct actie te ondernemen.

Ze negeerde zijn vraag. 'Oliver maakt zich nogal zorgen over het nieuws. Ik denk dat hij bang is dat je naar zijn vader gaat.'

'Waar is hij bang voor? Denkt hij soms dat ik plotseling arrogant ben geworden omdat ik door een Hunnewell ben verwekt? Voor mijn part was het een walvisvaarder. Ik heb zijn naam niet nodig om me een man te voelen. Ik weet wie ik ben. En de wetenschap wie mijn echte Vader is, geeft me al het zelfvertrouwen dat ik nodig heb om iedereen hier op aarde recht in de ogen te kijken.'

Candace trok zo hard aan de leidsels dat ze in haar zwetende handpalmen drongen. Ze keek strak naar haar schoot en vocht tegen de vulkaan van emoties die in haar hart op uitbarsten stond.

'Zou je mij hoger aanslaan als ik de naam Hunnewell via de rechtbank zou veroveren en een deel van het erfgoed van de familie zou krijgen? Ik zou er niet beter om slapen. Philip Hunnewell wilde mij niet als zoon. Hij vluchtte als een slappe lafaard naar zijn mooie Engelse landhuis. Ik heb gehoord dat hij gestorven is, maar ik zal mijn tijd er niet aan verspillen om alsnog als zijn zoon erkend te worden. Ik wil zijn naam niet. Ik wilde hem nooit ontmoeten. Nooit.'

Haar hart dreunde in haar oren. Candace was geen vrouw die snel huilde. Hoe groter haar emoties en pijn, hoe meer ze zich wapende om het niet te tonen. Ze had wel uit willen roepen: *Ik houd niet eens van de naam Hunnewell!*

'Zeg me de waarheid, Candace, dat is alles wat ik wil! Houd je van Oliver? Zeg me dat het zo is en ik zal je nooit meer lastigvallen!'

Ze deed haar mond open, maar er kwam geen geluid uit haar verkrampte keel.

'Jij hoort bij *mij*. Dat heb je me zelf gezegd. Je hebt die avond gezegd dat je van me hield, weet je nog? Ben je die avond vergeten, Candace? Ik niet. Zei je toen de waarheid? Als je tegen me loog – als je *loog* – ga dan je gang en trouw met Oliver.'

Ze kon het niet meer verdragen. Met een ruk aan de leidsels liet ze het paard vooruitspringen in de richting van de splitsing en de weg die naar Kea Lani leidde.

17

Silas Derrington liep al fluitend over het pad dat afsloeg naar Kea Lani. Het witte plantershuis stond in de verte op een heuvel en keek uit over zee. Een schitterende plantage, zelfs van veraf gezien. Het deed hem denken aan de plantershuizen in het Oude Zuiden van het Amerikaanse vasteland, vooral Vicksburg in Mississippi en zijn eigen Louisiana. Hij wilde zijn banden met New Orleans zo goed mogelijk verborgen houden voor die bloedhond Zachary.

Hij grijnsde sluw. Verder was hij een aardige jongeman, of dat zou hij kunnen zijn als hij die jaloezie op zijn halfbroer eens vergat. *Het zou best leuk zijn om een broer te hebben, als die vent niet zo'n onstuitbare hekel aan me had. En waarom? Wat heb ik hem helemaal afgepakt? Een baan op een suikerplantage die hij toch al niet wilde hebben. Wat is het probleem dan?*

Als iemand het recht heeft om wrok te koesteren, dan ben ik het wel! Ik ben het die door de Derringtons werd afgewezen en bedrogen. Ik hoor hier evengoed thuis als Zachary, Candace of Eden. Is het soms mijn schuld dat Townsend niet met mijn moeder trouwde?

Hij grijnsde om de patstelling waarin zijn nicht Candace en Rafes vriend Keno verkeerden. Hij wreef over zijn kin. Die andere avond, toen Keno Oliver een dreun had verkocht, was het misschien wat minder amusant – hoewel hij het niet erg vond dat de Britse sympathisant een stevig lesje in nederigheid kreeg.

Hij grinnikte bij de herinnering. Als Oliver had geweten dat hij hem van de grond op zou pikken, had hij misschien nog eens nagedacht over zijn tactiek.

Silas fronste. Dat incident met Keno was gepland, natuurlijk. Oliver had hem opgewacht om een appeltje met hem te schillen. Hij had een alibi nodig. Toegegeven, Oliver veroorzaakte een behoorlijke opschudding en bezorgde zichzelf een geweldig alibi, maar uiteindelijk had hij er niets aan omdat hij zijn opdracht voor de Britten niet kon uitvoeren.

Hij was van plan geweest om het zeven pagina's tellende manifest te stelen dat zijn vader geschreven had voor het aanstaande bezoek aan Washington. Uiteindelijk moest het politieke document zijn weg vinden naar het bureau van president Harrison, die voorstander was van annexatie van Hawaï.

Silas had begrepen dat de tekst tot in detail elke stap beschreef die de Hunnewell-Derringtoncommissie wilde zetten om de krachten te bundelen en een snelle en succesvolle annexatie mogelijk te maken.

De oude Hunnewell zou verbijsterd zijn als hij Olivers achterbakse acties zou ontdekken.

Silas schudde zijn hoofd. Een geweldige duik in het moeras van teleurstelling voor die arme, oude Thaddeus! Zijn eigen zoon die als spion optrad voor medewerkers van de Britse regeringsvertegenwoordiger. Oliver, het verwende rijkeluiszoontje van wie zo hoog werd opgegeven en die op Harvard zonder eigen inspanningen naar zijn succes werd gedragen, bleek uiteindelijk de ondankbare zoon van de man die hem dat alles geschonken had. Maar vooralsnog wist de oude Thaddeus nergens van.

Waarom wilden de Engelsen dat document hebben? Ongetwijfeld om het naar Londen te sturen en de Amerikaanse regering in verlegenheid te brengen. De Britse machthebbers zouden met groot genoegen druk op het Congres van de Verenigde Staten uitoefenen om de heimelijke samenwerking tussen leden van de Reform Party en de Amerikaanse president af te keuren. Harrison zou geen andere keus meer hebben dan af te zien van annexatie van de eilanden.

Met het oog op dat alles had Oliver zijn missie voor die avond gekregen. Hij moest een afleidingsactie op touw zetten. Hoe meer moeilijkheden en verwarring hij veroorzaakte, en hoe meer mensen als mogelijke spionnen in aanmerking kwamen, hoe beter het was. In de enorme verwarring waren Thaddeus Hunnewell en Ainsworth Derrington eerder geneigd om de diefstal van het document op het conto van de koningsgetrouwen te zetten dan iemand van binnen de eigen club te verdenken.

En Oliver zelf? Wat was zijn reden om in het politieke verraad mee te gaan? Hij had niets nodig. Hij was al een rijke jongeman, de enige zoon en erfgenaam van het grote fortuin van de Hunnewells. De sociale mores van hun tijd stond hem toe om in zijn vaders voetstappen te treden, tot in de Legislatuur toe, en de macht te bekleden die hij feitelijk niet verdiende.

Het was zeer waarschijnlijk dat Oliver niet met de Britten samenwerkte om iets van hen te krijgen, maar om iets verborgen te houden. Een of andere misstap die hij in de doofpot wilde stoppen en waarvan zij wisten. Altijd hetzelfde liedje, bedacht Silas met minachting voor de rijken. Of hij was misschien zo misleid dat hij zijn hart werkelijk sneller voelde kloppen als de oude Union Jack in de wind wapperde.

Kon de arrogante Oliver P. Hunnewell een geheim hebben dat hij verborgen moest houden voor zijn vader? Een incident in de Verenigde Staten zou zijn plannen in de wielen kunnen rijden als het breed uitgemeten in de krant zou komen te staan. Het was precies hetzelfde als de acties van Townsend die de Derringtons in de doofpot probeerden te stoppen. In Olivers geval was het misschien iets wat Candace niet te weten mocht komen.

Waarom hielp Oliver bij de uitbreiding van het Britse rijk, in plaats van de Verenigde Staten? Dat wist alleen hijzelf. Op zeker moment had hij besloten om Engeland te steunen. Maar nog afgezien van de politiek had hij alle reden om eventuele schandalen verborgen te houden voor Ainsworth.

Dankzij zijn huwelijk met Candace zou hij al het land en het hele fortuin van de Derringtons binnenhalen. Hij moest wel een heel goede reden hebben om het risico te willen lopen dat alles te verliezen – wat zeker zou gebeuren als Ainsworth zou ontdekken dat hij tegen annexatie was!

'De elite,' mompelde Silas snerend. Hij wist maar al te goed welke beledigingen de sociaal minderen moesten verduren. Jazeker, Oliver had die avond elk woord dat hij gebruikte om Keno's zelfrespect te vermorzelen gemeend, ook al was het incident gepland en was Keno per ongeluk in het schootsveld geraakt.

En dus had Oliver zijn taak voor die avond tot in de puntjes uitgevoerd. Als het Keno niet was geweest, wie dan? Dat het toevallig Keno werd, werkte alleen in Olivers voordeel en gaf hem de kans nog een beetje wraakzucht door de geplande verwarring te mengen.

Hij trok zijn lip op en schopte hard tegen een struik.

En hoe zit het met jou, Silas? Jij hebt je verbittering jegens de Derringtons tamelijk goed weten te verbergen sinds je in Honolulu aankwam. Je hebt de glimlachende, vriendelijke neef van ver uitgehangen, die hoegenaamd geen wrok koesterde met betrekking tot zijn kindertijd en jeugd, gekenmerkt door verwaarlozing en mishandeling.

Wat een verwaandheid om mij te veroordelen als een gokker. Zij hoefden als kinderen niet in de kroegen van Louisiana rond te hangen, in afwachting van een kliekje om wat te eten te krijgen. Ik had niks anders dan een pak kaarten en behendigheid in het spel om me door het leven te slaan. En al die tijd liepen de Derringtons rond in hun Hawaïaanse paradijs.

Hij sloeg een andere struik.

Silas keek op zijn horloge. Het duurde nog een uur voordat de Derringtons op verzoek van Ainsworth op Kea Lani zouden samenkomen om over zijn dwarse vader Townsend te praten.

Silas kwam bij de splitsing. Rechts liep de weg naar Kea Lani, terwijl de linkertak naar de bungalow van Ambrose en de kleine kerk met zijn kruis en open deur leidde.

★

Ambrose zat in zijn kantoor in de kerk te schrijven en bladerde met zijn linkerhand door zijn bijbel, om de verzen op te zoeken die hij nodig had. Hij stopte en keek op toen er dicht bij de open deur een plank kraakte. Silas Derrington leunde tegen het kozijn, met een vermoeide glimlach op zijn gezicht.

'Wordt u het nooit moe om dat boek te lezen?'

Hij leek op zijn vader, maar was eleganter, slanker en modieuzer dan zijn vader, met het uiterlijk van een bokser, en Zachary, de buitenman. Als die laatste hoopte dat Silas ten onrechte beweerde de eerstgeborene van Townsend te zijn, zat hij ernaast. Zijn gelaatstrekken verrieden onmiddellijk dat hij een Derrington was.

Ambrose glimlachte, zette zijn bril af en leunde achterover op zijn piepende, oude stoel. Hij gebaarde Silas binnen te komen en plaats te nemen in het kleine kantoortje. De wind blies door het ene raam aan de zeekant naar binnen.

'Het antwoord op jouw vraag, mijn jongen, is nee. Er is niets saais aan het kennen van Jezus Christus. Ik leer er steeds weer bij over de goedheid en grootheid van God als ik Zijn woorden mijn volle aandacht geef. *Ze zijn begeerlijker dan goud, dan fijn goud in overvloed, en zoeter dan honing, dan honing vers uit de raat,*' citeerde hij.

Silas glimlachte toegeeflijk. 'Ik geloof u op uw woord.'

'Doe dat nooit. Proef en kijk zelf hoe goed God is. Hij onderhoudt een individuele relatie met iedereen van Zijn volk. Val niet over die doos boeken. Ze zijn net vandaag binnengekomen en ik heb nog geen tijd gehad om ze uit te pakken.'

'De vraag is vooral waar u ze moet laten,' antwoordde Silas, die over de doos heen stapte en een klein, open plekje vond om zich op de rieten stoel te laten zakken.

Ambrose lachte. 'Het is een beetje krap, dat geef ik toe.'

Zijn gast keek om zich heen. 'Met al dat geld dat de Derringtons op de bank van Spreckels hebben staan, zou je denken dat ze samen eens een grotere kerk voor u zouden bouwen. Ze beweren allemaal zo vroom te zijn.'

Ambrose hoorde de wrok in zijn stem. Was het bitterheid ten opzichte van de Derringtons of de veroordeling van hypocrisie? Hij besloot dat het om de familie Derrington ging. Waar kwam dat sentiment vandaan? Ainsworth maakte van Silas een topman in de suikerindustrie en betaalde hem het dubbele van wat hij iemand van buiten de familie normaal gesproken zou betalen. Hij was ook als een volledig aanvaard lid van de familie binnengehaald, met de zekerheid van een grote erfenis in de toekomst. Wat was het dat die wrok bleef voeden?

'Er is al eens over een groter en mooier gebouw gesproken, maar dokter Jerome en Eden willen het historische gebouw in stand houden. En ik sluit me daar graag bij aan.' Ambrose legde vervolgens kort uit hoe Jerome en Rebecca de kerk hadden gesticht en hoe Noelani's moeder als eerste Hawaïaanse tot geloof in Christus was gekomen.

'Tot haar bekering zetten de Hawaïanen geen voet op de trap naar de ingang en nog een paar jaar geleden kreeg ik moeilijkheden met bijgelovige Hawaïaanse leiders toen er een wervelwind in aantocht was. Ze hielden vol dat de storm kwam omdat wij Christus aanbaden in plaats van de goden uit hun Polynesische mythen, Kane en Pelee, de oppergeest. Ze stonden erop dat ik de dieren en visnetten zou zegenen, zodat ze geen schade van de storm zouden ondervinden. Als ze hun dieren en netten toch zouden verliezen, was dat het bewijs dat hun goden de sterkere en ware goden waren.'

Silas werd kennelijk geboeid door het verhaal. 'Wat gebeurde er?'

'Door Gods genade kwam de storm over, maar hun have
en goed werd gespaard. Belangrijker nog was dat de ware
en levende God werd geëerd als de Schepper. De mensen
begonnen in grotere aantallen op zondag naar de kerk te komen en sindsdien hebben ze zich oprecht tot Jezus bekeerd
als hun enige God en Verlosser.'

Zodra het kon, sneed Silas een ander onderwerp aan.

'Ik was vanochtend aan het wandelen en kwam mijn
nicht Candace tegen die naar de plantage van de Eastons was
geweest. Is daar van de week niet een vermoorde Chinese
man gevonden?'

Bedroefd luisterde Ambrose naar de houding van on-
wetendheid die Silas voorwendde. Hij wist al lang wie Sen
Fong was, maar suggereerde het tegendeel. Ambrose was daar
zeker van omdat Sen hem iets had verteld, iets wat hij niet
zou herhalen omdat het hem als man van God was toevertrouwd.

'Ja, hij heette Sen Fong,' zei Ambrose zacht. 'Eden vond
hem in de tuin achter het huis op Hawaiiana.'

'Wat een vreselijke ontdekking voor een aardig meisje als
Eden.'

'Ze is verpleegster en heeft wel ergere dingen gezien.'

Ambrose geloofde dat Silas spontaan was langsgekomen,
maar daarna had besloten om uit te vissen hoeveel er bekend
was over de achtergrond van Sen Fong. Hij besloot direct ter
zake te komen. Silas had op een of andere manier nog con-
necties met het gokkartel, daar was hij zeker van, maar hoe
zat het met de opiumdealers? Ambrose hoopte dat hij het bij
het verkeerde eind had.

Hij legde zijn armen over elkaar op de rand van zijn bureau en leunde voorover om Silas recht aan te kijken. 'Kende
jij Sen Fong?' vroeg hij rechtstreeks.

Silas keek hem verbluft aan, geschrokken van de directheid van zijn vraag.

'Nou ja, u weet wel, ik zag hem zo nu en dan wel.'

'Nu en dan,' herhaalde Ambrose, die Silas recht bleef aankijken.

'Eigenlijk…' begon Silas, die aan zijn oorlel trok en het kantoortje rondkeek, 'ja, althans, ik wist wie hij was.'

'Hij zat in het opiumkartel. Dat heeft hij me verteld.'

Silas keek snel op. 'Dat heeft hij *u* verteld?'

'Sen is een paar weken geleden christen geworden.' Ambrose leunde ontspannen achterover.

Silas bleef haast in zijn ongeloof en verbijstering. 'Sen Fong een christen! Onmogelijk.'

'Waarom zeg je dat, jongen?'

'Omdat het een vreselijke man was. Hij was inderdaad een opiumhandelaar, maar nog veel meer, hij was zelfs een moordenaar.' Zijn lichtblauwe ogen werden klein. 'Hij heeft ooit een Chinees gedood. Ik weet niet waar het om ging.'

Ambrose leek niet gechoqueerd. Hij vertelde Silas over de Bijbelcampagnes op de plantages van Oahu. 'Hij kwam hier laat op een avond met Keno en vroeg dokter Jerome en mij om hem te vertellen welke verdiensten hij moest hebben om vergeving voor zijn zonden te krijgen. Ik liet hem uit de Bijbel begrijpen dat Christus Zelf onze enige rechtvaardiging is. Hij is ons geschonken en Hij is alles wat wij nodig hebben als dwalende en verderfelijke zondaren. Hij is onze wijsheid, onze heiliging, onze verlossing. Sen Fong verruilde zijn zonden die avond voor een kleed van rechtvaardigheid.'

Silas schoof ongemakkelijk heen en weer en veranderde weer van onderwerp.

'Dus Keno en Jerome weten van zijn betrokkenheid bij de opiumhandel?'

'En Rafe ook.'

Silas' zucht was er een van wanhoop, of misschien opluchting. Hij leunde achterover in zijn stoel.

'Ik begrijp het.' Hij dacht lang na. 'Ja, ik denk dat ik het nu begrijp.'

'Begrijp je waarom hij vermoord werd?'

Silas bleef stil en keek bedachtzaam naar de bijbel op het bureau.

'Wij denken dat zijn bekering tot Christus de reden was voor de kingpin om Sen te laten vermoorden,' ging Ambrose op zachte toon verder.

Bij het woord *kingpin* keek Silas Ambrose onmiddellijk weer aan. Er was een bepaalde gloed in zijn ogen. Hij leek verbaasd of ongerust over het feit dat Ambrose die term kende, hoewel hij niets zei om dat te bevestigen.

'Waarom bent u er zo zeker van dat het de opiumhandelaren waren?'

'Sen Fong was zelf een kingpin. Ook dat heeft hij mij verteld. Hij wilde zich bevrijden van het kwaad, en van de mannen die hem erin meetrokken. Hij had nu een nieuwe Meester. Hij vertelde me dat hij gevaar zou lopen omdat hij te veel wist, maar ik realiseerde me niet dat ze al zo snel en zo gewelddadig tegen hem zouden optreden.'

Silas verschoof in de rieten stoel. Zijn blauwe ogen waren koud en boos geworden.

Waarom is hij kwaad? vroeg Ambrose zich af. *En op wie? Op mij? Op het kartel?*

De jongeman leunde voorover en leek Ambrose met zijn blik vast te grijpen. 'U zei dat "wij" de opiumhandelaren verdenken. Wie zijn die *wij*, u en de sheriff?'

'Ik weet niet wat de sheriff denkt. Ik heb nog niet veel van hem gehoord. Ik had het over mijzelf en mijn neef, Rafe.'

'Wat weet Rafe hiervan?'

'Waarschijnlijk ongeveer evenveel als de sheriff. Hij heeft een paar vermoedens op een rij gezet die logisch klinken.'

Silas leunde weer achterover. 'Vreselijk wat er met Sen

Fong is gebeurd. Ik word er kwaad van als ik eraan denk.'

Ambrose besloot dat Silas niets te maken had met de moordaanslag op Sen Fong door het opiumkartel. Ook hij was ondersteboven van de moord en was misschien gekomen om indirect uit te vinden of de autoriteiten de schuld bij het kartel legden. Als Silas nog steeds banden had met de gokkerij, zou dit onrecht jegens Sen Fong hem dan helpen om daar afstand van te nemen?

'Het ging om geld,' mompelde Silas meer in zichzelf dan tegen Ambrose.

'Waarom zeg je dat?'

Silas keek hem aan. 'Ja, geld,' herhaalde hij walgend. 'Mensen doen alles voor geld. Ik ook, ik beken mijn zwakheid. Maar moord? Nee. Geld is de wortel van alle kwaad. U ziet, ik weet nog wel iets over uw Boek.'

'Dat is een goed begin, jongen. Ik zou graag zien dat je naar de Bijbelstudie voor mannen komt op maandagavond. De Bijbel zegt echter niet dat geld op zich de wortel van alle kwaad is, maar dat de *geldzucht* van de mens de wortel is van *allerlei vormen* van kwaad. Een goudstuk hier op mijn bureau – als ik er één zou hebben,' zei hij lachend, 'zou goed noch slecht zijn. Het zou neutraal zijn. Het gaat erom wat iemand zou doen om dat goudstuk van mijn bureau te krijgen, en waar hij het voor zou gebruiken zodra hij het had. Het zou ten goede of ten kwade gebruikt kunnen worden.'

'En Sen Fong werd vermoord omdat hij, zoals u zegt, een nieuwe en betere Meester koos. Dan zijn "zij", degene die achter de aanslag zat en degene die het mes in zijn hart stak, samen verantwoordelijk voor die daad. En ze deden het voor geld.'

'Ja, en op de lange duur wordt het voor hen een grotere tragedie dan voor Sen Fong.'

Silas keek hem vragend aan. 'Hoe komt u daarbij? Sen Fong is dood en zij lopen nog vrij rond.'

'Maar niet voor altijd. *Wees niet afgunstig op de bedrijvers van ongerechtigheid, benijd niet wie onrecht plegen; want zij verdorren snel als het gras, en verwelken als het groene kruid.* Vanuit het perspectief van dit leven was het waarschijnlijk inderdaad een tragedie, want als hij langer had geleefd, had Sen misschien nog anderen naar het Licht kunnen leiden dat hij had gevonden. Anderzijds is hier de kwestie van Gods almachtigheid aan de orde. Niets kan Hem verrassen. De dagen van Sen op aarde waren voltooid. We kunnen er nooit zeker van zijn wanneer onze tijd voorbij is. Sen was er klaar voor, hij was bekleed met de rechtvaardigheid van zijn Verlosser, Jezus Christus. De eeuwigheid is er, Silas, maar de essentiële vraag is of je er klaar voor bent.'

De jongeman schoof opnieuw ongemakkelijk in zijn stoel en vermeed Ambrose aan te kijken. Hij keek op zijn horloge. 'U hebt gelijk,' zei hij op luchtige toon, terwijl hij opstond. 'De tijd haalt me inderdaad in. Ik moet zo langzaamaan opbreken en naar Kea Lani gaan. Mijn grootvader zal het me kwalijk nemen als ik te laat kom.'

Ambrose liep met Silas mee naar de ingang van de kerk.

De jongeman glimlachte. 'Bedankt voor de informatie over het Boek. Ik zal er eens over nadenken wanneer ik wat meer tijd heb.'

'Weet je, jongen, zoiets heb ik al eerder gehoord.'

Silas keek om zich heen, op zoek naar zijn hoed en wandelstok. 'Ik moet mijn stok in het rijtuig hebben laten liggen.' Met een vluchtig 'aloha' was hij verdwenen.

Ambrose keek hem met een droevig gevoel na. Silas wandelde op zijn gemak naar de splitsing in de weg en floot een onbeduidend deuntje.

18

Rafe reed op zijn nieuwe, kastanjebruine hengst naar Kea Lani voor het familieberaad dat Ainsworth wilde houden. Hij kwam een uur vroeger, in de hoop Nora vooraf onder vier ogen te kunnen spreken. Hij kende haar goed van de twee jaar dat hij voor de *Gazette* werkte, voordat hij de eilanden verliet. Hij stond toen bij haar in de gunst en ze deed alles wat in haar vermogen lag om hem aan de krant te binden. Rafe had ooit het ideaal om journalist en schrijver te worden. Hij had zelfs een artikel geschreven over Rebecca Stanhope Derrington en waarom zij in het geheim naar Molokai was gestuurd. Hij diepte voldoende 'schandalige' informatie op – althans in Ainsworths ogen – om de patriarch van de Derringtons te dwingen zijn kleindochter Eden de waarheid te vertellen over haar moeder. Rafe had het idee gehad dat hij het voor haar deed. Ze was ervan overtuigd dat Rebecca was vermoord. Toen Ainsworth dat ontdekte, was hij verbluft. 'Ik had geen idee dat ze zoiets dacht.'

'Meneer, u moet haar de waarheid vertellen, of ik doe het,' had Rafe gezegd. En zo werd het raadsel van Rebecca opgelost. Maar het plan om journalist te worden en zijn eigen krant te beginnen, was verdwenen toen hij met zijn nieuwe variëteit ananas naar Hawaï terugkeerde. Nu was het Zachary op wie Nora haar hoop vestigde om haar geliefde *Gazette* van een wisse ondergang te redden. Rafe had ook zo zijn ideeën over de *Gazette*, maar dit was niet het moment om haar die voor te leggen.

Op Zachary na was er nog niemand, precies zoals Rafe had gehoopt. Toen hij de hal achter de voordeur betrad, hoorde hij Zachs stem in de salon. Hij liep naar de open, ovale doorgang, bleef voor de salon staan en liet zijn blik gaan door de zonnige kamer met zijn open lanai en mooie, glimmend gepoetste lambriseringen. Zachary was druk gebarend bezig met een emotionele uiteenzetting om zijn oudtante Nora ergens van te overtuigen.

Rafe glimlachte bij zichzelf toen hij haar zag. Nora, in een witte, rieten stoel met een brede rug. Hij nam haar op: het zilvergrijze haar in een knotje in haar nek, lang, te mager, waardig, kribbig, maar met een hart dat in stilte overliep van liefde voor haar eigenzinnige familieleden. *Als een broze, oude koningin*, dacht hij. Haar magere handen lagen rustig op de armleuningen. Ze droeg nooit ringen, kettinkjes of sieraden. 'Dat zit maar in de weg.' Haar heldere, grijze ogen onder witte wenkbrauwen volgden haar neef bij al zijn bewegingen. De donkerblauwe victoriaanse jurk met kantwerk en strakke manchetten om haar dunne polsen bedekte haar van haar enkels tot haar nek.

'Luister eens, Nora,' pleitte Zachary, 'hoe moet ik ooit de gezaghebbende journalist van de eilanden worden als je mij niet de gelegenheid geeft om de waarheid op te diepen en voor iedereen op te schrijven in de krant? Rafe gaat met grootvader naar San Francisco. Het zou alleen maar verstandig zijn als ik ook meeging. Ik moet verslag uitbrengen over alle besprekingen die grootvader en de oude Hunnewell met de Amerikaanse overheid over annexatie houden.' Hij liep niet meer heen en weer, maar kwam voor haar troon staan. Met zijn handen op beide armleuningen boog hij voorover om haar recht in de ogen te kijken.

'Wil je de feiten over wat Thurston in zijn schild voert? Dat wil je toch uitgebreid in de *Gazette* hebben, is het niet, tantetje?'

Tantetje! Hij legde het er wel dik op. Rafe sloeg zijn armen over elkaar en keek toe.

'Natuurlijk wil ik dat graag. Maar wie moet de *Gazette*

draaiende houden als jij weg bent? Ik heb er de kracht niet voor om elke dag naar de stad te gaan. Silas zou het kunnen doen, maar die is kennelijk al zijn interesse in de journalistiek kwijt sinds Ainsworth hem de leiding over de suiker heeft gegeven.'

Bij de naam Silas kreeg Zachary's gezicht een harde trek. 'Silas is nooit journalist geweest. Hij is niets anders dan een gokker.'

'Dat soort onzin wil ik niet horen.' Ze sloeg zijn armen van de armleuningen en boog voorover. 'Het wordt tijd dat je volwassen wordt, Zachary. Tijd dat je je broer accepteert en de relatie herstelt. Wees reëel. We hebben elkaar nodig. Jij hebt een broer nodig.'

Zachary hief zijn armen hulpeloos omhoog. 'Om me nog een klap op mijn hoofd te verkopen?'

'Ach, onzin. Dat moet een van die herrieschoppers van de annexatiebeweging zijn geweest. Je had sheriff Harper onmiddellijk moeten ophalen om dat huis van Hunnewell binnen te vallen.'

Rafes mondhoek trok geamuseerd omhoog. Hij deed een stap naar voren en klopte op de doorgang naar de salon.

'Goedemiddag, Nora.'

'Kom binnen, Rafe. Ik zei net tegen Zachary dat ik het fijn zou vinden als hij met jou en de andere annexatie-aanhangers mee zou gaan om een oogje op jullie opruiers te houden. Maar wie kan ik de *Gazette* laten leiden zolang hij weg is?'

'Ik vind wel iemand,' zei Zachary nors.

'Ambrose heeft een groot zwak voor journalisme,' merkte Rafe op, terwijl hij naar haar stoel liep en haar magere, broze hand aannam. 'Ik denk dat hij de krant wel draaiende wil houden tijdens Zachs afwezigheid.'

'Ambrose kent het vak absoluut,' stemde ze in. 'Is hij ook niet van plan om een jongen met lepra te helpen een krantje op te zetten voor Molokai?'

'Sterker, we zouden graag die nieuwe drukpers van je overnemen. Ambrose en Eden hebben plannen voor Kalaupapa.'

'Dat is het beste nieuws dat ik deze week heb gehoord. Het was me de week wel, met die vermoorde Chinese man in jouw tuin, Rafe. Moord en doodslag kunnen jongeren al overstuur maken, laat staan een vrouw van mijn leeftijd.'

Rafe voelde onwillekeurig genegenheid voor de strabante dame.

'Ik heb geleerd dat oud worden ook wijsheid brengt,' zei hij, zijn vergissing opmerkend toen het al te laat was. Ze sloeg hem onmiddellijk terug.

'*Oud?* Nonsens! Van binnen ben ik nog even jeugdig als toen ik twintig was. En, jongeman, ik wil je erop wijzen dat ik in mijn tijd een tamelijk knappe verschijning was!'

Rafe glimlachte. Zoals meestal vond hij haar amusant. 'Daar twijfel ik niet aan, mevrouw.'

'En ik vertel je dat ik niet ongewild was en een hele reeks gegadigden had, uit de hoogste kringen op het eiland. Maar geen van hen kon bij mij romantische gevoelens wekken.' Ze keek hem even van opzij aan. 'Eigenlijk vond ik jouw grootvader Daniel wel aardig.'

Rafe trok een wenkbrauw op. 'En wat gebeurde er?'

'Och, hij trouwde met een dochter van een zendeling uit Boston, geloof ik.'

'Hij wist ongetwijfeld niet wat hij miste.'

Nora lachte. 'Diplomatiek als altijd. Zachary zou eens wat van jouw manieren moeten leren.' Ze keek naar haar achterneef, die geamuseerd naar het gesprek tussen zijn oudtante en Rafe stond te luisteren.

'En wat jou betreft, jongeman, het is geen wonder dat je Bernice Judson niet kunt veroveren. Je manieren zijn niet goed genoeg. Je moet hoffelijk en charmant zijn.'

Rafe keek naar hem op.

Zachary's mond vertrok. 'Dat heeft niets met mijn manieren te maken. Het zijn Claudia Hunnewell en grootvader. Claudia gaat zich al bij hem beklagen dat ik haar geen verlovingsring wil geven voordat ik naar San Francisco vertrek. Ik denk dat ik vandaag nog een uitbrander krijg omdat ik de dochter van Thaddeus beledig.'

'Claudia,' sneerde Nora. 'Dat meisje is een onnozele gans, verstoken van alle intelligentie.'

Nora had een bijzondere, oma-achtige genegenheid voor Zachary, hoewel ze die zelden tentoonspreidde. De schrandere vrouw, wars van alle nonsens, leefde voor haar historische geschriften en het discussiëren over en verdedigen van de waarheid zoals zij die zag. Niets kon haar bozer maken dan wat ze beschouwde als 'de luie weigering van de gewone man om de feiten uit te zoeken' over wat er in de wereld gebeurde, in het bijzonder waar het om het lot van Hawaï ging.

'Waarom denken mensen niet na? Waarom jagen ze alleen de dwaze dingen in het leven na? Op die manier komen ze altijd bedrogen uit.'

'Als Ambrose het van mij overneemt, is er geen reden waarom ik niet naar het vasteland zou kunnen gaan.'

Nora knikte instemmend. 'Goed, als Ambrose dat wil doen, is het misschien goed voor jou om uit de eerste hand te vernemen wat Thurston en zijn Reform Party van plan zijn met de Amerikaanse overheid... Ik weet zeker dat Rafe het ons niet zal vertellen,' voegde ze er samenzweerderig aan toe.

Rafe zocht Zachary's blik. Hij wilde alleen met Nora praten. Kennelijk herinnerde Zach zich wat hij die avond in het hotel over het medicijnflesje had verteld, want hij keek heen en weer tussen Rafe en Nora en liep vervolgens naar de hal.

'Grootvader kan elk moment komen.' Het leek een waarschuwingssignaal. Hij liep de hal in en even later hoorden ze hem naar boven lopen, naar zijn kamer.

Rafe sloot de dubbele schuifdeur naar de salon en Nora trok haar wenkbrauwen op. Hij liep terug naar haar stoel en keek haar serieus aan.

'We hebben niet veel tijd voordat de anderen komen. Ik moet met je praten, Nora. Het is van het grootste belang.'

Ze zuchtte. 'Ik dacht al dat je gekomen was om met mij over Townsend te praten.'

'Je weet dat hij in San Francisco is gezien en uit ervaring kun je vertellen hoe gevaarlijk hij kan worden. Als hij ontdekt dat je het medicijnflesje nog steeds hebt, met de tabletten, en dat je het niet hebt weggegooid zoals je eerder vertelde, dan heeft hij alle reden om nog een keer te proberen je het zwijgen op te leggen.'

Ze keek hem lang en zwijgend aan, maar liet geen schrik om de onthulling blijken.

'En wat dacht je van Ling? Of Eden?' hield hij haar voor. 'Townsend heeft die bungalow willens en wetens in brand gestoken. Silas is er getuige van geweest. En jij werd vergiftigd. Het kostte je haast je leven. Dat is niet niks, het is een poging tot moord. Wij hebben het recht niet om het kwaad toe te dekken alleen omdat de dader een Derrington is, en jouw neef.'

Nora liet haar hoofd op haar hand rusten, haar elleboog op de armleuning. 'Ik weet het. Daarom heb ik over jouw vader geschreven in de geschiedenis van de Derringtons. Het is niet mijn bedoeling om Townsend te beschermen.'

'Maar je vertelde dokter Jerome en Bolton dat je het medicijnflesje had weggegooid.'

'Alleen maar omdat Ainsworth de familie wilde beschermen tegen de haaien van de pers. Hij smeekte me niets te ondernemen tot hij Townsend op de eilanden had gevonden en met hem kon praten. Dat heb ik hem beloofd. Ik was niet van plan om het flesje weg te gooien. Ik wist dat het veilig was, en dat is het nog steeds. Op het juiste moment zal ik het tevoorschijn halen.'

'Maar ondertussen loopt hij door de straten van San Francisco en houdt hij mijn moeder in de gaten. Je weet hoe jaloers hij is. En hij is woedend omdat hij het gevoel heeft dat ze zich tegen hem heeft gekeerd, ten gunste van mij. Zijn aard kennende vrees ik dat hij ook woedend is op Parker Judson.'

Nora keek op. 'Parker Judson? Wat heeft hij ermee te maken?'

'Niets, maar probeer Townsend daar maar eens van te overtuigen. Celestine verblijft in zijn landhuis op Nob Hill. Ze heeft een baby bij zich, een jongetje, voor wie ze met hart en ziel zorgt. Denk je niet dat Townsend de verkeerde conclusies zal trekken? Niet dat Kip van Celestine zou zijn, natuurlijk, maar dat ze wellicht voor Judson zou vallen, en hij voor haar?'

Nora fronste en sloot haar ogen. 'Daar had ik niet bij stilgestaan, maar nu je het zegt, ja. Ik begrijp precies wat je bedoelt.'

'Ik heb Parker Judson vanochtend een telegram gestuurd met het verzoek een detective in te schakelen om hem op te sporen. Ainsworth zal niet blij zijn met mijn actie, want hij wil nog steeds wachten. Maar ik wacht niet, Nora. Ik ben blij dat ik dat telegram heb gestuurd. Als die detective hem kan vinden, kan de politie in San Francisco hem arresteren – als tenminste dat medicijnflesje eerst is onderzocht en het vaststaat dat er hetzelfde gif in zit dat jou bijna het leven kostte.'

Nora zat roerloos en zweeg.

'Wat zeg je ervan, Nora? Ik wil deze zaak nu eindelijk afhandelen. Hoe langer we wachten, hoe akeliger het wordt – en hoe moeilijker voor jou en Ainsworth. En in de rest van de familie zal de beproeving alleen maar tot frustratie en tweestrijd leiden. Ik vaar zondag met Ainsworth en Zach naar San Francisco. Ik moet dat flesje meenemen. Ik moet het de politie kunnen laten zien wanneer hij gearresteerd is. Anders kunnen ze hem niet vasthouden.'

Nora duwde zichzelf omhoog uit haar stoel tot ze kaarsrecht voor hem stond, met een ernstig gezicht. Ze keek hem even recht in de ogen, die hij geen seconde afwendde.

Ze zuchtte. 'Goed Rafe, ik vertrouw jou het bewijsmateriaal toe. Ik heb liever dat jij het bewaart dan Ainsworth, maar zeg hem niet dat ik dat gezegd heb. Helaas is de naam Derrington hem meer waard dan de leden van de familie zelf.' Ze legde haar broze hand op zijn arm. 'Wacht hier even. Ik ga naar mijn kamer om het flesje te halen.' Ze keek naar de lanai. 'Ik geloof dat Ainsworth er net aankomt.'

Rafe liep naar de salondeuren en deed ze open om haar door te laten. Hij keek haar na terwijl ze door de hal liep en langzaam de trap opklom naar haar slaapkamer. Even had hij de innerlijke drang om met haar mee te gaan, om te zorgen dat alles zonder kink in de kabel verliep. Silas verscheen boven aan de trap, lang, slank en modieus gekleed. Hij glimlachte naar Nora terwijl zijn blik naar beneden zwierf, naar Rafe die in de doorgang naar de salon stond te kijken.

'Hallo, tante Nora, je ziet er een beetje vermoeid uit… laat mij maar even meelopen naar de kamer.'

'Onzin. Dat kan ik zelf wel.'

Hij grinnikte. 'Niettemin zal ik de behulpzame neef spelen en met je meelopen… O, hallo, Rafe. Zeg, is dat niet Candace die daar met dat rijtuigje aankomt? Volgens mij gaat Zachary haar begroeten.'

Rafe keek door het raam van de hal en zag Zachary bij het rijtuig met een ongelukkig ogende Candace praten. Nog steeds stond hij in de doorgang van de salon, maar iets zat hem dwars, zonder dat hij precies kon zeggen wat. Hij hoorde de stemmen van Zachary en Candace en zag het volgende moment hoe Silas Nora een arm gaf en haar meetroonde de gang in op de verdieping.

★

Het plantershuis van Kea Lani, een gebouw met witte pilaren en drie verdiepingen, werd in de jaren dertig van de ne-
gentiende eeuw gebouwd naar het voorbeeld van het voor-
vaderlijke landhuis van Candace' overgrootmoeder Amabel,
in Vicksburg, Mississippi. Haar overgrootvader, de arts Ezra
Derrington, had kosten noch moeite gespaard om Amabel, die heimwee had naar het vooroorlogse Zuiden, een
thuisgevoel te geven in haar nieuwe huis. Hij had bouwers
en materiaal uit Boston laten overkomen. Toen hun eerste
kind, Nora, Kea Lani samen met haar broer, Ainsworth, had
geërfd, begon ze de plantage van een zuidelijk landgoed te
veranderen in een eilandparadijs. De rijen magnolia's die uit
Vicksburg waren overgebracht om de lange, schaduwrijke
oprijlaan naar het huis te sieren, werden vervangen door
palmen. Bananenbomen, mango's, papaja's, cherimoya's en
guaves moesten van buitenaf worden aangevoerd omdat ze
niet inheems waren op Hawaï.

Als schoolmeisje was Candace verbaasd geweest toen ze
hoorde dat zelfs de ukelele naar Hawaï werd geïmporteerd
door de Portugezen.

Candace stuurde haar rijtuigje over de oprijlaan naar het
landhuis, waarachter de blauwgroene oceaan in de middagzon schitterde. Ze liet haar paard halt houden in de half-
schaduw naast het witte huis. Het gezang van de vogels in
het gebladerte begeleidde de warmte en rust van de middag,
maar er heerste geen vredige sfeer onder de familieleden die
samen waren gekomen om het onheilspellende nieuws over
oom Townsend te bespreken.

De bruinverbrande Zachary liep op het rijtuig van
Candace af. Haar neef kwam van de zijkant van het huis,
waar een schaduwrijke plaats was om de paarden vast te maken en te drinken te geven uit de grote troggen. Haar paard

en rijtuig zouden door een Hawaïaanse paardenknecht worden verzorgd.

Zachary bleef staan om haar zijn arm aan te bieden bij het uitstappen, terwijl ze de leidsels aan de jongen overgaf.

'Hallo,' zei hij. 'Zo te zien is iedereen er. Zelfs de tante van Eden is met haar meegekomen.'

'Lana Stanhope,' antwoordde Candace.

Hij fronste. 'Een akelige aangelegenheid, deze bijeenkomst, als je het mij vraagt. Zoiets als halloween, begrijp je? Doodskoppen en mist. Deprimerend.'

Candace draaide haar kastanjebruine hoofd naar hem toe en keek hem onderzoekend aan. Zijn knappe gezicht stond bezorgd en zijn koele, blauwe ogen waren rusteloos.

'Je zou eens moeten trouwen, Zachary. Ik denk dat een vrouw je verantwoordelijkheidsgevoel en geluk zou kunnen schenken. Je zou al het andere vergeten, inclusief Silas.'

Haar woorden verrasten hem kennelijk, want ze hadden weinig te maken met zijn grimmige opmerkingen. Hij lachte kort. 'Waar heb jij het nu opeens over? Hoewel, ik zou Bunny Judson wel willen trouwen.'

'Wat is er mis met Claudia Hunnewell?'

Hij vertrok zijn gezicht. 'Tja… ze is de zus van Oliver. Heb jij er niet genoeg van dat grootvader ons die Hunnewells opdringt?'

'Tamelijk,' zei ze kortaf. 'Is grootvader er?'

'Binnen, in zijn studeerkamer. Lieve deugd, wat is dat in vredesnaam?'

Ongeïnteresseerd volgde Candace zijn blik naar het zitbankje op het rijtuig. Het enige wat haar bezighield, was dat ze alleen met haar grootvader wilde praten, voordat de familiebijeenkomst begon. De zilveren knop op de wandelstok van Silas schitterde in het zonlicht.

'Dat is een wolvenkop,' zei ze afwezig. Ze keek naar de trap voor de voordeur. 'Die stok is van Silas. Ik had hem opgepikt langs de weg, maar hij stapte al snel weer uit en liet dat liggen. Is hij al binnen?'

Zachary pakte de wandelstok. 'Ja.'

'Geef hem maar aan, wil je?'

'Nee… ik geef hem wel aan hem. Ga maar naar binnen.'

Ze liet hem achter met de wandelstok en haastte zich naar binnen. Er was niemand te zien toen ze via de zij-ingang naar binnen liep. Er waren stemmen te horen in de salon rechts. Hoewel ze iedereen wilde vermijden, wierp ze een vlugge blik in de kamer, voordat ze ongezien verder liep. Edens tante Lana stond er, met Eden zelf. Snel liep ze naar de studeerkamer van haar grootvader Ainsworth en klopte aan.

'Grootvader? Ik ben het, Candace. Ik moet met u praten.'

'Kom binnen.'

Ze liep de grote kamer in die zijn eigen lanai met uitzicht op het water had. Snel sloot ze de deur achter zich.

Ainsworth keek op en glimlachte warm naar zijn lievelingskleinkind. Maar snel verstrakte zijn gezicht weer, toen de zorgen zich weer lieten gelden. Ernstig en eerbiedwaardig als altijd trok hij een wit jasje aan en hij keek op zijn gouden zakhorloge.

'Je ziet er gekweld uit, Candace.'

Ze had niet verwacht dat hij het zou zien.

'We hebben nog maar een paar minuten voordat we naar de salon gaan. Zeg dus wat je op je hart hebt.'

Hij keek naar de horizon boven het water, pakte de krant die hij had gelezen van een zijtafel en tikte erop met zijn wijsvinger. 'De reis naar het vasteland en Washington is al uitgelekt in Nora's *Gazette*.' Hij liet de krant weer op de tafel vallen. 'Als mocht blijken dat Zachary daarvoor verantwoordelijk is, stelt hij mij zeer teleur.'

Candace liep naar het midden van de kamer. 'Grootvader, ik zal direct ter zake komen. U weet hoe bot ik kan zijn. Ik kom over Oliver praten.'

262

Hij toonde geen bezorgdheid. 'Aha, natuurlijk, Oliver. Het verlovingsfeest is al geregeld, heb ik gehoord, en zal plaatsvinden voordat ik op de boot stap. Dat is in elk geval een hele troost.'

Candace liep op en neer en luisterde niet naar wat hij zei. Ze bleef staan en keek hem aan. Dit zou moeilijk worden.

'Ik kan het niet.'

Zijn witte wenkbrauwen trokken samen.

'Mijn lieve Candace, we hebben het hier al eerder over gehad. Zelfs meer dan eens.'

'Ik weet het.'

'Hij zal een betrouwbare echtgenoot voor je zijn.'

'Dat zegt u steeds.'

'Dit is de beste keuze voor jouw toekomst en die van de families Derrington en Hunnewell. Jij hebt jouw verplichting en ik de mijne.'

'Dat weet ik ook. Maar hoe dan ook, er zijn ook nog andere belangrijke verplichtingen.'

'Je bent een verantwoordelijke jonge vrouw. Als een Derrington kun je nu eenmaal niet zomaar je leven leiden zoals jij dat zelf graag wilt. Ik weet niet wat die jonge mensen van tegenwoordig bezielt. Ze hebben geen verantwoordelijkheidsgevoel meer, zoals ik had toen ik jong was. Ze zijn niet volwassen genoeg om zelf beslissingen te nemen over huwelijksaangelegenheden. In plaats daarvan hebben ze het over liefde en huwelijk alsof die er alleen zouden zijn om hun eigen verlangens te bevredigen, in plaats van hun verplichting tegenover zowel de familie als de gemeenschap te vervullen!'

Terwijl hij zijn gebruikelijke tirade hield, rechtte Candace haar rug. In gedachten liet ze alles nog eens de revue passeren.

'Wat is er tegenwoordig nog over van de toewijding aan de familienaam? Sinds wanneer moet het aan jonge meisjes zelf overgelaten worden om als enige te beslissen met wie ze moeten trouwen? Meisjes die nauwelijks tiener af zijn!' Hij stampte door de kamer. 'Ze staan erop een vent te trouwen omdat die er toevallig beter uitziet dan iemand anders die veel geschikter is om een goed en vruchtbaar leven mee op te bouwen!'

'Grootvader, zou het de familie en de gemeenschap, of de zaak van de annexatie, goed doen als een Derrington met een Britse spion zou trouwen?'

Ainsworth bleef abrupt staan, draaide zich om en staarde haar aan.

Candace beantwoordde zijn blik.

'Wat zei je?' Hij liep op haar af.

'U kunt beter gaan zitten. Ik moet iets tamelijk vervelends vertellen. U zult er niet blij mee zijn.'

Zijn wenkbrauwen trokken weer samen en zijn priemende, blauwe ogen bleven op haar gericht. Voor het eerst verrieden ze ongemak en twijfel, terwijl zij een koele zelfverzekerdheid bleef uitstralen.

'Ik hoef niet te gaan zitten,' snauwde hij.

Ze wist dat hij altijd kribbig werd wanneer hij de grond onder zijn voeten begon te verliezen.

'Alsof ik gesust zou moeten worden door een overbezorgde verpleegster! Maar waar heb je het over? Wat voor *Britse spion*?'

'Ik hoorde Oliver en Symington gisteravond praten in de tuin van Hunnewell…'

'De tuin van Hunnewell! Het lijkt zo langzamerhand wel of alle onheil daarvandaan moet komen! Wat is er nu weer aan de hand? Heeft Keno Oliver weer aangevallen?'

'Hij heeft hem ook de eerste keer niet aangevallen. Het was allemaal opgezet door Oliver zelf.'

Ainsworth zweeg even voordat hij voor de frontale aanval koos. 'Ik geloof er geen woord van.'

'Het is waar. Ik heb gehoord wat er werd gezegd, en nog

meer waarop er werd gezinspeeld.'

'Ik wil geen zinspelingen.'

'Dan zal ik de feiten vertellen zoals ik ze hoorde. Oliver en de Engelsman spraken onder vier ogen met elkaar bij de poincianaboom. Ik was naar buiten gelopen om de zonsondergang te bekijken en zag ze toevallig.'

'Zagen ze dat je eraan kwam?'

'Nee. Ik liep over het zand. Oliver vertelde Symington in niet mis te verstane bewoordingen dat hij geen voorstander is van annexatie, zoals zijn vader, Thaddeus Hunnewell, gelooft. De Engelsman wist dat trouwens al. Oliver zei letterlijk over zijn vader: "Hij zal mij tot het bittere eind steunen". Oliver vindt dat Hawaï een kolonie van Groot-Brittannië zou moeten worden, net als Canada.'

'En jij verwacht dat ik dit geloof?'

'Of u het wilt of niet, grootvader, dit is wat ik hem hoorde zeggen.'

'Ik dacht dat ik je goed kende, Candace. Al mijn hoop om het erfgoed van de Derringtons zeker te stellen was op jou en je nuchtere verstand gevestigd. Maar dit klinkt mij als volmaakte onzin in de oren. Een verhaal zoals Zachary zou kunnen opdissen om mij tegen Silas op te zetten. Denken jullie allebei dat ik zo hersenloos ben dat ik dit slik? Silas die voor het gokkartel spioneert. Onzin. En nu is het Oliver... hij is een Engelse spion en dus moet de verloving worden afgeblazen. Die verloving gaat door, liefje, en wel voordat ik naar Washington vertrek. En anders ben ik gedwongen om de strengste maatregelen te treffen tegen degene die achter al deze nonsens zit. En je kunt zelf wel bedenken wie die jongeman is, nietwaar? Natuurlijk. Hij liep daar die avond zelf te spioneren!'

'Als u het over Keno hebt, hij heeft hier niets mee te maken.'

'Natuurlijk heb ik het over Keno. Hij bedenkt van alles

en nog wat om jou en Hunnewell uit elkaar te drijven. Ik weet hoe die dingen gaan, liefje, en ik moet er niets van hebben. Oliver is evenmin een spion voor Engeland als ik dat zou kunnen zijn, of Thurston zelf.'

Candace perste haar lippen op elkaar en stond stram rechtop, terwijl haar handen zich tot vuisten balden. Ze was ziedend, maar beet op haar tong om er het zwijgen toe te doen. Ze draaide zich met een ruk om en liep ruisend naar de deur. Toen ze omkeek zag ze bleek, maar met rode wangen.

'Oliver zei ook dat Engeland met hen zal samenwerken om prinses Kaiulani op de troon te zetten als koningin Liliuokalani door de aanhangers van annexatie wordt afgezet. U weet toch wel dat prinses Kaiulani in Engeland op school zit? En dat ze getrouwd is met een Engelsman? En dat anderen van de koninklijke familie, te beginnen met Kamehameha IV, de Kerk van Engeland op de eilanden introduceerden in plaats van toe te geven aan de dominantie van de onafhankelijke kerken van de Amerikaanse zendelingen? En naderhand wendden ze zich uiteraard tot regeringsvertegenwoordiger Wodehouse voor steun.'

Ainsworth keek haar met een rood aangelopen gezicht aan, maar zei niets. Candace liep naar buiten en deed de deur achter zich dicht. Ze haastte zich naar de trap om naar haar eigen kamer te gaan toen ze haar nicht Eden tegenkwam. Haar groene ogen sprankelden en haar dikke, kastanjebruine haar viel in een elegante halfvlecht in haar nek. Ongetwijfeld was ze op zoek naar Rafe Easton.

Eden bleef staan en keek van Candace naar de deur van de studeerkamer van hun grootvader. Haar blik was begrijpend en meelevend.

Candace ademde zwaar en probeerde haar woede onder controle te krijgen. Ze had een ingeving. Eden had ze altijd kunnen vertrouwen. Ze had zich geen loyalere zuster kunnen indenken, ook al deelden ze niet dezelfde vader. Candace had er moeite mee als ze bedacht hoe Eden ver van de familie was opgegroeid en ervan overtuigd was geweest dat haar moeder Rebecca was vermoord. Sinds ze volwassen was geworden, had Candace zichzelf talloze malen hetzelfde verwijt gemaakt. *Ik had naar haar toe moeten gaan. Ik had een zuster voor haar moeten zijn. Maar in plaats daarvan heb ik haar vrijwel genegeerd totdat ze vijftien was en thuiskwam op Kea Lani – eindelijk.* Eden had altijd hier gehoord, net als zij en Zachary, hoewel ze niet geleden had in de goede handen van Ambrose en Noelani. Misschien was het uiteindelijk nog wel de beste keuze geweest.

'Heb je even, Eden? Ik moet met je praten.'

'Natuurlijk.'

'Ik zou graag willen dat je alles wat ik je vertel aan Rafe doorgeeft.'

Eden beloofde het rustig terwijl ze de trap opliepen en snel naar de slaapkamer van Candace gingen, verderop in de gang.

Toen ze haar deur bereikte, bleef Candace even met haar hand op de deurknop staan. Ze had het gevoel dat ze over haar schouder moest kijken, hoewel ze niet wist waarom. Toen ze haar hoofd draaide, zag ze Silas in de gang staan. Hij keek in hun richting. Hij moest daar al gestaan hebben en Candace bedacht dat hij iets heimelijks over zich had. Kon hij gehoord hebben wat ze zojuist tegen Eden had gezegd? Maar ook al was dat zo, zij verdacht hem nergens van, al deed Zachary dat wel.

Ze duwde de deur open en liep met Eden naar binnen.

19

Rafe rende de trap op en ging door de gang Silas Derrington achterna, die oudtante Nora naar haar appartement bracht. Silas wilde de deur net sluiten, maar Rafe hield hem tegen en duwde de deur weer open.

Nora draaide zich om bij de divan. Er stond verbazing te lezen op haar bleke gezicht. Ze keek van de een naar de ander.

Glimlachend stond Silas hem aan te kijken.

Altijd die glimlach. Maar zijn ogen zijn zo koud als de winters in het noordwesten.

Rafe nam hem op en weigerde zijn plotselinge verschijnen te verklaren.

'Ik ga maar eens naar beneden, voor de bijeenkomst,' zei Silas joviaal. 'Ainsworth en de anderen zijn ook aangekomen.' Hij keek naar Nora. 'Kom je ook naar beneden, tante Nora?'

'Op mijn eigen tijd, Silas. Ik heb niets toe te voegen aan alles wat ik de familie al over Townsend heb gezegd, maar ik hoor erbij te zijn. Je kunt Ainsworth zeggen dat ik dadelijk naar beneden kom.'

Silas knikte en liep naar de deur, maar bleef vervolgens staan. Hij keek Rafe aan, die geen stap had verzet.

'Ga maar, Silas,' zei Nora bijna kortaf.

Hij liep naar buiten en deed de deur dicht. Rafe liep naar Nora toe, pakte haar voorzichtig bij haar arm en hielp haar op de divan te gaan zitten.

'Mijn verontschuldigingen,' zei hij zacht. 'Ik vertrouw hem niet.'

'Je schijnt niemand van ons te vertrouwen,' zei ze korzelig.

Hij glimlachte vaag. 'Niet helemaal waar. Jou vertrouw ik.'

Ze kalmeerde en zuchtte. 'Geef me een ogenblik om op adem te komen voordat ik het flesje pak. Denk je dat Silas van plan was om het te stelen?'

'Nu je het zo direct vraagt, is mijn even rechtstreekse antwoord: misschien. Ik ben op het ogenblik misschien overbezorgd, maar ik kan geen risico's nemen.'

'Dat is ongetwijfeld verstandig. Ik zal het voor je pakken, zodat je met Ainsworth kunt praten.'

Nora liep haar slaapkamer in en rommelde met laden.

Rafe wachtte ongeduldig totdat ze terugkwam met het flesje in haar hand, dat ze hem overhandigde. Hij las het etiket met de datum, de voorschrijvende arts, dokter Bolton, en de dosering.

'Weet je zeker dat dit het flesje is met de tabletten die je nam?' vroeg hij zacht.

'Absoluut. Niemand wist dat ik het nog had, behalve Zachary. Ik heb het goed opgeborgen. Je kunt er zeker van zijn dat er niet mee gerommeld is.'

Rafe liet het flesje in zijn jaszak glijden en pakte haar hand voorzichtig vast. De kus op haar wang nam Nora met een glimlach en glinsterende ogen in ontvangst. Daarop verliet hij de kamer en liet de deur zacht achter zich dichtvallen.

★

Toen Eden Candace in haar kamer achterliet en weer naar beneden ging, liep grootvader Ainsworth heen en weer over de glanzend geboende houten vloer van de salon.

Ze liep de grote kamer binnen en keek om zich heen om te zien wie er aanwezig waren voor de bespreking over oom Townsend. Ze wist dat dokter Jerome er niet zou zijn. Toen ze vertrok, was hij in het ziekenhuis in Kalihi aan het werk met dokter Bolton. Toen ze hem op de hoogte stelde van de boodschap die grootvader Ainsworth had gestuurd, met de vraag voor hen beiden om naar Kea Lani te komen voor de 'bijeenkomst over Townsend', was haar vader tot haar verbazing boos geworden.

'Lieverd, ik kan mijn tijd niet aan Townsend verspillen. Mijn broer is willens en wetens afgedwaald. Hij kende de waarheid net zo goed als ik, toen we nog jong waren, en hij heeft er opzettelijk voor gekozen om zich van God af te keren en zich over te geven aan zijn vleselijke lusten – hij genoot zelfs van de schandalen. Dat zegt genoeg. Er staan voldoende waarschuwingen in de Bijbel met betrekking tot zaaien en oogsten.'

Ze keek de salon rond. *Waar is Rafe? En wat zal hij zeggen als ik hem over Oliver Hunnewell vertel?*

De gebeurtenissen in de tuin kregen een geheel nieuwe en verontrustende betekenis nadat Candace haar had verteld wat ze Oliver met de Engelsman had horen bespreken. Had Oliver zich op de avond van de vergadering van de annexatiebeweging tussen de bomen en struiken verscholen om het gestolen manifest aan Silas te kunnen doorgeven?

Ze keek naar haar grootvader en het viel haar op hoe grauw en bleek hij was. In plaats van woede over de recente gebeurtenissen voelde ze een steek van medeleven; ze hield van hem en wist dat hij het moeilijk had. Het drong nu pas tot haar door dat het gesprek dat hij met Candace had gehad hem veel meer aangreep dan zijn kleindochter had gedacht. Het nieuws dat Oliver een Britse spion was, moest hem verbijsterd hebben. Hij was in de verdediging geschoten en had alles ontkend, maar niettemin moest de boodschap zijn doorgedrongen en worstelde hij met het idee dat het waar zou kunnen zijn.

Als zij degene was geweest die hem over Oliver had verteld, had hij ongetwijfeld een argument gevonden om haar niet te geloven, bedacht Eden, maar Candace was een groter probleem. Hij gaf hoog op over haar scherpe verstand. 'Candace heeft de mentaliteit van een man als het op harde beslissingen aankomt,' zei hij altijd.

Eden voelde iets van ergernis omdat haar verstand zeker niet onderdeed voor dat van Candace. Maar ze realiseerde zich hoe ijdel en ongepast het was om zich door haar grootvaders voorkeuren beledigd te voelen. Ze zette het snel van zich af. Meende haar grootvader het toen hij tegen Candace zei dat haar huwelijk met Hunnewell moest doorgaan, ongeacht de verraderlijke acties waarbij Oliver wellicht betrokken was?

Ze zag hem heen en weer lopen door de salon, met zijn zilvergrijze hoofd gebogen, zijn handen gevouwen achter zijn rug, de blik op de vloer gericht.

Silas stond bij een open raam naar buiten te kijken, ogenschijnlijk verdiept in zijn eigen gedachten. Onlangs had ze haar eerdere indruk van hem gecorrigeerd. Eerst had ze gedacht dat hij zichzelf louter als toeschouwer zag bij alles wat er in de familie Derrington gebeurde, maar dat was veranderd. Hij was niet langer de onbewogen toeschouwer. Hij was in de familie opgenomen door degenen die er het meest toe deden, Ainsworth en Nora, en hij begon zich verbonden te voelen met het bedrijf. Hij was verbaasd geweest over de bereidheid om hem op te nemen, zelfs verbijsterd, alsof hij niet wist hoe hij ermee om moest gaan. Was hij alleen van het vasteland gekomen om herrie te schoppen? Was hij een spion voor een kartel? En was hij nu zoiets als een geweten aan het ontwikkelen dat huiverde bij de gedachte aan verraad? Wat vrat er aan Silas? Was het zijn onbesuisde vader, Townsend? Dat kon nauwelijks, want hij voelde geen enkele genegenheid voor hem.

Eden kwam tot de slotsom dat Rafe wellicht gelijk had met zijn vermoeden dat er meer achter Silas' komst naar Hawaï moest zitten.

Steeds moest ze weer denken aan die ochtend toen hij de lanai opliep waar de Derringtons zaten te ontbijten. Met een glimlach die zowel smalend als verontschuldigend was, had hij zich voorgesteld als Silas Derrington, de 'eerstgeborene' van Townsend. Zijn woorden kwamen als een dreigende dreun voor Zachary, hadden Celestine in verlegenheid gebracht en hadden zelfs Townsend aanvankelijk verbluft doen zwijgen. Later besloot hij dat de onverschrokkenheid van Silas prijzenswaardig was, ja zelfs humoristisch. Vanaf dat moment besloot hij Silas tot zijn eerstgeborene te maken, voor wie hij Zachary terzijde schoof.

Begonnen deze escapades Silas dwars te zitten? Of hoopte Eden alleen maar dat haar gebed om zijn toewending tot God werd verhoord?

Het viel haar op dat Zachary nog steeds niet aanwezig was, hoewel ze hem op Kea Lani had gezien toen ze aankwam. Wat hield hem op?

Dokter Jerome was weliswaar boos over de bijeenkomst van Ainsworth die hij weigerde bij te wonen, maar de vorige avond was hij buitengewoon gelukkig geweest toen ze hem vertelde dat Rafe bereid was een lening voor de bouw en inrichting van de kliniek te verstrekken. Eerst was hij verbluft, maar vervolgens voelde hij diepe dankbaarheid. 'Ik moet zeggen dat ik overrompeld ben. Ik heb die jongeman volstrekt verkeerd ingeschat. Hij belooft toch een geweldige schoonzoon te worden.'

Bij het horen van de enthousiaste uitlatingen van dokter Jerome zelf had Herald bleek en gespannen van zijn bureau opgekeken, om zich dan weer op zijn werk te storten.

Rafe liep de salon binnen, gekleed om door een ringetje te halen, en met een blik in haar richting alsof hij zojuist de plaatselijke parelduikwedstrijd had gewonnen.

Zijn levendige ogen zochten de hare, waarop zij een wenkbrauw optrok en naar de piano achter in de salon liep.

Met haar rug naar de ivoren toetsen ging ze op het bankje zitten. Een ogenblik later kwam Rafe naast haar staan.

Hij legde een arm op de donker gepolitoerde piano en sprak zacht terwijl hij zijn blik op Ainsworth en Silas gericht hield, die in hun eigen gedachten verzonken bleven. 'Wat is er?'

'Ik moet met je praten,' zei ze zacht. 'Ik heb buitengewoon interessante informatie over Oliver.'

Hij kneep zijn ogen iets dicht. Ze kon hem haast horen denken: *Oliver? Wat is er met Oliver?* Na nog een onopvallende blik in de richting van Ainsworth gebaarde hij naar de lanai. 'We wagen het er meteen op. Kom mee.'

Zijn sterke hand pakte de hare en een tel later waren ze uit het zicht op de lanai. De zachte bries sloeg verfrissend in haar gezicht en speelde met haar goudgele en lichtbruine jurk. Haar donkerbruine krullen rolden als een waterval over haar nek. Eden moest de lokken vastgrijpen om het ingewikkelde kapsel te sparen dat ze zich louter met het oog op Rafes aanwezigheid had aangemeten.

Hij nam haar mee naar het uiteinde van de open veranda. De deur en het raam van een van de slaapkamers kwamen hier op de lanai uit, maar het was een lege logeerkamer en dus konden ze vrijuit spreken. Ze keerde zich naar hem om.

'Wat is er met Oliver?'

Even zweeg ze nog om van zijn geïnteresseerde ogen te genieten.

'Candace heeft gisteravond bij de Hunnewells gedineerd. Ze hoorde hoe Oliver met een Britse medewerker van Wodehouse praatte. Het ging over het manifest. Oliver was van plan geweest om het van het bureau van zijn vader te stelen en aan de Britten te overhandigen. Maar kennelijk was iemand hem voor geweest, want hij vertelde de agent dat hij dacht te weten wie het had gestolen, maar dat hij het niet kon bewijzen.'

'Oliver,' mompelde Rafe, meer nadenkend dan verrast.

'Dat verklaart een boel. De puzzelstukjes beginnen op hun plaats te vallen.'

'Is Silas erbij betrokken? Hij was daar tenslotte ook.'

'Ja, ik ben ervan overtuigd dat hij er op een of andere manier bij betrokken is. Maar dat komt later, lieverd. We hebben niet veel tijd en er is iets wat ik jou moet vragen. Dat is minstens even belangrijk. Jij bent de beste bron om mij informatie over Hartley te geven.'

Waarom was Rafe plotseling geïnteresseerd in Herald, nu ze hem net dit belangrijke nieuws over Oliver Hunnewell had gegeven?

'Maar er zit ook een lichtpuntje aan,' ging ze rustig verder. 'Besef je dat deze onthulling over Oliver Candace misschien de kans geeft om onder een huwelijk met hem uit te komen?'

'Ja, als Ainsworth tenminste zijn gezonde verstand gebruikt. En als hij dat niet doet – en die kans is groot – dan kan Candace het zelf nog doen. En Keno moet in actie komen.'

'Wat kan hij eraan doen?'

Rafe keek haar veelbetekenend aan. 'Zullen we het over Hartley hebben?'

'Als dat per se moet. Hij is niet blij met die lening die je dokter Jerome hebt aangeboden.'

'Interessant.'

'Mijn vader was heel enthousiast toen ik het hem vertelde. Hij gaf je een enorm compliment en suggereerde zelfs dat je een goede schoonzoon zou zijn. En dat stak hij niet onder stoelen of banken. Herald keek alsof hij verraden werd.'

'Ik ben blij dat je vader en ik misschien toch nog op vriendschappelijke voet komen te staan. Ik hoop niet dat er zich zaken voordoen die weer spanning opleveren.'

'Wat zou er kunnen gebeuren?' vroeg ze ongemakkelijk.

Hij keek haar even strak aan. 'Ik denk dat jij je eigen conclusies wel kunt trekken als we over Hartley hebben gepraat. Akkoord?'

Ze aarzelde even voordat ze zijn blik beantwoordde.

'Ja. Ik vertel je wat ik weet, en ik geef toe dat er een paar dingen zijn die jouw twijfels zullen bevestigen, want ik weet wat je van Herald denkt.'

'Heb je daar moeite mee?'

'Nee, nu niet meer. Misschien heb je al die tijd wel gelijk gehad. Ik geloof dat hij onbetrouwbaar kan zijn. Twee maanden geleden zou ik het niet met je eens zijn geweest, maar nu heb ik ook zo mijn redenen. Dat ik hem in het verleden verdedigd heb, was alleen omdat ik zo graag met hem en dokter Jerome naar Molokai wilde. Ik wilde niet dat je verdenkingen zou koesteren.'

'Want dat zou een argument zijn geweest voor mijn wens dat je niet zou gaan.'

'Precies. De zaken liggen nu anders tussen ons, lieverd. Ik geloof dat ik jouw drijfveren ook begrijp. Je ondervroeg me uit bezorgdheid, niet om iets tegen dokter Jerome te vinden.'

Zijn blik werd zachter. Hij streelde haar wang met de rug van zijn hand. 'Dat is precies wat ik wilde horen. Waar kunnen we rustig met elkaar praten?'

Ze keek uit over de plantage en voelde het verlangen om even afstand te nemen. 'Weet je dat oude pad naar het strand nog?' vroeg ze eenvoudig. Het was duidelijk dat hij het nog wist. Jaren geleden, toen hij met Celestine en Townsend op Kea Lani woonde, liep Rafe dat pad vaak en Eden wachtte hem daar op als ze met hem wilde praten over haar angstige vermoedens dat haar moeder het slachtoffer was geworden van een moord.

'Hoe zou ik ons "geheime pad" kunnen vergeten? Kom mee, voordat Ainsworth zijn bijeenkomst wil beginnen. Ik denk niet dat hij dat zonder mij doet; hij denkt waarschijnlijk dat ik ben opgehouden.'

Ze liepen de trap af en haastten zich naar de achterkant van het huis, naar de palmbomen en de zee, waar het mooie pad langs de heuvel kronkelde en boven de watergrotten langs liep.

De middagzon scheen warm op de gladde zee en de hoog oprijzende palmbomen. De geur van de overvloedig bloeiende bloemen in de grote perken overspoelde haar.

'Ik moet met Hartley praten voordat hij met dokter Jerome naar Molokai vertrekt,' begon Rafe. 'Ik hoop dat jij me misschien informatie kunt geven die je hebt opgepikt tijdens jullie samenwerking. Als iemand hem kent, zijn jij en dokter Jerome dat.'

'Tot op zekere hoogte. Ik ben niet bijzonder bevriend met hem. Maar als jij denkt dat hij een geheim uit San Francisco meedraagt, praat hij misschien eerder met mij,' zei ze onder het lopen. 'Ik zal hem morgen eens polsen.'

'Nee, lieveling. Ik heb liever *niet* dat je met Hartley gaat praten.'

'Maar ik dacht…'

'Als hij in de gaten heeft dat ik de reden ben waarom je het hem vraagt, gaat hij waarschijnlijk in de verdediging. En tegen de tijd dat ik hem dan zelf spreek, heeft hij een geloofwaardig verhaal in elkaar gedraaid. Ik wil hem ondervragen op het moment dat hij niet op zijn hoede is.'

'Ik begrijp het.' Rafe was van plan om hem te confronteren. Ze huiverde. 'Heeft Hartley iets te maken met Oliver?'

'Oliver is een heel ander probleem en staat los van Hartley en dokter Chen. Hij probeerde het manifest van zijn vader in zijn verraderlijke handen te krijgen, en hij denkt dat hij dat nog steeds kan. Ik vraag me af of hij verraad pleegt voor persoonlijk gewin of om een of ander schandaal in de doofpot te kunnen stoppen, of omdat hij werkelijk de zaak van de Union Jack is toegedaan. Maar Hartley – over hem wil ik het met jou hebben.'

Diep vanbinnen had ze altijd geweten dat het spoor onvermijdelijk terug zou leiden naar dokter Chen en het medisch dagboek. Niettemin liet ze een gematigd protest horen.

'Maar, Rafe, dit heeft toch niets te maken met dokter Chen en zijn dagboek?'

'Ik denk dat Hartley er tot over zijn oren in zit. Het ziet er niet goed uit. En het ergste is dat jij op Molokai met hem gaat samenwerken. Ik vertrouw hem niet. Ik ben van plan om de zaak uit te zoeken als ik in San Francisco ben.'

Ze dacht aan de dag dat Herald op Kea Lani was aangekomen, niet lang nadat dokter Jerome van zijn lange reizen naar Hawaï was teruggekeerd. De familie zat na de lunch aan de voorkant van het huis op de lanai bij elkaar toen er een rijtuig arriveerde met Herald uit San Francisco. Zelfs haar vader was verbaasd geweest om hem in Honolulu te zien. Maar hij was nog veel verbaasder toen hij hoorde dat dokter Chen in zijn huis in Chinatown was overleden aan een overdosis van een zeldzame, giftige plant.

Herald had het dagboek bij zich met de aantekeningen van dokter Chen over zijn medische onderzoek naar tropische ziekten die hij op zijn reizen in het Verre Oosten en in India tegenkwam. Hij vertelde dat het dokter Chens wens was geweest dat haar vader het dagboek kreeg. Jerome had Herald gevraagd om de aantekeningen om te werken tot een manuscript en zelfs nu probeerde hij de Gezondheidsraad nog over te halen om het werk te publiceren.

Hij was er echter nog niet in geslaagd om de belangstelling van de Raad te wekken. 'Niets anders dan kruiden en slangengif,' had dokter Ames gegrapt. 'Die laten geen nieuwe vingers en tenen groeien.'

'Ben ik zo'n grote dwaas?' had Jerome teruggegeven. 'Denk je dat ik met bloemblaadjes wil rondstrooien? In dit dagboek heeft dokter Chen zijn bevindingen van jaren van onderzoek en reizen genoteerd.'

Haar vader was zo woest geworden over wat hij beschouwde als een vernederende belediging van zijn collega's in de Gezondheidsraad dat hij zich had omgekeerd en uit de vergadering was weggelopen.

Ze liep naast Rafe in de onbarmhartige zon.

'Wat betreft die ontmoeting met Liliuokalani, morgen. Jij zegt dat Nora erbij zal zijn, met dokter Jerome. En hoe zit het met Hartley?' Hij keek haar aan.

'Ja, dokter Jerome zal ons beiden als zijn onderzoeksassistenten voorstellen.'

Eden kreeg het gevoel dat er ergens, net buiten haar blikveld, nog meer moeilijkheden op de loer lagen.

'Heeft jouw vader Hartley ooit naar zijn werk met Chen gevraagd?'

'Ik kan me niet her… oh,' haar stem werd onzeker. Plotseling bleef ze staan naast de donkere lavarotsen met de zee en het witte zand eronder.

Ze dacht terug aan een voorval aan de ontbijttafel op Koko Head. Haar vader had een merkwaardige opmerking over Herald gemaakt. Ze draaide zich snel naar Rafe toe en zijn blik werd indringender.

'Je herinnert je iets?'

'Ja. Ik was het volkomen vergeten. Het gebeurde in Tamarind House, toen ik daar was met dokter Jerome en Zachary, kort nadat Nora ziek was geworden. Candace had me een boodschap gestuurd en gevraagd of ik kon komen omdat Nora me wilde zien.'

'Ja,' zei hij geïnteresseerd. 'Dat herinner ik me.'

'Ik zei tegen mijn vader dat Herald iets vreemds had, wat ik niet begreep. Het verbaasde hem kennelijk en hij vroeg door. Ik vertelde hem dat het iets was wat Herald een paar maanden daarvoor in Rat Alley tegen me had gezegd.'

'Rat Alley? Over die epidemie, bedoel je?'

'Ja, je weet nog wel dat we daar met onze hospitaaltenten

stonden. Op een dag sprak Herald daar heel onverwacht zijn verbittering uit over dokter Chen.'

'*Verbittering*! Weet je dat zeker?'

'Ja, dat was nogal vreemd, vind je niet?'

'Dat zou ik zeggen. Zei hij ook waarom hij nog steeds zo verbitterd was tegenover Chen?'

'Niet direct. Daarom vroeg ik het later aan dokter Jerome in Tamarind House. Herald had iets opgemerkt over dokter Chen die "geen moed" had als het op onderzoek aankwam. Je moest bereid zijn "risico's te nemen", zo drukte hij het uit.'

Rafe verviel in een peinzend stilzwijgen en Eden kreeg haast het idee dat hij haar aanwezigheid vergeten was.

'Dus,' mompelde hij, 'dokter Chen had niet de moed om *risico's* te nemen. Hoe reageerde jouw vader daarop?'

'We werden helaas onderbroken en ik ben er later niet meer op teruggekomen. Wel heb ik nog gezegd dat Herald had verteld hoe mijn vader hem had geholpen toen hij voor dokter Chen in Calcutta werkte. Hij had problemen met alcohol en gokken en werd ontslagen door dokter Chen. Zijn reputatie was daarna bezoedeld.'

'Dus Chen ontsloeg hem. Vanwege alcohol en gokken?'

'Nou ja, daar ging hij niet op in. Ik neem aan dat het dat was.'

Rafe fronste. 'Hartleys verbittering lijkt verder te gaan. Je zei immers dat hij het over iets had dat hij als een zwakte beschouwde – Chen die geen risico's wilde nemen. Wat voor soort risico's bedoelde hij… medische?'

Ze dacht diep na. 'Ik begrijp wat je bedoelt…' ze had nog niet eerder over medische risico's nagedacht, maar Rafe kon gelijk hebben. Haar gedachten tuimelden over elkaar. Risico's… medische risico's… waarom klonk haar dat zo alarmerend in de oren? Wat was er verder gebeurd wat haar het idee gaf dat ze nog meer zou kunnen noemen?

Rafe leunde achterover tegen de grote lavasteen. 'Wat jij me vertelt, bevestigt een vermoeden dat ik al een tijdje over Hartley koester. Toen hij die dag op Kea Lani opdook, beweerde hij dat hij twee weken lang een warm en gezellig bezoek aan dokter Chen in San Francisco had gebracht. Weet je dat nog?'

'Ja, dat zei hij.'

'Hij suggereerde dat hij en Chen een diepe vriendschap deelden en dat ze over de goede oude tijd praten, toen zij en dokter Jerome met zijn drieën als zielsverwanten hadden samengewerkt. Als je zo naar hem luisterde, kreeg je de indruk dat hij dokter Chen op handen droeg.'

'Ja... en daarom was ik zo verrast toen hij in Rat Alley zijn verbittering liet blijken. Maar, Rafe, er is nog iets anders wat ik je wil vertellen. Mijn vader maakte een vreemde opmerking in Tamarind House. Nadat hij had uitgelegd hoe hij Herald in Calcutta tot Christus had gebracht, vertelde hij dat er onlangs iets was gebeurd – "de afgelopen paar weken", zei hij letterlijk – wat ernstige twijfels opriep.'

'Ik neem aan dat hij niet verder uitlegde wat hij bedoelde?'

'Nee. Hij vroeg me er niet over te praten. Hij wilde de zaak zelf gaan uitzoeken.'

'*De laatste paar weken...*', herhaalde Rafe, naar beneden kijkend. De rots waarop ze stonden gaf een fantastisch uitzicht over de zee en de golven die op het witte zandstrand dansten. 'Teruggerekend vanaf dat ogenblik in Tamarind House brengen "de laatste paar weken" ons dicht in de buurt van Hartleys aankomst uit San Francisco.'

Eden werd bedachtzaam. Ze keek Rafe aan en zag de ernst in zijn ogen.

'Met het medisch dagboek van dokter Chen,' zei ze.

'Met het dagboek en het nieuws dat Chen was overleden, ja. Dus Hartley vertelde jou dat dokter Jerome hem in Calcutta van de drank en het gokken had gered?'

'Ik herinner me dat Herald ooit zei dat hij met de on-aanraakbaren in Calcutta "diep in de goot zat", zoals hij het uitdrukte, toen mijn vader hem vond en opnam.'

'Hartley heeft dus waarschijnlijk het gevoel dat hij bij je vader in het krijt staat.'

Ze wilde het eigenlijk niet zeggen, maar ze moest. 'Hij zei me dat er niets was wat hij niet zou doen voor mijn vader,' gaf ze toe.

In het moment van stilte dat op haar woorden volgde, meende ze de dreunende hamerslag te horen van de rechter die een hard oordeel uitsprak.

Rafe keek haar met een ondoorgrondelijke uitdrukking op zijn gezicht aan. 'Ik neem aan dat Hartley interessante informatie kan geven over Chens onderzoek naar oosterse medicijnen, kruiden en dat soort zaken?'

'Hij is soms een wandelende encyclopedie. Hij heeft in India en op andere plaatsen in het Verre Oosten voor dokter Chen gewerkt, beweert hij.'

'Maakt hij de indruk hoog opgeleid te zijn? Zou hij bij-voorbeeld een bacterioloog kunnen zijn?'

'Dat lijkt me onwaarschijnlijk. Anders zou hij erover op-scheppen.'

'Misschien ook niet.'

Ze keek hem vragend aan. 'In het ziekenhuis mag hij in elk geval geen gevorderd onderzoek doen. Als hij een derge-lijke graad had, zou je denken dat hij het zou laten merken.'

'Behalve als hij dat niet kan.'

'Misschien is er iets in zijn medische achtergrond of werkverleden wat hij wil verbergen.'

Hij keek haar peinzend aan. Plotseling herinnerde Eden het zich. Een akelig gevoel van afkeer bekroop haar hart.

Rafe fronste en pakte haar vast. 'Lieverd, wat is er?'

'Rafe, iets heel onplezierigs. Het gebeurde gisterochtend

toen jij naar het ziekenhuis kwam. Ik praatte met Herald over de verbetering van de omstandigheden voor de patiënten in quarantaine, maar zijn reactie was ijzig koud, alsof die mensen alleen maar goed waren voor – experimenten.' Ze kon niet verder vertellen.

'Dat mag je inderdaad ijzig noemen. Zou dokter Chen zijn medisch dagboek aan zo iemand toevertrouwen?'

Eden keek bezorgd.

'Dokter Chen geloofde in het werk van mijn vader, net als mijn vader in dat van hem geloofde. Hij zou zeker niet gewild hebben dat al zijn jaren van onderzoek onopgemerkt zouden blijven.'

'Ik geloof onmiddellijk dat hij achter jouw vaders onderzoek stond, anders hadden ze niet zo lang samengewerkt in India. Misschien had hij zijn werk uiteindelijk aan jouw vader nagelaten, als hij lang genoeg had geleefd.'

Als hij lang genoeg had geleefd? De implicatie van die opmerking bezorgde haar een koude rilling. 'Dat… ik begrijp het niet. Je beschuldigt mijn vader toch niet van… ik kan dat woord niet eens uit mijn mond krijgen!'

'Moord? Natuurlijk niet. Ik zeg alleen maar dat iemand, en met name Hartley, gelegenheid had om het dagboek binnen de korte periode rond het overlijden van dokter Chen mee te nemen.'

Eden vocht tegen haar natuurlijke afkeer van Rafes onderzoek naar gebeurtenissen die verband hielden met haar vader. *God, help me om wijzer te worden,* bad ze. *Geef mij de moed om op Uw plan te bouwen, zodat de waarheid mag zegevieren en tot berouw en inkeer zal leiden.*

Ik kan mijn toekomstig geluk met Rafe niet weggooien om misdaden te verbloemen, al is de overtreder dokter Jerome.

Haar hart bleef ongelukkig bonken. Ik moet de waarheid onder ogen zien, dacht ze. Ik moet mijn integriteit tegenover God bewaren en geen uitvluchten verzinnen voor degenen van wie ik houd, of voor de zaken die ik steun. Als God de plannen om naar Molokai te gaan zegent, zal ik Rebecca zien en haar naar Kip kunnen vragen voordat ze sterft. En we kunnen nog altijd leprapatiënten helpen door barmhartig te zijn en de drukpers te zenden. Rafe doet al veel om mee te helpen. Ik moet erop vertrouwen dat God dit volgens Zijn plan aanpakt, niet volgens het mijne. Mijn plannen raken al te snel verstrikt in verkeerde methodes en drijfveren. *God, help me mij volkomen over te geven aan wat U wilt voor alle betrokkenen.*

Ze werd stil van binnen.

Rafe keek met ingehouden bezorgdheid en medeleven naar haar. Het feit dat hij begreep hoeveel zorgen en pijn deze situatie haar bezorgde, gaf haar meer vertrouwen in zijn koesterende liefde. Dapper rechtte ze haar schouders. Ze wilde niet de indruk wekken dat ze het soort vrouw was dat bij elke crisis instortte. Het leven was vol aardbevingen en stormen en een christen moest zijn kracht vinden in de beloftes van God en Zijn aanwezigheid. *Mijn genade is u genoeg, want de kracht openbaart zich eerst ten volle in zwakheid.*

En Hij had haar een man gegeven die haar verdedigde en door een crisis heen zou helpen. Wat zou ze nog meer kunnen wensen in dit leven?

De wind ruiste door de bomen. Ze hervond haar stem, ook al was haar keel droog van emotie.

'Misschien is er inderdaad iets in Hartleys verleden gebeurd,' redeneerde ze rustig. 'Maar dat betekent nog niet dat hij het dagboek van dokter Chen stal om het aan mijn vader te geven, als je dat denkt.'

'Dat is wat ik denk, Eden. En kennelijk besef jij die mogelijkheid ook.'

'Ja, maar op een of andere manier kan ik mezelf er niet toe brengen om dat te accepteren. Ik kan me niet voorstellen dat mijn vader bewust bij zo'n vreselijke diefstal betrokken zou zijn.'

'De huidige situatie is onduidelijk genoeg om dat gevoel te billijken,' zei hij vriendelijk. 'Als de opmerking die hij op Koko Head tegen jou maakte oprecht was, dan was hij niet betrokken bij de lagen en listen van Hartley. Misschien heeft hij de waarheid pas een paar weken na Hartleys aankomst ontdekt. Hoewel de implicaties hem niet lekker zouden zitten, zou hij in een dilemma verkeren over wat te doen. Hoe meer tijd er verstreek, hoe beter Hartley in staat zou zijn om weg te komen met zijn illusie van toegewijde vriend van dokter Chen, omdat…' Rafe stopte. Zijn kaak verstrakte en hij deed er het zwijgen toe.

Eden begreep het. Wat Rafe zei, zou wel eens waar kunnen zijn. Ja, zij had er steeds een naar gevoel bij. Dokter Chen, Chinatown, het dagboek, dat alles had steeds in haar achterhoofd gespeeld. De enige andere die de waarheid die dag op Kea Lani had geweten, was dokter Jerome − en hij had zich stilgehouden toen Herald zijn toewijding aan dokter Chen uitsprak en het medisch dagboek tevoorschijn haalde dat haar vader zo bewonderde. Had hij zich stilgehouden omdat hij het dagboek zo graag wilde hebben?

'Ik vreesde dat er iets mis was met het dagboek,' zei ze met afgemeten stem. 'En ik dacht dat jij dat ook onderkende.'

Rafe keek haar een paar tellen aan. 'Ik vond Hartley vanaf het begin verdacht.'

'Dokter Chen zou gewild hebben dat de verslagen van zijn jaren van studie en reizen naar een gelijkgezinde zouden gaan. Herald beweerde dat Chen zijn werk aan mijn vader wilde nalaten. We hebben beiden zijn uitleg gehoord.'

'Wat zei je ook alweer over Hartley? Er was niets wat hij niet voor dokter Jerome zou willen doen?'

Ze zuchtte. 'Ja, maar wat wil je daar precies mee zeggen, lieveling?'

'Dat Hartley de gelegenheid had om het dagboek mee te nemen. Hij was in de buurt van Chinatown, in de drie weken van Chens ziekte en dood.'

'Er waren er meer, onder wie ook dokter Chens eigen neef,' merkte ze op.

Zijn ogen lichtten op. 'Had dokter Chen een neef in Chinatown?'

'Ja, Herald noemde hem ooit een keer. Ik weet zijn naam niet meer.'

'Denk eens aan die Chinese man – de kingpin die dokter Jerome bij de tuin van Hunnewell ontmoette!'

Ze keek hem aan en haar adem stokte. 'Rafe, zou dat mogelijk zijn? Zou zijn neef het dagboek hebben gestolen en aan Herald hebben verkocht?'

Hij liep op en neer en schudde zijn hoofd. 'Als Hartley het dagboek had gekocht, kan hij er nooit veel voor hebben betaald. En wie betaalt hem? Dokter Jerome.'

'Ja, ik begrijp het. Mijn vader heeft niet veel geld en Herald nog minder.'

'In elk geval niet genoeg om een kingpin tevreden te stellen.'

'Maar dokter Chen was bekend,' redeneerde ze verder. 'Op sommige onderzoeksgebieden stond hij hoog aangeschreven. De dagboeken van zijn werk zouden dus veel kunnen opleveren in de juiste kringen.'

Ze zag dat Rafe niet overtuigd was.

'Laten we geen voorbarige conclusies trekken, in welke richting ook. Als de kingpin inderdaad Chens neef is, denk ik niet dat hij het dagboek stal en aan Hartley doorgaf. Onze kingpin is met grotere zaken bezig, zoals opium, net als Sen Fong ooit. Maar dat betekent niet dat hij niet betrokken zou kunnen zijn bij de kwestie van het dagboek, als hij familie is van dokter Chen. Misschien organiseerde Sen Fong de ontmoeting met dokter Jerome omdat er ergens een verband is met opium. We hebben geen tijd om het in Honolulu uit te zoeken. Maar ik weet nu wat ik weten moest over Hartley, en als de kingpin inderdaad familie is van Chen, heb ik zelfs nog meer. Het opduiken van Townsend in San Francisco is op dit moment nog belangrijker. Ik moet zondag op de boot stappen. In San Francisco kan ik Townsend opsporen en dan onderzoek doen naar de dood van Chen. Kom, we kunnen beter naar de bijeenkomst van Ainsworth teruggaan.'

Terwijl ze terugliepen naar het huis bleef Eden in gedachten verzonken. Ondanks de nieuwe schaduwen die dokter Chen en zijn dagboeken vooruitwierpen, was ze opgelucht nu ze Rafe had verteld wat ze wist. Hij had toch gelijk. Het delen, vertrouwen en bevestigen van hun verbondenheid had hen dichter bij elkaar gebracht. Dat gold zelfs voor het nieuws dat hij van plan was om de dood van dokter Chen te onderzoeken en de achtergrond van Herald Hartley uit te pluizen. Hoe verontrustend ook, het was beter dan geheimen bewaren en een schijn van harmonie ophouden tussen twee mensen die op het punt stonden één te worden.

Eden begreep nu waarom hij erop had gestaan dat ze hem haar geheimen zou toevertrouwen. Hij had beseft hoe belangrijk het was om eerlijk tegenover elkaar te zijn, en daar had hij naar gestreefd. Zij had de deur dicht en op slot willen houden en er de voorkeur aan gegeven om te doen alsof onaangename zaken niet overhoop gehaald hoefden te worden.

Het is nog niet voorbij, dacht ze. Het zal eerst nog slechter worden voordat het beter wordt. Maar ook voor een lange reis gold dat alles begon met de ene voet voor de andere te zetten, om een aanvang te maken in de juiste richting.

20

Grootvader Ainsworth liep over het groene karpet in de salon toen Rafe achter Eden binnenstapte. Hij zag dat iedereen
aanwezig was, behalve Zach, die nergens te bekennen viel.

Ainsworth begon zijn uiteenzetting over het belang van
de geloofwaardigheid van de naam Derrington, met het oog
op de annexatiebeweging waarmee ze verbonden was. Rafe
bedwong zijn ongeduld. Nora perste haar lippen op elkaar
bij het woord *annexatie*, maar bleef breien met haar witte wol
terwijl Ainsworth verderging.

Townsend had hun allemaal beschaamd, maar hij zou niet
overwinnen, daar zou Ainsworth uiteindelijk persoonlijk op
toezien. Ondertussen was het belangrijk om geduldig te zijn
en zich niet door persoonlijke zorgen tot impulsieve daden
te laten verleiden waardoor de familie de aandacht van de
kranten zou trekken.

Na een kwartier wist Rafe dat hij zich niet stil kon houden. *Voordat deze bijeenkomst voorbij is, word ik door de Derringtons gezien als een star en wraakzuchtig persoon zonder mededogen,*
bedacht hij grimmig. Hij besloot recht door zee te gaan en
sprak Ainsworth aan.

'Meneer, ik heb gisteravond al een telegram naar Parker
Judson gestuurd. Ik heb hem gevraagd om een detective in
te schakelen van het bureau Pinkerton dat hij twee maanden
geleden heeft aanbevolen.'

Zoals te verwachten viel, trok de mededeling de aandacht
van allen. Ainsworth keek het meest verbijsterd, terwijl Nora
haar blik op haar tikkende breinaalden gericht hield.

'Vrijwel iedereen hier weet inmiddels dat Celestine mij
laatst een telegram stuurde uit San Francisco,' ging Rafe ver-

der. 'Ze had gezien hoe Townsend het landhuis van Parker Judson op Nob Hill in de gaten hield. Na alles wat er is gebeurd, wordt het noodzakelijk om hem op te sporen.'

'Ja, dat moet,' zei Nora vermoeid. 'Hij heeft gelijk, Ainsworth.' Ze keek onaangedaan naar haar broer, wiens gezicht vertrok. 'Het is gebeurd met al dat pappen en nathouden. Ik steun Rafe hier in. Hij heeft evenveel reden om Townsend te willen aanpakken als ik. Ik ben nog hersteld van diens onbesuisde en gewelddadige gedrag, maar Matt Easton niet.'

'Ze heeft gelijk,' zei Candace onderkoeld. 'Hoe eerder deze ellendige zaak met oom Townsend voorbij is, hoe beter voor ons allemaal. Het is echt afschuwelijk. Soms denk ik dat ik middenin een nachtmerrie zit.'

Hun steun verraste Rafe niet echt, maar de kracht van hun vastberadenheid wel. Silas hield echter zijn mond. Hij stond in de buurt van de lanai, alsof hij zich aan de rand van de familie bewoog. Rafe hield hem nauwlettend in de gaten. *Hij worstelt. Binnenkort zal hij moeten beslissen aan wiens kant hij staat.*

Hij wendde zich weer tot Ainsworth.

Het familiehoofd leek te weten wanneer hij het pleit verloren had en hij knikte instemmend. 'Ik kan meegaan met het inzetten van een detective, maar ik had een bepaalde man op het oog die voorzichtigheid betracht in het contact met de kranten.'

'Als ik dat telegram niet had gestuurd, zou Celestine zelf actie hebben ondernomen,' zei Rafe. 'Ik denk niet dat u zich druk hoeft te maken over de kranten. Parker Judson is niet iemand die onoordeelkundig te werk gaat. Ook hij is kritisch waar het journalisten betreft. Hij deelt onze opvatting over de noodzaak om krantenkoppen te vermijden.'

'Goed, Rafe,' zei Ainsworth. 'Het is in jouw handen. Je hebt gelijk wat Parker betreft. Hij is een oud-collega, we hebben samen veel meegemaakt. Niettemin zal Townsend niet aan de autoriteiten worden overgeleverd voordat ik met mijn zoon kan praten. Ik vraag dat niet omwille van Townsend, maar voor jouw eigen bestwil, begrijp dat goed. Je moet je woede of zelfs de gerechtigheid niet toestaan om je eigen vruchtbare leven te verwoesten. Ik ben afhankelijk van jou. Dat zijn we allemaal. De Derringtons en de Eastons. Ambrose kan je vertellen wat de dodelijke oogst van de wraak is.'

Het werd stil. Rafe was verbaasd over alle genegenheid die Ainsworth tentoonspreidde. *Kan ik hem geloven? Vraagt hij dit om mijn bestwil?*

'En Parker weet wat er op het spel staat voor de annexatiecommissie die naar Washington gaat,' ging de oude Derrington verder.

'Onzin,' bromde Nora. 'De annexatiecommissie moet ontmaskerd worden.' Ze legde haar breiwerk opzij, op de witte wol.

Ainsworths borstelige wenkbrauwen kropen naar elkaar toe terwijl zijn lichtgrijze ogen haar opzochten. Anders dan Rafe zag hij er de grap niet van in. 'Het is de corrupte monarchie die ontmaskerd moet worden, Nora.'

'Nu ga je te ver, Ainsworth,' wees Nora hem terecht. 'Liliuokalani is allesbehalve corrupt.'

'Ik weet dat je bevriend bent met Liliuokalani, maar zij laat haar oren hangen naar de vertegenwoordigers van de gok- en opiumkartels. Het is de Reform Party die haar wetten wegstemt, die Hawaï anders aan nog meer corruptie zouden overleveren. Ik verbaas me erover dat je haar de hand boven het hoofd blijft houden. Ik nodig je uit je aan te sluiten bij degenen die het beste voor hebben met de eilanden.'

Rafe hoorde de voordeur zo hard open- en dichtgaan dat de ruiten ervan rammelden. Zware voetstappen kwamen door de hal in de richting van de salon waar de familie bijeen zat. Candace stond snel op en keek gespannen.

Rafe draaide zich om. Zachary stond in de ovale doorgang, zijn blonde haar in de war, zijn koele blauwe ogen vernietigend op Silas gericht, aan de andere kant van de salon. Als blikken hadden kunnen doden, zou de halfbroer van Zachary geen schijn van kans hebben gehad.

Rafe liep op de ziedende Zachary af, die iets in zijn hand hield – een wandelstok met een zilveren knop in de vorm van een wolvenkop.

Met een laatdunkend gebaar stak hij het voorwerp in de richting van Silas. 'Is dit moordwapen van jou?'

'Zachary, waar gaat dit over?' vroeg grootvader Ainsworth gedecideerd.

Silas reageerde cynisch en geamuseerd. 'Wapen? Je bedoelt mijn hooggeroemde wandelstok?'

'Met een *zware* zilveren knop.' Beschuldigend stak Zachary de stok weer vooruit.

'Die moet ik in het rijtuig van Candace hebben laten liggen. Ik kwam haar onderweg tegen en ze gaf me een lift.' Silas trok een wenkbrauw op. 'Kom op broertje, zoals ik Candace al eerder vertelde, vind ik die knop niet zo geweldig, maar het is een fraaie replica van de grijze wolf, vind je niet? Gemaakt door een beroemde kunstenaar in het Grote Noordwesten.'

Rafe hield het steekspel met woorden nauwlettend in de gaten, klaar om in te grijpen zodra Zachary zijn zelfbeheersing zou verliezen en Silas zou aanvliegen.

'Waag het niet de oudere broer tegen mij uit te hangen,' brieste Zachary. 'Jij weet precies wat ik bedoel met die zware knop.'

'Ik vrees van niet, ouwe jongen, dus waarom ga je niet gewoon…'

'Ik ben je ouwe jongen niet, en noem me ook geen broer.'

'Wees gerust, ik zal je niet lastigvallen met een dergelijke buitensporige aanmatiging.'

'Rustig aan, Zach,' zei Rafe, die naar hem toeliep om het zicht op Silas te blokkeren. 'We willen hier geen ongelukken.' Hij pakte de wandelstok voordat Zachary kon reageren. Even keek hij Rafe woedend aan, maar toen knipperde hij met zijn ogen en wendde zijn blik af. Hij wees naar Silas.

'Hij gebruikte die stok om mij op mijn hoofd te slaan!'

'Dat gaan we uitzoeken. Blijf rustig.'

Ainsworth kwam naar voren. 'Zachary, jongen, wat moet dit voorstellen? Ik schaam me voor je gedrag. En dat in het bijzijn van je oudtante Nora, Candace en Eden. Een discussie kan ook plaatshebben zonder woedeuitbarstingen. Ik tolereer dat niet in dit huis. Dus kalmeer en zeg wat je te zeggen hebt, of we praten er nu helemaal niet meer over.'

Zachary werd stil, maar zodra Silas naar voren stapte, veerde hij weer op.

'Dit heb je gebruikt om mij in de tuin van de Hunnewells op mijn hoofd te slaan.'

Rafe zag de woede in Silas' donkere ogen oplaaien.

'Nu moet je eens eventjes luisteren,' zei hij. 'Je weet niet waar je het over hebt. Waar beschuldig je mij van?'

'Dat heb je wel gehoord!'

'En jij bent hier de christen?' Hij snauwde Zachary de woorden met minachting toe. 'Jij stormt hier zomaar de kamer binnen zonder enig respect voor alle aanwezigen. Ha!'

Zachary keek alsof Silas hem had geslagen.

De laatste greep naar de wandelstok, maar Rafe hield hem stevig vast. Ainsworth dirigeerde Zachary door de kamer naar een stoel.

'Ainsworth kan die stok beter bewaren totdat deze kwestie is opgehelderd.'

Alle mildheid en hoffelijkheid verdwenen uit het gezicht van Silas. Woede tekende zijn trekken en zijn ogen werden hard. Hij begon iets te zeggen, maar stopte. Daarop keek hij naar Zachary die met zijn hoofd in zijn handen in een stoel zat.

'Ik heb genoeg van deze familie. Ik heb genoeg van de leugens, de jaloezie, de pretenties. Ik ben weg!' schreeuwde

Silas. Hij stormde de salon uit en een ogenblik later sloeg de voordeur weer dreunend dicht.

Rafe keek hem na. De stilte die volgde was zwaar van emotie.

Zachary leek zijn oplaaiende gevoelens weer in bedwang te krijgen. Hij kreunde en legde uitgeput een hand tegen zijn voorhoofd. 'Het spijt me,' zei hij. 'Het spijt me.'

Eden keek meelevend naar hem en legde bij wijze van stille steun een hand op zijn schouder. Ze ging tegenover hem op een bankje zitten en boog haar hoofd in gebed.

Rafes hand raakte even haar schouder voordat hij naar het raam liep om te zien in welke richting Silas vertrok. Toen hij de eenzame figuur met gebogen hoofd en de handen diep in zijn zakken naar het strand zag benen, verliet hij de salon om achter hem aan te gaan.

★

Hij vond Silas op het strand naast een paar kromme, lenige palmen, waar hij naar de zee stond te staren.

Silas liet geen verbazing blijken toen hij naast hem kwam staan. Aan zijn vermoeide gezicht zag Rafe dat hij ontgoocheld was, ongetwijfeld vanwege de haat van Zachary. Hij droeg een last en was schuldig verklaard.

'Als je van plan bent om naar het midden van de zee te zwemmen, zou je dat weinig goed doen,' zei Rafe luchtig.

Silas reageerde met een wrange grijns om zijn mond. 'Uit de koekenpan in het vuur, nietwaar?'

'Zoiets. Jij moet eens goed en lang met Ambrose praten. Dat is de man die we allemaal opzoeken als we het niet meer weten. Sommigen van ons doen dat al sinds we jongens waren.'

Hij knikte. 'Jij en Keno. Ik mag Keno. Dat zou een echte vriend zijn. Die kom je in het leven niet zo heel vaak tegen.

En sommigen van ons zelfs nooit,' voegde hij er bitter aan toe.

'Maar je moet er zelf ook een hand voor uitsteken.'

'Er was een tijd dat het me allemaal niets uitmaakte. De Derringtons, het lot van Hawaï, wat dan ook.' Hij aarzelde. 'Maar toen ik vorig jaar hier kwam, de familie ontmoette en... nou ja, betrokken raakte, toen kreeg het allemaal betekenis.'

'Je hebt in San Francisco gewerkt, nietwaar? Bij de *Observer*?' Hij had zijn redenen om het te vragen, maar vermeed elke hint in zijn stem.

'Nee, in Sacramento. Ik werkte voor de *Sacramento Journal*. Toen kreeg ik een uitnodiging om naar Honolulu te komen en de rest van de Derringtons te ontmoeten. Het was wat ik altijd al had gewild. En dus kwam ik. Ik heb er geen spijt van, hoewel Zachary mij haat als indringer.'

Rafe richtte zijn volle aandacht op Silas. Dit was voor het eerst dat er sprake was van een uitnodiging naar Honolulu. Hij had gehoord dat Silas uit zichzelf was gekomen. Dat hij al een maand op Hawaï was voordat hij ooit op Kea Lani verscheen.

'Een uitnodiging van je oudtante Nora zeker?' suggereerde Rafe om een reactie te krijgen.

Silas keek hem onbewogen aan, alsof hij een protest verwachtte wanneer hij het antwoord zou geven. 'Oudtante Nora? Nee. Waarom denk je dat? De uitnodiging kwam van Townsend.'

Townsend... had zijn eerstgeborene, zijn buitenechtelijke zoon laten komen terwijl hij heel goed wist wat de schok van diens komst met Celestine en Zachary zou doen. Daarom had hij het gedaan? Hij had er geen voordeel van gehad wat Celestine betrof, en ook niet bij Zachary, die de zijde van Nora en de monarchie had gekozen om uit te halen naar zijn grootvader Ainsworth voor wat hij als afwijzing beschouwde. Wat was Townsend wijzer geworden van de komst van Silas? Misschien de aanwezigheid van een verborgen zoon die hem meer aansprak dan Zachary. Maar nu Townsend zelf op de vlucht was, had hij ook dat verloren.

'David schreef in de psalmen: *Ik zei in mijn angst: alle mensen zijn leugenachtig.* Wat is de ware reden voor jouw plotselinge komst?'

Silas stak zijn handen in zijn zakken en keek strak naar het opkomende tij.

'Voor wie werk je?'

Silas bleef zwijgen.

Rafe kneep zijn ogen half dicht en zette zijn handen op zijn heupen. 'Dan zal ik het jou vertellen. Zachs veronderstelling was correct. Je werkt voor het gokkartel uit Louisiana. Je kwam om de Derringtons te bespelen als de dwazen voor wie je ze hield. Uit wraak wilde je zoveel mogelijk schade aanrichten en zoveel mogelijk geld bemachtigen van Townsend. Maar wat je niet voorzien had, was dat je je voor het eerst van je leven geaccepteerd voelde, en dat beviel je. Je halfbroer accepteerde je uiteraard niet, maar je grootvader en Nora ontvingen je wel met warmte. Zelfs Townsend schepte over je op. Eden en Candace accepteerden je ook en je was niet meer alleen. Je begon het leuk te vinden om een Derrington te zijn. Je kon in de spiegel kijken en meer zien dan alleen een gokker. Voor het eerst van je leven kon je een band aangaan met meer dan een kaartspel en een fles whisky. Je werkte nog steeds voor het gokkartel – je moest wel. Zij zouden Ainsworth de waarheid kunnen vertellen als je weigerde. En dus ging je met je grootvader mee naar de Annexatie Club om zowel hem als het kartel een plezier te doen. Zij hadden een spion nodig om hen van alles op de hoogte te stellen wat hun kon dwarsbomen bij hun druk op de koningin om de gokwet aan te nemen.

Wat was de werkelijke reden waarom je die avond in de tuin van Hunnewell was? En nu de waarheid, voor de verandering. Je kwam naar me toe om me te waarschuwen voor het gevaar dat Celestine mogelijk liep met Townsend. Je verzweeg niet dat hij haar sloeg. Ik denk niet dat je jezelf zou hebben blootgegeven als je geen gevoel had voor wat goed en fatsoenlijk is. Wat dacht je dan van de waarheid? Of heb je er de moed niet voor?'

Silas schopte in het zand. 'Goed, goed! Jij bent een slim baasje, hè?'

'Ik ga alleen op de feiten af.'

'Ik zal het je vertellen. Je hebt het voor het grootste deel bij het juiste eind. Ik kwam inderdaad naar Hawaï om de redenen die je noemde. En het is ook waar dat Townsend me uitnodigde. Ik liet de brief aan het kartel in New Orleans zien – dwaas die ik was. Ik had gedronken, ik praatte teveel en schepte erover op dat ik een Derrington was. Kijk eens wie mijn vader is? Ze waren er heel opgewonden over. Er waren al plannen in de maak om het kartel naar Hawaï uit te breiden. Ze zouden er meer geld kunnen verdienen dan in New Orleans en Gretna. Ze hadden een spion nodig, en wie konden ze dan beter gebruiken dan een familielid van de Derringtons, een van de vier grote suikerfamilies van de eilanden? Het was perfect.

Toen ik weer nuchter werd, was ik kwaad. Kwaad op Townsend. Het was zijn brief die me in die positie had gebracht. Wie dacht hij wel dat hij was dat hij zo laat in mijn leven plotseling contact opnam? En ik was kwaad op alle Derringtons!'

'Dat heb ik altijd al gedacht. Je had verwacht dat je onbarmhartig wraak zou nemen en in plaats daarvan ontving je een achterstallige betaling. Je ontdekte dat Townsend overal in Honolulu over je opschepte, zeer tot ongenoegen van Zach.'

Silas fronste. 'Als je daarmee wilt zeggen dat ik Townsends karakter heb geërfd, ben je iets te snel met je conclusies.'

'Ambrose kan je alles vertellen over het karakter dat we allemaal van onze ene aardse voorvader hebben geërfd. Je weet hoezeer Zach je verafschuwt, is het niet?'

'Ik heb er wel enig idee van,' antwoordde Silas terwijl zijn ogen glommen als staal. Zelfs zijn standaardglimlach, hoe onoprecht ook in Rafes ogen, was verdwenen.

'Kun je het hem kwalijk nemen?' gaf Rafe terug. 'Sinds jij naar Honolulu kwam, is Zach steeds verder in de hoek gedrukt. Zelfs Ainsworth besloot dat Zach niet de meest gekwalificeerde kleinzoon was om de suikerproductie van de Derringtons te leiden.'

'Ik verheug me niet over zijn verlies. Het heeft mij evenzeer verrast als hem.'

'Wat heb je gedaan om contact met hem te krijgen? Hij is tenslotte een halfbroer. En jij bent de oudste.'

'Je hebt hem net in huis gehoord. Als ik een hand uitsteek, hakt hij hem af.'

'Zach is emotioneel. Het zal tijd vergen om iets van een relatie met hem op te bouwen, maar hij heeft een broer nodig.'

'Een broer zoals jij misschien, niet zoals ik. Hij veracht me. Ik ben een gokker, een drinker zonder hogere opleiding.'

'Volgens mij hebben jullie elkaar nodig. Begin eens met een brief te schrijven en over jezelf te vertellen. Maar nu terug naar de hoofdzaak. Je kwam hier om de zaak op de kop te zetten, niet om vrienden te maken.'

'Heel juist,' beaamde Silas uitdagend. 'Tot voor kort zou ik me over geen van hen hebben bekreund. Toen ik hier aankwam, dacht ik dat het allemaal dwazen waren en dat ik er plezier in zou hebben om ze te gebruiken. Maar je hebt gelijk, zo liep het niet. Ik merkte dat ik de familie begon te mogen. Ze vulden een soort leegte van binnen. Het was prettig om me voor de verandering een keer gewenst te voelen, in plaats van in het nauw gedreven, als een rat in een goktent.'

'Voor wie werk je hier in het gokmonopolie van Honolulu?'

Silas aarzelde. 'Laten we zeggen, een zekere inwoner van Louisiana.'

'En hij is hier in Honolulu, nietwaar?'

'Ik zal je niet vragen hoe je dat hebt uitgevonden. Ja. En hij heeft in het geheim toegang tot de koningin. De mensen om hem heen misleiden haar.'

'Ze misleiden haar?'

Silas keek hem aan. 'De koningin gelooft in tarotkaarten, en ook in een zekere waarzegster, een spiritiste. Het is een vrouw uit Duitsland, uit Berlijn. Zij adviseert haar om aanbiedingen van de gokkers te accepteren, de nieuwe Gokwet aan te nemen en de verkoop van opium toe te staan, in ruil voor inkomsten voor de monarchie. Uiteraard ontkent de koningin dit alles om publiek oproer te voorkomen.'

Rafe dacht aan de vrouw die Eden bij het ziekenhuis had gezien.

'Die Duitse vrouw,' vroeg hij verder, 'die waarzegster. Heeft zij in het Royal Hawaiian Hotel verbleven?'

Silas keek hem begrijpend aan. 'Dus je hebt haar gezien. Ja, zij is het. Ze is een bedriegster, maar zeer bedreven in wat ze doet. Spionnen van het kartel achterhalen bepaalde feiten over mensen en kwesties waarmee de koningin te maken heeft. Dan volgt er een geheime ontmoeting tussen de waarzegster en de koningin in het Iolani-paleis, waarbij de Duitse haar vertelt wat ze van die mensen kan verwachten. Vervolgens wordt het zo gearrangeerd. Ze zeggen haar zelfs wanneer ze haar voorstellen voor een nieuw kabinet naar de Legislatuur moet zenden voor bevestiging. Maar de koningin zal alles uiteraard ontkennen. Vervolgens komt er een anonieme brief binnen, zogenaamd van een aanhanger van de koningin, om haar voor bepaalde onbetrouwbare personen te waarschuwen. In de brief staat in grote trekken dezelfde informatie die de waarzegster met haar tarotkaarten had verkondigd. Ze willen die Gok- en Opiumwet koste wat kost aangenomen zien, begrijp je?'

Rafe keek niet op van de tactieken van het kartel waar het om geld ging. Maar de tarotkaarten waren wel een verrassing.

'Er is een man bij die waarzegster, nietwaar?' merkte hij op. *En hij had niet gezien willen worden.*

'Dat is de handelaar uit Louisiana. Maar dat heeft hij de koningin niet verteld. Hij zegt haar dat het aannemen van de Gokwet de monarchie bergen geld zal opleveren. Goed, dat is ongeveer hoe het werkt,' zei Silas vermoeid.

Rafe was een en al interesse. Het pad kronkelde naar het einde. Hij zag de hoofdrolspelers, de nevel trok op en het begrip begon te dagen.

'Ze volgden Sen Fong die avond naar het ziekenhuis in Kalihi,' reconstrueerde hij. 'Althans de waarzegster. Eden zag haar op de trap voor de ingang. Wat deed ze daar? Controleren of Sen dokter Jerome inderdaad naar de Hunnewells bracht?'

Silas leek nu minder op zijn gemak, alsof hij weer tot zichzelf was gekomen en schrok van zijn opwelling om Rafe alles te vertellen.

'Ja, zo was het. Luister, Rafe, ik had niets te maken met de moord op Sen Fong. Die greep mij evenzeer aan als de rest van jullie, en nog steeds. Sen Fong had zich tot God bekeerd en werd uit de weg geruimd omdat hij waarschijnlijk niet meer voor het kartel zou werken. Je begrijpt dus ook in welke positie ik me bevind!'

'Jij zit er al tot je nek in, Silas. Ook al zeg je verder geen woord meer. Als je de waarheid serieus neemt, krabbel je nu niet terug. Ik denk in elk geval niet dat jij iets te maken had met de dood van Sen Fong. Maar we weten wel waarom hij werd gedood. Wat ik niet weet, is waarom de kingpin in contact wilde komen met dokter Jerome. Ik heb zo mijn vermoeden, maar ik wil het eerst vanuit jouw perspectief horen. Waarom was jij in de tuin van Hunnewell?'

De ander haalde zijn schouders op. 'Ik was de spion, weet je nog? Het was mijn opdracht om het annexatiemanifest van Hunnewell te stelen. Op dat moment begon ik van mezelf te walgen. Ik wilde het niet doen. Ik wilde helemaal breken met het gokkartel om me aan de suikerindustrie van de Derringtons te kunnen wijden. Wat mij overkwam, beviel me. Ainsworth mag me graag, net als Nora, Eden en Candace – alleen jammer van Zachary… en ik heb hem niet op zijn hoofd geslagen met die wandelstok!'

'Dus uiteindelijk deed je wat het kartel wilde en je stal het manifest. En toen?' *Nu kwam het…*

'Ik kreeg opdracht om het door te geven aan Jerome, die het aan de koningin zou geven tijdens zijn ontmoeting en gesprek over de kliniek op Molokai.'

Die ontmoeting was de volgende dag.

Rafe voelde zich plotseling moe. Hij keek naar de golven die de palmbomen langzaam maar zeker steeds dichter naderden over het witte zand.

'Sen Fong haalde Jerome op om met de Chinese kingpin te praten,' zei hij nadenkend. 'Waar hadden ze het over? Dat er een eind moest komen aan het Bijbelonderwijs aan de Chinezen?'

'Hoe heb je dat uitgeknobbeld?'

'Ambrose legde het uit, na de moord op Sen Fong. Hij en Jerome hielden Bijbelstudies op de suikerplantages. Hun succes gaat ten koste van de opiumopbrengsten omdat er klanten wegvallen.'

'Ik kan je verzekeren dat ik niets met opium te maken had. Ik maakte alleen deel uit van het plan om het manifest te stelen en aan dokter Jerome te geven.'

'Dus je stal het manifest en gaf het op de lanai achter het huis aan dokter Jerome.'

'Hoe kun jij dat weten?'

'Het is maar een veronderstelling. Ik zag daar iemand tijdens de bijeenkomst. De vraag die mij al die tijd al dwarszit, is waarom Jerome meewerkte. Ik heb wel een idee, maar ik hoop dat ik ernaast zit.'

'Dat zou ik je niet kunnen zeggen.'

Rafe zweeg. Hij dacht aan Eden en was niet blij met de bevestiging van zijn verdenkingen. Plotseling schoot hem de ontmoeting met Zachary te binnen en hij draaide zich met een ruk om naar Silas. 'Zach kwam die avond dat hij in de tuin werd geslagen naar mijn hotelkamer. Heb je enig idee of iemand anders hem met die wandelstok sloeg?'

'Oliver verkocht hem een klap.'

Rafe hield zijn hoofd schuin. 'Hoe weet je dat?'

'Ik heb het allemaal gezien. Oliver hurkte achter de muur naast het hek. Toen er voetstappen naderden pakte hij een van die siersteen die Hunnewell overal in zijn tuin heeft liggen. Zach verscheen op het verkeerde moment. Ik zag hoe Oliver hem op zijn hoofd sloeg en achter een paar struiken bij de muur sleepte. Toen sloop hij snel door de tuin om Keno op te vangen, die via de zij-ingang voor het personeel binnenkwam. Ik heb het hele drama gezien. Ik mocht Oliver Hunnewell voor dat incident al niet, maar nu nog minder. Het was dan ook een bijzonder genoegen om het manifest mee te nemen voordat hij het van zijn eigen vader kon stelen om het aan de Engelsen te geven. Ik ben alleen blij dat Eden niet vóór Zach door dat hek kwam, hoewel Oliver zich dan misschien had kunnen inhouden.'

'Je hebt gelijk. Het is maar goed dat ze niet als eerste kwam,' zei Rafe zacht en dreigend. 'Want als hij haar een klap had verkocht, dan… maar daar kunnen we beter niet op ingaan.'

'Daar twijfel ik niet aan. Oliver vermoedde misschien dat Zach Keno zou kunnen tegenkomen in de tuin, wat alles in de war zou sturen. Als zij samen naar jou toe zouden gaan om de boodschap over Townsend over te brengen, had dat Olivers plan verijdeld. Hij wilde een grote scène met Keno schoppen, als dekmantel voor zijn diefstal van het manifest.'

'Verdacht hij jouw als zijn aartsrivaal voor dat stuk?'

'O, hij verdacht me absoluut. Hij heeft waarschijnlijk van

de Engelsen over mij gehoord. Die zijn op de hoogte van wat het gokkartel op Hawaï probeert te bereiken. Ze hopen er een tropisch Monte Carlo in de Stille Oceaan van te maken, of een tweede New Orleans. Ze stellen zich voor dat mensen van over de hele wereld hierheen komen om zich te vermaken. Luxehotels, exotisch eten — tel er de casino's, de kroonluchters en de rijken bij op en ze kunnen hier evenveel geld binnenhalen als in Monte Carlo. Daarom doen ze er alles aan om invloed uit te oefenen op Liliuokalani.'

Rafe was op de hoogte van de plannen om Hawaï in een gokparadijs te veranderen. En de koningin stond er positief tegenover omdat haar was verteld dat het gokken enorme geldbedragen zou opleveren voor de bijna lege schatkist van de overheid in Honolulu. Koning Kalakaua, Walter Murray Gibson en anderen die met eigen ogen de luxueuze levensstijl van de koninklijke elite in Londen en Parijs hadden gezien, wilden dezelfde extravagantie voor de Hawaïaanse koningen en koninginnen.

'Oliver kwam op een avond naar me toe en bood me een flink bedrag als ik het manifest dat zijn vader voor president Harrison had geschreven aan hem wilde geven.'

Rafe keek hem nieuwsgierig aan, benieuwd naar zijn antwoord. Silas grijnsde. 'Ik hield de boot af door hem te zeggen dat ik niet wist waar hij het over had.'

'Leek hij overtuigd?'

'Nee. Maar hij moest het ermee doen omdat Candace toevallig uit haar slaapkamer op de lanai kwam en de achtertuin in keek. Zij zag ons.'

Het tij kwam snel op en een grote golf dreigde hen te overspoelen. Snel sprongen ze op de schuingegroeide palmen en hielden zich vast totdat de golf zich terugtrok, om vervolgens naar een lavarots boven het strand te rennen. Rafe keek op zijn horloge. Dokter Jerome was nog in het ziekenhuis. De volgende dag zou hij 's middags een ontmoeting hebben met Liliuokalani in het Iolani-paleis.

'Overmorgen stap ik aan boord van de boot. Ik heb een laatste raadgeving voor jou, Silas. Het gokkartel zal je blijven chanteren om je de slaaf te maken van hun wensen. En hoe langer het duurt, hoe risicovoller hun eisen voor jou zullen worden. Ze zullen wegen vinden om jouw positie als Derrington uit te buiten. Stap er nu uit. Breek met hen voordat de kettingen te strak worden aangetrokken. Hoe langer je wacht, hoe hoger de prijs die je betaalt. Vertel Ambrose alles wat je mij hebt verteld en vraag zijn raad. Hij kan voor jou bemiddelen bij Ainsworth. Als het je ernst is om je leven te veranderen, is er een weg. God kan je uit het moeras omhoogtrekken en je met beide voeten op een stevige rots zetten. Je weet nu wat je moet doen. Ga met Ambrose praten.'

Hij stak zijn hand uit naar Silas, die verbluft leek. Hij keek naar de uitgestoken hand, die hij aarzelend aannam, om hem daarna ferm en dankbaar te schudden.

Rafe draaide zich om en klom over het pad terug naar Kea Lani. Zijn paard wachtte. Eden mocht hem niet zien vertrekken om met dokter Jerome te gaan praten. Hij kon haar de feiten zoals ze nu lagen niet vertellen.

Het was van het grootste belang dat hij Jerome aansprak voordat hij de volgende middag zijn ontmoeting had met de koningin.

Vanaf de lavarots keek Silas Rafe Easton na tot hij uit het zicht verdween, om zich daarna weer naar het strand toe te draaien, waar de golven hun hoogste stand bereikten. Ze hadden het nog maar net gered naar de rots. Hij keek naar de schuimende golven die naar binnen rolden en weer terugtrokken naar zee, alles meeslepend wat geen wortels had.

God kan je uit het moeras omhoogtrekken en je met beide voeten op een stevige rots zetten.

Je weet wat je moet doen.

21

Rafe kwam aan bij het quarantainekamp in Kakaako, dicht bij de ingang van de haven van Honolulu, en zocht het geïmproviseerde laboratorium van dokter Jerome op. De bungalow deed hem aan een militaire barak denken. Op het moment dat hij naderde, ging de deur open en kwam er een man in een witte doktersjas naar buiten.

Herald Hartley?

Het was dokter Clifford Bolton. Zonder Rafe op te merken, liep Bolton met een ernstig gezicht en ongewoon langzame en precieze stappen van de ruwhouten trap af. Hij zag er een beetje verfomfaaid uit. Zijn linkervoet leek te verslappen en hij greep naar de leuning, maar belandde niettemin op een knie.

Rafe sprong naar voren en hielp hem overeind.

'Ach, Rafe Easton, dank je wel… ik verloor mijn evenwicht eventjes.'

'Ik hoop dat u uw voet niet hebt bezeerd. Voorzichtig,' zei hij terwijl Bolton een stap naar beneden deed. 'U bent blijven haken aan die uitstekende spijker…' hij reikte naar beneden om de broekspijp los te maken.

'Nee!'

Snel trok hij zijn hand terug, terwijl Boltons vermoeide gezicht rood werd van schaamte. Rafe glimlachte en deed alsof hij de ongewone reactie niet had bemerkt.

'Eh, dank je, Rafe, ik maak het wel los.' Clifford Bolton boog voorover en trok aan de dikke, linnen zoom, die echter niet los kwam. Hij weigerde de broekspijp omhoog te trekken, zoals Rafe wilde, waardoor zijn enkel zichtbaar zou worden. Zijn hand trilde zichtbaar.

De arts werd steeds roder in zijn gezicht. 'Als je misschien die zoom los kunt maken…'

Rafe bukte weer en maakte de stof los, waarbij hij ervoor zorgde dat de broekspijp niet omhoog kwam. Met een glimlach kwam hij weer overeind. 'Eindelijk weer vrij.' Om de vreemde spanning te breken voegde hij er onmiddellijk aan toe: 'Is Jerome in het laboratorium?'

'Eh, ja, binnen,' antwoordde Bolton zacht.

Rafe stapte opzij en liet hem over de trap passeren. De arts bedankte hem opnieuw en liep over het zanderige terrein met zijn vergeelde graspollen naar een van de quarantainehutten die op palen waren gebouwd.

Rafe keek hem met een ernstig gezicht na. Het ontbrak Bolton aan zijn gewone energie en Rafe voelde een vlaag van deprimerende somberheid, een emotie die makkelijk op te pikken was in een omgeving waarin alle hoop ontbrak. Uit het vreemde gedrag van Bolton en diens angst om zijn blote enkel te tonen, was het niet moeilijk te raden wat er aan de hand was.

Rafe liep het lage gebouw binnen en keek in de richting van het voorste bureau, waar hij Hartley verwachtte te zien. Het gebouw was echter stil en leek leeg. Bolton had gezegd dat Jerome er was en dus liep hij door naar de open ingang van een kleine kamer, waar dokter Jerome over een aantal reageerbuizen op een lange tafel gebogen stond. Achter hem zaten ratten, een paar konijnen en drie kippen in kooien.

Jerome keek op toen hij het geluid van Rafes voetstappen hoorde. Zijn verraste uitdrukking verdween al snel van zijn gezicht… het was een van de weinige keren dat de dokter ontspannen was in Rafes bijzijn. Er verscheen een glimlach op het magere, verweerde gezicht dat de sporen droeg van jarenlang reizen door de tropische streken van de wereld.

'Hallo, Rafe. Kom binnen.' Zijn diepliggende ogen verrieden de vastberadenheid om zijn doelen te verwezenlijken.

Ze keken langs hem heen naar de voorkant van de bungalow. 'Is Eden bij je, terug van de vergadering op Kea Lani?'

Rafe zuchtte inwendig. Op het moment dat een goede verstandhouding met zijn toekomstige schoonvader mogelijk leek, was hij gedwongen om over de tuin van Hunnewell en het manifest te beginnen.

'Nee, ze is bij de familie gebleven.'

Dokter Jeromes haar was nog grotendeels donker, maar de lange bakkebaarden die tot over zijn kaak doorliepen, begonnen grijs te worden.

Ondanks het ongewoon joviale welkom merkte Rafe een zekere nervositeit bij de dokter op.

'Hoe is de vergadering met Ainsworth verlopen?' vroeg hij bedachtzaam.

'Hij was er niet blij mee dat ik Parker Judson een telegram had gestuurd om een detective in de arm te nemen. Hij had liever gezien dat ik had gewacht totdat we in San Francisco waren.'

Jerome knikte, keek naar zijn reageerbuizen en vervolgens naar zijn 'patiënten' in hun kooien. 'Ik denk dat je juist gehandeld hebt. Het is een akelige geschiedenis, en gevaarlijk. Hoe eerder het is opgelost, hoe beter het voor iedereen is, inclusief mijn broer.'

Soms kon Rafe zich moeilijk voorstellen dat Jerome en Townsend broers waren. Er was een verschil van dag en nacht tussen hun temperament en voorkomen.

'Trouwens, Rafe, ik ben blij met het nieuws over jouw lening om de kliniek te bouwen. Ik kan je niet zeggen hoe dankbaar ik je ben. Ik sta absoluut bij je in het krijt.'

'Voelt u zich vooral niet verplicht jegens mij. Ik ben blij dat ik kan helpen. Ik weet wat het betekent voor u en Eden. Maar waar ik over wilde praten, heeft niets te maken met Molokai. Ik ben bang dat het onderwerp misschien weer spanningen tussen ons teweeg kan brengen.'

'O? Hoe dat zo? Als het om Eden gaat…'

'Nee, deze keer niet.'

'Dat is interessant. Ik zet even deze reageerbuizen weg, dan kunnen we praten.' Hij glimlachte, borg de reageerbuizen veilig op en sloot de deur van de kamer met de proefdieren.

Toen hij even later terugkeerde, droogde hij zijn handen af aan een witte doek. Hij keek Rafe aan die inderdaad ernstig keek. Hij gebaarde naar een stoel en ging zelf achter zijn met rommel bezaaide bureau zitten.

'Geen wonder dat ik nooit dingen terug kan vinden,' zei hij ontspannen, een paar stapels opzij schuivend. 'Helaas kan het brein even rommelig worden… net als het hart.' Kennelijk dacht hij even aan iets ernstigs, want zijn wenkbrauwen trokken samen. Daarna keek hij Rafe aan. De frons verdween en een welwillend glimlachje brak door.

'Laten we eens zien of we het deze keer vriendelijk kunnen houden.'

Het 'deze keer' verwees naar de laatste ernstige aanvaring die ze hadden gehad over Eden en haar werk met Jerome in de leprakolonie Kalawao op Molokai. Voor die tijd was de adoptie van Kip het strijdpunt geweest.

Rafe was niet van plan om nu over Kip te praten. Hij was benieuwd, en maakte zich zelfs enige zorgen over hoe dokter Jerome zou reageren op het nieuws dat hij de jongen straks legaal zou mogen adopteren.

Een paar maanden terug had de arts erop gestaan dat Kip onder zijn voogdij zou komen te staan, maar dat had Rafe geweigerd. Jerome had met een of andere strafactie gedreigd, maar had die nooit ten uitvoer gebracht. Geen van beiden waren ze ooit weer over Kip begonnen. Er leek een onuitgesproken overeenkomst te zijn dat Rafe had gewonnen of dat Jerome had toegegeven. Rafe hoopte van harte dat het zo zou blijven.

Het aanbod van de stoel had hij afgeslagen. Als hij rusteloos was of bezorgd, kon hij nauwelijks blijven zitten. Na een poosje bleef hij voor het bureau van Jerome staan en keek hem aan. Het liefst had hij zich omgedraaid om weg te lopen, maar dat kon hij niet.

'Vertel me nu maar wat er aan de hand is, Rafe. Ik kan zien dat het je dwarszit.'

Rafe zette zijn handen op de hoeken van het bureau en leunde voorover. Hij keek zijn aanstaande schoonvader rustig en indringend aan. 'Ja, er zit mij iets dwars. Over achtenveertig uur stap ik aan boord van de boot. Er is dus niet veel tijd meer om de belangrijke documenten terug te vinden die op de avond van het incident in de tuin uit het kantoor van Thaddeus Hunnewell zijn verdwenen.'

Jerome keek hem zwijgend aan.

'Ik kom net van Silas op Kea Lani,' ging Rafe zacht verder. 'Hij vertelde me dat hij het manifest van Hunnewell op de lanai achter het huis aan u had gegeven. U hoeft het Silas niet kwalijk te nemen dat hij gepraat heeft. Ik had het meeste al wel geraden. Ik wist dat Sen Fong u naar het hek van Hunnewell bracht om de Chinese kingpin te ontmoeten. Hij bedreigde u waarschijnlijk en zei dat u moest ophouden om onder de Chinezen te prediken en ze te waarschuwen tegen opiumverslaving.'

De arts zuchtte. 'Ja, dat klopt.'

Rafe keek hem aandachtig aan. 'U hebt hem ongetwijfeld gezegd dat u dat niet kon doen. Ook Ambrose blijft op de plantages Bijbelbijeenkomsten organiseren voor de suikerwerkers. De kingpin moet beseft hebben dat hij niet met iemand sprak die zich zomaar zou laten intimideren. Uw reizen en uw werk en toewijding aan de bestrijding van lepra zijn welbekend. En hij moet ook geweten hebben dat mijn oom, als dominee van de zendingskerk, als Jozua tegen alle verdrukking in overeind zal blijven om Christus te prediken aan hen die Hem nodig hebben, net zoals Sen Fong voet bij stuk hield.'

'Ja, ik denk dat je het tot nu toe bij het rechte eind hebt.'

'U bent gezien in de tuin van Hunnewell. U was overstuur en worstelde met een beslissing die kennelijk pijnlijk was. De kingpin moet u bedreigd hebben met iets anders dan het platbranden van de zendingskerk of zelfs het sturen van een huurmoordenaar. Tegen dergelijke bedreigingen zou u zich ongetwijfeld verzet hebben, zonder mee te werken.'

'Als de zendingskerk afbrandt, herbouwen we hem,' zei Jerome kortaf. Hij kwam overeind uit zijn stoel en begon op en neer te lopen.

Rafe was tevreden. Nu zou het naar buiten komen.

'En als hij mij of Ambrose met een mes in onze ribben had bedreigd, hadden we hem laten arresteren en terug laten sturen naar China!'

'Precies. Maar iets bracht u ertoe te doen wat de kingpin vroeg.'

De dokter keek hem fronsend aan.

'U moet weten dat ik vanaf het begin argwanend stond tegenover Hartley,' ging Rafe verder. 'Al vanaf het moment dat hij hier aankwam uit San Francisco met het medisch dagboek van dokter Chen en het onverwachte nieuws van diens dood. De kingpin gaf zich uit voor een familielid van dokter Chen. Hij zette u onder druk met Hartleys diefstal van het dagboek en misschien zelfs met de dood van Chen.'

Dokter Jerome bleef stokstijf staan, een blik vol afschuw op zijn gekwelde gezicht. Hij liep terug naar zijn bureau en liet zich in zijn stoel zakken. Kreunend legde hij zijn hoofd op zijn handen en zette zijn ellebogen op het bureaublad. 'Ja, een afschuwelijke situatie. Ik kon de gevolgen van zo'n vreselijk schandaal in Honolulu niet aan. En de Gezondheidsraad – ik heb al weinig hulp van hen gekregen sinds ik terugkwam, op zijn best een beetje welwillende stilte. Ik kon het niet verdragen dat ik het mikpunt van spot zou worden, of erger. Het schandaal van dokter Chens medisch dagboeken – gestolen waar! En dan zijn plotselinge dood door zeldzame kruiden uit Tibet! De beschuldiging van Herald. Als Herald beschuldigd wordt, of schuldig is, ben ik er ook bij betrokken. En dan? Dan is de kliniek verloren! Als de kranten lucht zouden krijgen van dat verhaal en het buiten alle proporties zouden opblazen – gevolgd door het oudere verhaal van Rebecca die naar de leprakolonie werd gestuurd…' Hij kreunde opnieuw en schudde zijn hoofd. 'De Chinezen hadden me aan alle kanten klem gezet.'

'En toen vroeg hij u het manifest van Silas aan te nemen en aan Liliuokalani te geven als u haar morgen ontmoet.'

Hij zuchtte. 'Ja. Ik ging heimelijk naar de lanai achter het huis. Silas kwam toen de bijeenkomst werd beëindigd en gaf me de papieren. Ik nam ze mee en wist ongezien terug te keren naar het ziekenhuis tijdens de commotie rond Oliver en Keno.'

Rafe dacht even na. Het relaas verbaasde hem niet. Hij liep naar het kleine raam en keek naar buiten, maar het tafereel was zo deprimerend en grimmig dat hij zich weer omdraaide en terugliep naar het bureau.

'De Chinese neef van dokter Chen, de man die jij een kingpin noemt, heeft gedreigd om dit allemaal in de krant te zetten,' zei Jerome. 'Hij zou zelfs aangifte kunnen doen van de diefstal van het dagboek en hij ging zover om te beweren dat Herald dokter Chen wellicht had vergiftigd. Ik was zo overrompeld dat ik deed wat hij vroeg. En vanaf dat moment word ik verscheurd omdat ik niet weet wat ik moet doen met die afschuwelijke situatie van het dagboek en Heralds daden.'

'Wat denkt u van Heralds daden?'

Weifelend schudde hij zijn hoofd. 'Ik geloof dat hij het dagboek uit het huis van dokter Chen in Chinatown heeft gestolen, maar moord? Die gedachte verdraag ik niet. Ik heb mezelf steeds voorgehouden dat hij dat onmogelijk gedaan kan hebben.'

Rafe keek hem streng aan. 'U klinkt niet geheel overtuigd.'

'Misschien ben ik dat ook niet. Dat is een afschuwelijke ervaring, Rafe!'

'Mee eens. En ik wil niet dat Hartley in Kalawao ook maar in de buurt komt van Eden. Ik vond het ook al niets dat ze in het ziekenhuis in Kalihi bijna elke dag zo dicht naast elkaar werkten.'

Dokter Jerome knikte zwakjes. 'Ik ben van plan hem te ontslaan. Dat had ik twee dagen geleden al besloten, maar ik ben er nog niet toe gekomen om het te doen. Als ik hem nu ontsla, en hij weet waarom, dan ontsnapt hij misschien uit Honolulu. Daarom vond ik het beter om nog niets te zeggen, hoewel ik geloof dat hij al argwaan koestert. Hij is buitengewoon op zijn hoede als ik erbij ben.'

Rafe was opgelucht dat Jerome tot die belangrijke beslissing was gekomen.

'Waar is hij nu?'

'O, hier op het terrein. Hij helpt dokter DuPont, achter.'

'We moeten Hartley aanspreken. Hij moet bekennen. Zodra hij toegeeft dat hij u bedrogen heeft, kan de kingpin weinig meer doen om uw reputatie te beschadigen. Voor mij is het duidelijk dat u niet van tevoren op de hoogte was van Hartleys acties. Hij handelde in zijn eentje. En daarmee gaat u vrijuit. Zelfs als de kranten het verhaal oppikken, kunnen ze u niets maken als Hartley bekent.'

Jerome keek hem aan en er lichtte een sprankje hoop op in zijn ogen. 'Ja, als hij bekent.'

'Ik heb het gevoel dat hij dat zal doen. En dan zijn er altijd nog de autoriteiten in San Francisco die we hem in het vooruitzicht kunnen stellen als hij niet met de waarheid op de proppen komt. Om nog maar te zwijgen van de neef van dokter Chen, de opium-kingpin.'

Jerome leek al zekerder van de zaak en hij knikte. 'Ik ben het met je eens. Dit kan veel wijzer worden aangepakt. Ik ben bang dat ik in paniek raakte.'

'Angst kan ons blind maken en het verstand benevelen. En in het duister zien we misschien geen uitweg uit een dilemma. Maar God heeft de Zijnen beloofd dat ze nooit alleen staan. Hij is ons Licht en onze Kracht.'

Dokter Jerome glimlachte en keek hem goedkeurend aan. 'Ambrose is een goede mentor geweest voor jou. Ik weet niet waarom je spirituele inzicht me verbaast, maar ik ben bang dat ik je verkeerd heb beoordeeld. Mijn fout, ik weet het. En hoewel ik degene was die met Rebecca trouwde, voelde ik me altijd een beetje jaloers en onzeker in de buurt van jouw vader, Matt.'

'Dat kunt u nu achter u laten. Hij is er niet meer.'

Jerome liet zijn hoofd hangen. 'Ja… ik weet dat zijn dood een grote last voor je was. Maar troost jezelf met de zekerheid dat hij bij Christus is.' Hij schudde zijn hoofd opnieuw. 'Townsend heeft veel te verantwoorden.'

'Dat brengt ons terug bij het manifest van Hunnewell.' Rafe keek naar hem op en hoopte dat zijn inschatting juist zou zijn.

Dokter Jerome bleef even stil zitten, stond daarna op en liep naar zijn jasje dat aan een houten pin hing. Hij haalde een sleutel uit een diepe zak, liep terug naar zijn bureau en maakte de bovenste la open. Even later trok hij een dikke map te voorschijn. Hij keek er even naar en schoof hem vervolgens over het bureau naar Rafe toe.

'Nu kun je op je boot stappen, en Hunnewell kan zijn manifest aan minister Blaine en president Harrison geven.'

Rafe pakte de map op, keek er snel in en voelde een grote opluchting.

'Dank u.' *Wat moest Jerome tegen de koningin zeggen om haar niet te beledigen?* 'Hoe gaat het nu met de koningin,' vroeg hij. 'Verwacht zij dit stuk morgen te krijgen?'

De dokter schudde zijn hoofd. 'Ik kreeg de indruk dat het een verrassing moest worden. Het was opgezet door de gok- en opiumkartels om bepaalde wetten door de Legislatuur te krijgen.'

'Dat wordt dan een teleurstelling voor hen.'

Jerome glimlachte vermoeid en legde een hand op Rafes schouder. 'Ja.' Zijn gezicht werd ernstig en hij keek de jongeman recht aan. 'Ik dank God dat je gekomen bent, Rafe. Ik ben trots dat ik jou als schoonzoon krijg. Kun je het een humeurige en soms dwaze oude man vergeven dat het zo lang duurde voordat hij inzag hoe gezegend Eden met jou zal zijn?'

Rafe had het compliment niet verwacht, maar hij was opgelucht dat een kwestie die tot ruzie had kunnen leiden hun aanstaande familierelatie alleen maar bezegelde.

'Dank u, ik ben ervan overtuigd dat de zegen wederzijds is. Zou dit een goed moment zijn om met Hartley te gaan praten?'

Jerome knikte. 'Ga maar liever niet naar de achterkamer. Ik laat hem hier komen. Dokter DuPont onderzoekt de laatst opgenomen 'verdachte' patiënten.'

Hij liep de deur al uit toen Rafe vroeg: 'Is alles in orde met dokter Bolton?'

De ander bleef met een ruk staan en wierp een treurige blik over zijn schouder. 'Is het je opgevallen?' vroeg hij bezorgd.

Rafe knikte. 'Je ziet het aan zijn manier van lopen.'

Jerome kreunde. 'Misschien de vreselijkste tragedie die ik heb meegemaakt sinds Rebecca. Hij gaat binnenkort naar Molokai. Hij is van plan om met mij samen te werken in de kliniek, zodat er in ieder geval nog iets goeds voortkomt uit zijn tragische lot.' Hij haalde diep adem. 'Lana... weet het. Ze gaat toch volgende week met hem trouwen en komt als verpleegster in de kliniek werken. Natuurlijk wordt zij zijn kokua.'

'Weet Eden het?' vroeg Rafe na een moment van stilte.

Jerome schudde zijn hoofd. 'Niemand van ons kon het nog opbrengen om het haar te vertellen.'

Misschien dat dokter Bolton daarom niet wilde dat hij het merkte, bedacht Rafe. *Misschien dacht hij dat ik het aan Eden zou vertellen.* Haar tante Lana was de aangewezen figuur om haar het slechte nieuws te vertellen.

Terwijl de arts Hartley ophaalde, dacht Rafe na. Het zou eenvoudig zijn om de sheriff te laten halen en Hartley naar het bureau te laten afvoeren, maar misschien zou hij dan uit angst helemaal niets meer zeggen. Bovendien zou dokter Jerome op die manier bij de zaak betrokken worden en zouden de kranten er lucht van krijgen. De sheriff had zijn handen nog altijd meer dan vol aan de moord op Sen Fong. Voor zover Rafe kon nagaan, had hij tot nu toe weinig succes geboekt bij het opsporen van de huurmoordenaar van het kartel. Wat zij zouden moeten doen, hing af van het feit of Chens dood een ongeval was of niet. Was het zijn eigen blunder? Had hij een verkeerde dosis van zijn eigen oosterse medicijnen genomen? Of was hij gestorven door toedoen van een jongeman die gewetenloos wraak nam op de werkgever die hem in Calcutta had ontslagen? Als dat zo was, had Hartley niet alleen een zonde begaan, maar leed hij ook aan een psychische stoornis.

Rafe stond bij het raam toen de voetstappen uit de achterkamer zijn aandacht trokken.

Een seconde later kwam Herald Hartley binnen, gevolgd door dokter Jerome die de deur achter zich sloot. Jerome keek streng en Hartley bleef abrupt staan toen hij de derde man zag. Zijn gezicht verried schrik. Het was duidelijk dat

313

de dokter hem niet had verteld dat Rafe in het bureau op hen wachtte.

Hartleys donkerbruine haar werd door een kaarsrechte middenscheiding verdeeld. Zijn lenige, bruine gezicht werd strak en onwillig. Terwijl hij Rafe met zijn amberkleurige ogen opnam, verstijfde hij zichtbaar.

'Wat heeft dit te betekenen? Wat wil je? Ik ben met belangrijk werk bezig,' zei hij ongeduldig.

'Herald, je zult een paar vragen moeten beantwoorden,' zei dokter Jerome streng.

Dus Hartley koos voor de agressieve benadering. Goed, dat kon hij ook.

De man knikte zijn hoofd achterover. 'Waarom, meneer? Hij is de sheriff niet!'

'Nee,' gaf Rafe toe, 'maar die kan ik zo laten halen als je dat liever hebt. Dan moet je nog steeds vragen beantwoorden, en waarschijnlijk veel meer. Alles wat je dan zegt, zal worden opgeschreven en kan tegen je gebruikt worden. Wat je hier en nu voor dokter Jerome en mij opbiecht, komt misschien deze kamer niet uit. Wat heb je liever?'

'Werk mee, Herald,' drong Jerome aan, opnieuw op een strenge toon die zijn assistent waarschuwde dat hij hem niet de hand boven het hoofd zou houden.

Hartley trok een lange, witte doek uit zijn zak tevoorschijn en veegde zijn gezicht af. 'Ik heb niets slechts gedaan,' hijgde hij met een zachte, nerveuze stem. 'Niets slechts.'

'Dat moet de rechter misschien bepalen, niet ik, Hartley. Ik wil alleen de waarheid weten, net als dokter Jerome.'

'Ik heb hem niet gedood. Ik had niets te maken met zijn dood.'

'Dan kun je beter alles vertellen. Als je dat niet doet, verknoei je onze tijd en breng ik je persoonlijk naar de sheriff.'

De man staarde Rafe aan, met op elkaar geperste lippen. Hij ademde oppervlakkig.

'Ik heb Chen niet vermoord,' herhaalde hij. 'Hij... hij was al dood toen ik het huis via de achteringang binnenging. Hij was nog warm, hij kan nog geen twintig minuten dood zijn geweest.' Zijn ogen schoten van Rafe naar Jerome en weer terug. 'Ik weet wie het gedaan heeft. Ik heb hem gezien. Ik was bang om te praten... omdat ik de volgende zou zijn.'

Rafe probeerde in te schatten hoe oprecht hij was. Hij zag er inderdaad bang uit, waarschijnlijk vanwege zijn penibele situatie.

Dokter Jerome kwam achter zijn bureau vandaan en keek hem bezorgd aan. 'Lieve deugd, jongen! Als dokter Chen vermoord is, zeg het dan! Het is jouw verantwoordelijkheid om de waarheid te vertellen.'

'Het had ons geen van beiden veel goed gedaan, dokter Jerome. De politie in San Francisco vermijdt Chinatown en al zijn misdaad maar liever. De onderlinge machtsstrijd van de tongs is nog steeds aan de gang, en wie houdt hen tegen? Ik was bang, dat geef ik toe. Ik was een lafaard.'

De arts legde een hand op de schouder van zijn assistent. 'Ik weet niets van jouw lafheid, Herald, maar ik wil wel weten wie mijn vriend en collega heeft vermoord.'

Rafe keek nadenkend op naar Jerome. 'De connectie met Chinatown en de machtsstrijd van de tongs wijst op betrokkenheid van het kartel. En we weten al dat de opium-kingpin de neef was van dokter Chen.'

Plotseling drong het tot Jerome door. 'Dat zou de moord op Sen kunnen verklaren. Ik dacht dat het er alleen mee te maken had dat hij christen was geworden en geen opium meer wilde distribueren.'

'Hij moet zo veel van de kingpin hebben geweten dat het te gevaarlijk werd om Sen Fong op het toneel te laten.'

Hartley veegde weer over zijn gezicht en likte zijn lippen.

'Ik zag Sen Fong voor het huis in Chinatown. De kingpin kwam door de voordeur naar buiten, en zijn gezicht sprak boekdelen. Daarom dook ik weg achter de heg. Als hij me had gezien, zou ik hier nu niet meer zitten, dat weet ik wel zeker. Jullie moeten me geloven.'

'Wat gebeurde er daarna?' vroeg Rafe.

'Ik liep achterom en klom door een raam in de badkamer naar binnen.'

'Wat maakt je er zo zeker van dat de oosterling die je zag vertrekken de kingpin was?'

'Ik ken zijn naam niet. Sen Fong werkte voor hem. Het was dezelfde man die dokter Jerome chanteerde met Chens dood en zijn medisch dagboek.'

Toen Hartley *dagboek* zei, sloeg hij zijn ogen neer en werd zijn gebruinde gezicht rood. Het overtuigde Rafe ervan dat hij de waarheid op het spoor was. Als Hartley zich schuldig kon tonen vanwege het dagboek dat hij gestolen had, maar de moord op een man zonder blikken of blozen zou kunnen ontkennen, was hij rijp voor een toneelcarrière.

'Dus je wist dat de kingpin dokter Jerome chanteerde?'

De man boog het hoofd. 'Ja, ik hoorde hem.'

Dokter Jerome was verbaasd. 'Was jij daar ook? Ik heb je niet gezien.'

'Ik hield me verscholen in de bomen naast de hoge muren om de tuin van Hunnewell.'

'Maar hoe wist je dat ik hem zou ontmoeten? Sen kwam me in het ziekenhuis ophalen en jij was er die avond niet. Je had gevraagd of je de avond vrij kon krijgen.'

Herald knikte en keek nog steeds naar de vloer. 'Ik wilde die avond vrij omdat ik de opium-kingpin de dag ervoor in Rat Alley had gezien. Ik was doodsbang dat hij naar Honolulu was gekomen om mij te zoeken. Dat hij op een of andere manier had ontdekt dat ik hem in San Francisco had gezien.'

'Hij moet het uitgevonden hebben,' bevestigde Rafe. 'Dat is de enige reden die hij had om dokter Jerome te bedreigen.'

Herald knikte schuldbewust. 'Ik weet niet hoe hij het ontdekte, behalve wanneer de Chinese kok van dokter Chen me toevallig heeft gezien. Ik dacht dat iemand me misschien door het raam van de badkamer zag klimmen, maar toen ik omkeek was er niemand te zien in de achtertuin. Wel was er lawaai in de bosjes bij het kippenhok. De kippen werden verstoord.'

'Goed. We waren in Rat Alley. Ga verder.'

'Ik ging daarheen om het gokhuis van de kingpin te zoeken. Ik wilde ze allemaal bezoeken en even snel binnen kijken of hij daar was.'

Rafe sloeg zijn armen over elkaar, hield zijn hoofd schuin en glimlachte wrang. 'Kom op, Hartley, de waarheid.'

Hij depte zijn gezicht en slikte. 'Ik had ook nog een gokrekening openstaan… ik ging erheen om die af te betalen, of liever, om meer tijd te vragen. Het zat me niet mee, want uitgerekend het gokhuis waar ik schulden had, was dat van de kingpin!' Hartley sloeg een bevende hand voor zijn ogen en zijn schouders schokten.

Rafe voelde even medeleven opkomen. Hartley was als een slaaf aan het kwaad geketend. Het gokken verwoestte zijn leven en Rafe vermoedde dat hij ook dronk. De man schaamde zich voor dokter Jerome, die had gezegd dat hij Hartley in Calcutta tot berouw en het geloof in Christus had gebracht.

De arts liet zich op de stoel achter zijn bureau zakken, met zijn kin in zijn hand. Hij hield wijselijk zijn mond.

Rafe haalde diep adem. 'We weten nu waarom je naar Rat Alley ging. Wat gebeurde er daarna?'

'Ik ving een glimp van hem op en vluchtte voor mijn leven. Ik kwam net terug bij het ziekenhuis toen dokter Jerome en Sen Fong de trap afliepen.'

Rafe herinnerde zich dat Zachary in zijn hotelkamer had volgehouden dat hij Silas naar de gokhuizen en vervolgens naar het ziekenhuis was gevolgd. Het was duidelijk dat hij niet Silas had gevolgd, maar Hartley.

'Ik vroeg me af waar Sen dokter Jerome mee naartoe nam,' ging Hartley verder. 'Ik volgde hen en hoorde het gesprek tussen de kingpin en dokter Jerome. Het ging over het manifest, opium, de Gokwet die door de Legislatuur moest komen. Ik hoorde hoe de kingpin hem bedreigde. Wat hij hem vertelde over de dood van dokter Chen was niet waar, maar over de diefstal van het dagboek wel. Dat nam ik mee. Ik wist dat ik in de problemen zat. Maar de kingpin loog ook. Hij was de laatste die dokter Chen in leven zag, niet ik.'

Rafe bleef doorvragen. 'Dus je ging via het raam in de badkamer naar binnen. En toen?'

'Ik wist dat er iets mis was. Het was te stil. Op mijn tenen liep ik naar zijn studeerkamer en zag hem over zijn bureau liggen, met zijn kruiden overal verspreid over het bureau en de vloer. Ik voelde zijn pols, maar hij was al dood. Ik was bang en wilde zo snel mogelijk weer weg, maar niet zonder het dagboek. Ik zag het achter hem op een boekenplank staan. Ik verstopte het onder mijn jas en liep via een deur een tuin in. Het was mistig geworden en ik ben er zeker van dat niemand me zag, zelfs de kok niet. Ik denk dat ook hij bang was en bij het kippenhok bleef zitten. Hij moet de politie van San Francisco hebben ingelicht nadat hij naar binnen was gegaan en dokter Chen had gevonden.'

'Waar ging je naartoe met dat dagboek?'

'Naar mijn kamer in het hotel bij de haven.'

Rafe wilde Hartley geen tijd gunnen om de feiten te verdraaien en zich beter voor te doen voor dokter Jerome. De volgende vraag kwam onmiddellijk.

'Waarom deed je het voorkomen alsof je goede vrienden was met dokter Chen toen je die dag op Kea Lani aankwam met het medisch dagboek?'

'Omdat ik, zoals ik al zei, bang was. Ik… ik probeerde een

alibi in elkaar te zetten. Ik was ervan overtuigd dat de politie tot de conclusie zou komen dat Chen vermoord was. Wat betekende dat voor mij? Vooral nadat ik het dagboek had meegenomen?'

'Het was dwaas van je om het mee te nemen, Herald,' merkte dokter Jerome op. 'Vooral na wat er gebeurd was.'

'Ik… ik kon het niet laten.'

'Waarom vroeg je Christus niet om leiding en kracht?'

Herald liet zijn hoofd te hangen. 'Ik ben er niet zo zeker van of ik wel een christen ben. Ik had uw hulp nodig en dus… misschien heb ik een paar dingen gezegd om bij u in een goed blaadje te komen…'

Jerome wendde zich af en schudde zijn hoofd. Ook hij haalde een zakdoek tevoorschijn en veegde zijn ogen droog.

Dat hij Herald Hartley kwijtraakt, treft hem diep, dacht Rafe.

'Je had een grote aanvaring met dokter Chen in Calcutta. Dokter Jerome was daar getuige van. Chen ontsloeg je en jij nam hem dat kwalijk. Waarom zocht je hem weer op?'

'Voor mijn carrière. Ik wilde naar Honolulu om weer voor dokter Jerome te kunnen werken. Hij had mij in Calcutta meer dan schappelijk behandeld. Ik wilde mijn verontschuldigingen aan dokter Chen aanbieden voor de zaken waarmee ik hem in India kwaad had gemaakt.'

Dokter Jerome zuchtte diep.

'En ik wilde hem vragen of hij misschien een aanbevelingsbrief wilde schrijven voor dokter Bolton in het ziekenhuis in Kalihi. Ik dacht dat ze me nooit zouden aannemen als dokter Chen iets negatiefs had losgelaten. Ik zou nooit deel kunnen uitmaken van die kleine medische kring als dokter Chen niet besloot om mij te vergeven en me een tweede kans te geven. Het was mijn bedoeling om hem eerst op te zoeken en dan de boot naar Honolulu te nemen, met de aanbevelingsbrief.'

'In wezen had je alle reden om dokter Chens dood te wensen, Hartley. Je zou wraak kunnen nemen op een man die, zoals jij het zag, je carrière verwoestte, en je zou een plaats veroveren bij dokter Jerome in Kalihi – maar alleen als hij zijn mond hield en uit de weg was.'

'Nee!'

'Het handboek kon je als een vredesoffer aan dokter Jerome geven, om hem te laten denken dat dokter Chen het aan hem wilde nalaten.'

'Ja, dat gedeelte is waar, maar ik heb dokter Chen niet vermoord. Dat heeft de opium-kingpin gedaan. Net zoals hij Sen Fong liet vermoorden. Ik kan op geen enkele manier bewijzen dat ik Chen niet vermoordde – of dat de kingpin dat wel deed. Vooral niet nadat ik het dagboek meenam – ik weet dat het er slecht uitziet. Dat was een dwaze ingeving van mij.'

De man zag er slecht en miserabel uit. Rafe hield zichzelf voor dat het niet aan hem was om hem al dan niet te geloven, maar zijn eigen conclusie was dat Hartley niet schuldig was aan de moord op dokter Chen.

Hij keek dokter Jerome aan. *Wat wil je doen?* leek hij te zeggen. Jerome kwam weer achter zijn bureau vandaan en ging voor Herald staan.

'Er is iets wat ik je al langer wilde vragen, Herald. Nu is het moment daar. Jouw antwoord is beslissend voor je toekomstige betrokkenheid bij mijn werk. Sterker, ongeacht je antwoord heb ik besloten dat ik jou niet met Eden en mij op Molokai wil hebben.'

Herald liet zijn hoofd opnieuw hangen. Hij sloeg zijn handen voor zijn ogen en zijn schouders schokten. Het was een van de afschuwelijkste beelden die Rafe in lange tijd had gezien. Hij wendde zich af, liep naar het raam en zette het open. In de kamer was het heet en bedompt, maar er kwam nauwelijks frisse lucht binnen.

'Wat heb je gedaan om dokter Chen zo tegen je op te zetten dat hij je uit zijn onderzoekskliniek in Calcutta ontsloeg? Je vertelde mij dat het om gokken en alcohol ging. Ik weet dat je je nog steeds overgeeft aan die ondeugden. Maar er was meer, Herald. Iets wat dokter Chen buitengewoon hoog opnam.'

'Het waren ook de drank en het gokken. Mijn leven gleed af naar de goot nadat hij mij ontsloeg. Mijn carrière, mijn toekomst, alles lag in duigen. Ik maalde er steeds maar over in mijn gedachten, totdat ik bitter werd. Uiteindelijk eindigde ik letterlijk in de goot van India. U weet dat. U was degene die mij vond. U dacht dat ik het waard was om een nieuwe kans te krijgen en u nam me op. Ik heb het eerder gezegd, ik heb alles aan u te danken.'

Triest schudde Jerome zijn hoofd. 'Je hebt je leven niet aan mij te danken, Herald, maar aan Degene die Zijn kostbare leven gaf om jou te verlossen van zonden en de slavernij van het kwaad.'

Hartley knikte. 'Ik weet het, ik weet het… maar ik heb geen moord gepleegd. Dat niet.'

'Ik ben geneigd je te geloven, maar of wij je al of niet geloven, maakt de zaak niet anders voor de wet. Mijn eerste zorg is nu mijn arme Rebecca, en de vele leprapatiënten op Kalaupapa – en Rafes eerste zorg is Eden. Ik kan je niet meer vertrouwen, Herald. Het spijt me, maar vertrouwen dat eenmaal beschaamd is, is heel moeilijk te herstellen. Wat je drijfveren ook waren, je hebt me misleid met dat dagboek. Je hebt bijna een zo groot schandaal veroorzaakt dat de koningin haar toestemming voor de kliniek zou hebben ingetrokken!'

Hartley zweeg.

'En er moet meer aan de hand zijn geweest waarom dokter Chen je ontsloeg,' herhaalde Jerome nogmaals.

Hartley zuchtte vermoeid. Hij keek naar de vloer, naar

dokter Jerome, naar Rafe en terug naar de vloer. 'Ja. Ik volgde in de voetstappen van de Duitse onderzoeker die een man
als proefdier gebruikte. Ik paste mijn ideeën voor genezing
toe op een jonge leprapatiënt. Helaas ging er iets mis en de
jongen stierf aan een koortsaanval. Chen beweerde dat de
koorts was opgewekt door de kruiden die ik had gebruikt.
Hij was enorm kwaad en zei dat ik mijn biezen kon pakken. Dat was niet eerlijk! Die jongen was niet meer dan een
leprapatiënt, het laagste van het laagste in het kastesysteem.
Een onaanraakbare van de vuilnisbelt van het dorp.'

Dokter Jerome liep langzaam achteruit van de stoel met
Hartley die verongelijkt naar hem opkeek. Hij wendde zich
af.

Rafe keek de man een minuut lang in stilte aan. Misschien had hij Chen niet vermoord, maar zijn karakter bleek
vooral uit de manier waarop hij menselijk leven beoordeelde.

Rafe wilde niet het risico lopen om een gestolen dagboek te vergoelijken, om later te ontdekken dat de medisch
onderzoeker Herald Hartley een grens had overschreden
en verantwoordelijk was voor nog een dood of verminking
vanwege een bizarre fout.

Hartley had nu en dan blijk gegeven van een gevoelig
geweten – bijvoorbeeld toen hij dokter Jerome teleurstelde
en zich schaamde voor de diefstal van het dagboek. Maar hij
moest ook denken aan wat Eden hem gisteren had verteld
over de hardheid van zijn hart. Zij had Hartley correct op
waarde geschat.

Dokter Jerome stond achter zijn assistent en keek in Ra-
fes richting. Hij knikte ernstig met een vermoeid gezicht.
Daarop verliet hij zijn kantoor om een boodschap aan sheriff
Harper te sturen.

Rafe draaide zich om en keek uit het raam. Het was niet
aan hem om te bepalen hoe de wet in Hartleys geval moest
worden geïnterpreteerd. Hij wist wat hij moest weten en

wat hem betrof, was hij klaar met de kwestie. Dokter Jerome had hem al gezegd dat de man niet mee zou gaan naar Molokai als diens assistent. Hij kon Honolulu verlaten met de geruststellende gedachte dat Eden geen gevaar zou lopen in de buurt van een man met de integriteit van een krokodil.

Hij keek op zijn zakhorloge. Zodra de sheriff kwam, zou hij teruggaan naar zijn hotel. Toen hij Harper even later van zijn rijtuig zag springen, liet Rafe Hartley achter op de stoel, nog steeds met zijn hoofd in zijn handen.

De zon brandde buiten op het terrein en het water in de haven schitterde oogverblindend. Rafe legde de kwestie van het dagboek uit. Dokter Jerome had er van tevoren absoluut geen weet van dat het uit het huis van dokter Chen in San Francisco werd meegenomen.

'Dat geloof ik onmiddellijk,' zei Harper, die zijn hoed hoger op zijn hoofd duwde en op zijn lange, dunne sigaar beet.

'Koningin Liliuokalani zal dokter Derrington waarschijnlijk toestemming geven om een kliniek te bouwen voor de leprakolonie,' vertelde Rafe. 'Probeer dat verhaal over het medisch dagboek alsjeblieft buiten de kranten te houden.'

'Geen enkele reden om het te noemen, lijkt mij, Easton. Luister eens…' Hij grijnsde. 'Zou je niet als detective voor de politie willen werken?'

Rafe lachte terug. 'Alleen in mijn vrije tijd, sheriff. Bovendien, binnenkort ga ik naar San Francisco. Het werk is nog niet af.'

De sheriff werd ernstig. 'Townsend, nietwaar? Wees voorzichtig, Easton. Ik heb een paar keer achter hem aan gezeten toen hij nog een jongen was. Het is een wilde, niet als de rest van de familie. Het zaad van Kaïn, zo wordt dat slag genoemd. Wat Hartley betreft, ik moet contact opnemen met San Francisco over de zaak van dokter Chen. Daar weet ik niet zoveel van. Maar hij lijkt mij geen moordenaar.'

Rafe lichtte hem kort in over wat hij van Chen wist.

'Dokter Jerome kan de medische vragen beter beantwoorden. Dit is wat ik heb gehoord. Kort nadat Chen dood was gevonden in zijn huis in Chinatown werd er sectie verricht. Als doodsoorzaak werd een ongeluk met een zelf toegediende overdosis aan experimentele medicijnen opgegeven. Het was bekend dat Chen onderzoek deed. Op het volgende punt zat de politie van San Francisco er wellicht naast: ze beweren dat Chen geen familie in de Verenigde Staten heeft en dat de verblijfplaatsen van verwanten met wie hij correspondeerde in Shanghai niet duidelijk zijn. Hartley is er echter van overtuigd dat de kingpin die je probeert op te sporen de neef van Chen is. Hij zag hem nog geen twintig minuten na het overlijden van de dokter diens woning verlaten.'

Sheriff Harper maakte driftig aantekeningen. 'Is er nog sprake van een testament, of een rechtsgeldig document dat vermeldt dat de persoonlijke onderzoeksdocumenten naar dokter Jerome Derrington of de onderzoeksafdeling van het ziekenhuis in Kalihi moesten gaan?'

'Goede vraag. Wie weet. Dat zou zeker helpen om de kwestie op te lossen.'

'Ik zal het nagaan. Waarschijnlijk is er nergens in het politiedossier melding van gemaakt dat hij een dagboek aan Herald Hartley toevertrouwde om het aan dokter Derrington door te geven. Er zullen ook geen bewijzen voor zijn.'

'Ik denk dat Hartley gelijk heeft als hij zegt dat je voor de moordenaar alleen maar naar de opium-kingpin hoeft te kijken. Dezelfde tiran die opdracht gaf om Sen Fong te vermoorden. Hartley zag Sen bij het huis van dokter Chen, terwijl de kingpin uit de voordeur stapte. Ze waren neven en misschien verbitterde vijanden.'

'Ik zal er naar kijken, Easton. En ik stuur vanavond nog een telegram naar de commissaris in San Francisco. Ik denk dat we er wel uit komen. Nou, goede jacht op het vasteland. En houd contact, ik wil graag weten wat er gaande is.'

'Doe ik. Als je me nodig hebt, ik ben vanavond in het Royal Hawaiian.'

Rafe vertrok uit Kakaako en keerde terug naar zijn hotelkamers. Hij haalde zijn koffer tevoorschijn en stopte het manifest erin, tot hij de volgende dag naar de vergadering van de Reform Party in de Legislatuur zou gaan. Het zou geweldig nieuws zijn voor de oude Hunnewell dat zijn stuk op de vooravond van hun vertrek naar San Francisco onverwachts was teruggevonden. Rafe zou niet op de details ingaan. Tegen de tijd dat de vergadering van de Reform Party in de wachtkamer van Aliiolani Hale was afgelopen, zou dokter Jerome al aan de overkant van de straat in het Iolani-paleis toestemming krijgen van de koningin om zijn onderzoekskliniek te bouwen. Er kon nog maar weinig mis gaan – hoopte hij. In elk geval zou er geen schandaal komen dat Jeromes christelijke reputatie zou besmeuren. Daarin zou God al geëerd worden, en dat was het allerbelangrijkst voor Rafe.

Hij pakte de kleding in die hij tijdens de reis naar het vasteland wilde dragen. Ook het medicijnflesje dat Nora hem voor de autoriteiten in San Francisco had meegegeven vond een plaats in de bagage. Nadat hij had ingepakt, nam hij een bad en verkleedde zich.

Hij zou alles terzijde schuiven tot de volgende dag. Een blik op zijn horloge leerde dat er geen tijd meer was om terug te keren naar Hanalei. Graag had hij nog een laatste blik op de plantage geworpen die onder Keno's leiding zou staan tijdens zijn lange reis naar San Francisco.

Keno… die was op Hawaiiana. *Ik moet vanmiddag nog met hem praten om hem in te lichten over Oliver en om het aanbod van Ainsworth af te handelen.*

Daarna wilde hij alleen nog een rustige en eenvoudige avond met Ambrose en Noelani doorbrengen, voordat de dag van morgen zou komen. De enige die hij miste was

Eden, maar hij zou de volgende dag met haar dineren in het hotel. Hij zag haar mooie groene ogen voor zich, voelde de weelde van haar krullen tussen zijn vingers, haar zachte, warme lippen – op een dag zou ze geheel de zijne zijn.

Vol ongeduld realiseerde hij zich hoe lang het nog zou duren tot die dag kwam en hij verliet het hotel op zoek naar zijn even ongeduldige en misdeelde vriend, Keno. Wat Candace betrof, had hij in elk geval goed nieuws. Oliver was een Britse spion. Geen voor de hand liggende kandidaat om elke avond bij het diner op Kea Lani tegenover haar te zitten en te luisteren maar Ainsworths uiteenzettingen over de vele voordelen van de annexatie van Hawaï door de Verenigde Staten.

Hij glimlachte. Keno zou een paar wapens in handen krijgen waarmee hij Candace kon terugwinnen.

22

Rafe voelde een bonkende hoofdpijn opkomen. Hij hing in een stoel in de grote open kamer van zijn huis op de plantage Hawaiiana, met zijn prachtige lambriseringen van inheems hout en het groen van grote varens in potten. Door half dichtgeknepen ogen keek hij naar Keno die heen en weer liep over de geboende vloer. Zijn hielen maakten een tikkend geluid als van een tapdanser.

Hij deed zijn ogen dicht, zette zijn vingers tegen zijn voorhoofd en kreunde. 'Kun je daar alsjeblieft mee ophouden? Ik word er krankzinnig van.'

'Ophouden met wat?' vroeg Keno. 'Ik moet nadenken.'

'Ik ook. Dat is het probleem.' Hij duwde zichzelf omhoog uit de stoel. 'Goed, Keno, genoeg geijsbeerd. Je weet wat je haar moet schrijven. Anders ben je ook niet op je mondje gevallen. Schrijf die brief en ik zorg dat ze hem vandaag nog krijgt.'

Keno liet zijn nerveuze vingers door zijn haar glijden. 'Wat een lef van die Derrington. Dat hij me zo wil afkopen. En dan te bedenken dat hij jou als bemiddelaar wilde gebruiken. Is het niet in hem opgekomen wat zoiets met onze vriendschap zou doen?'

'Het zou jou overtuigd hebben. Dat was het enige wat er voor hem toe deed.'

Rafe schonk koffie in en keek op zijn horloge. 'Ik moet over een uur naar Iolani. Dokter Jerome is bij de koningin, Hartley is er ook bij.'

Keno keek bedenkelijk. 'Ainsworth had gelijk dat hij jou als bemiddelaar wilde hebben. Dat zou me inderdaad hebben overtuigd. Maar...' Hij keek Rafe bijna nederig aan.

'Meende je het dat je mij een aandeel in Hawaiiana wilt laten nemen?'

'Je kent me sinds we een jaar of tien waren. Wat denk je? Eigenlijk is het al veel te laat.'

'Natuurlijk weet ik dat je het meent, Rafe. Maar het is eigenlijk te gek.'

'Nee. Jij en Candace verdienen een goede start. Wij willen jouw succesvolle plantage niet met haar geld opzetten. Het moet jouw onderneming zijn. En we willen ook het geld van Hunnewell niet – hoewel ik het later zou accepteren als Hunnewell jou je rechtmatige aandeel zou willen geven als de zoon van zijn jongere broer. Dat is dan geen liefdadigheid. Je hebt er evenveel recht op als Oliver.'

'Hij zal mij niets aanbieden.'

'Je weet maar nooit. Het is een fatsoenlijke man, hoewel het hem soms aan mensenkennis ontbreekt. Ik was van plan op de boot met hem te praten.'

'Hij is in elk geval beter dan Oliver.'

Rafe onderdrukte zijn glimlach. 'En nu je liefdesbrief voor Candace. Even kijken… aha! Vertel haar dat je je eigen plantage zult hebben zodra Parker Judson in San Francisco het contract heeft opgesteld…'

'En als hij weigert mee te werken?'

'Dat doet hij niet. Vertel haar dat je de helft van Hawaiiana met je eigen zweet hebt verdiend. Precies zoals een man succes behoort te behalen, niet omdat je toevallig als een Hunnewell geboren werd. Vertel haar dat jouw zonen – ongetwijfeld een heel stel – zullen opgroeien tot ware *mannen* die jullie levenswerk zullen kunnen voortzetten. Jouw zonen…'

'Wacht eens even, vriend. Zij zal onmiddellijk vragen wat er mis is met dochters. Ik ken haar. Zij zal de voorkeur geven aan dochters.'

'Goed. Onze *dochters* zullen niet worden als Oliver.'

'Dat zal ze ook niet verwachten, denk ik.'

'Schrijf die brief nou maar.'

Keno ging naar het bureau en keek om naar Rafe, die zijn hoofd tegen de rugleuning van zijn stoel had gelegd en zijn ogen dichtdeed. Hij zag er vermoeid uit. Zijn vriend had het recht om vermoeid te zijn. Als hij zich de afgelopen week niet had ingespannen om het raadsel op te lossen, waar zouden ze dan zijn geweest?

Keno pakte de pen op en schreef de brief met het puntje van zijn tong tussen zijn tanden.

★

Rafe kwam me vandaag opzoeken en heeft me alles verteld. Eden heeft met Ambrose gepraat en kwam tot de conclusie dat het toegestaan was een belofte te breken als die gebaseerd was op een verkeerde veronderstelling. Daarom heeft ze Rafe verteld wat er tussen jou en je grootvader speelde op Koko Head.

Ik zou onder deze omstandigheden geen land van jouw grootvader aannemen. Dat wist hij en dus probeerde hij Rafe als bemiddelaar in te schakelen om zelf buiten beeld te blijven. Maar ik zal mijn eigen succes en land verdienen, of niets bezitten. Ik ben er echter zeker van dat ik mijn eigen plantage zal krijgen. Rafe en ik maakten een afspraak voordat we naar Frans Guyana vertrokken – misschien herinner jij je dat nog? Zodra Hawaiiana winstgevend zou worden zouden Rafe en ik een volgende plantage opzetten die voor jou en mij zou zijn. Toen we die afspraak maakten, was je er blij mee. En ik geloofde je.

★

De tranen sprongen Candace in de ogen. Hoe zou ze ooit die avond kunnen vergeten toen hij haar vertelde dat hij het zeegat zou kiezen, samen met Rafe? En dat het de bedoeling was dat hij zijn eigen plantage zou verdienen. *Hun eigen plantage.* Natuurlijk herinnerde ze zich het.

Ze zat in haar eigen kamer en veegde haar tranen weg. De brief op haar schoot was een paar minuten geleden bezorgd door een glimlachende Hawaïaanse jongen van ongeveer twaalf jaar, een van de jongens die voor Rafe Easton werkten. Ze had hem wel vaker gezien, zowel op Hawaiiana als op Hanalei.

Candace las verder.

★

Nu weet ik waarom je wegliep en je grootvader beloofde met Oliver te trouwen. Je dacht dat je het voor mijn bestwil deed, om mijn toekomst op Hawaï zeker te stellen. Maar hoe kon je veronderstellen dat ik gelukkig zou kunnen worden zonder jou? Dat ik genoegen zou nemen met een stuk land? Alles wat ik wil, is jou in mijn armen sluiten. Ik houd al jaren van je. Ik heb liever jou dan heel Hawaï aan mijn voeten.

★

Haar hart begon sneller te kloppen. *Keno… mijn lieve Keno.*

★

Dus Oliver is een Britse spion. Goed, dan heb ik de perfecte oplossing voor ons probleem. Of hij gaat op de boot met de oude Hunnewell mee naar het vasteland, of ik ga met zijn vader praten. Oliver weet het niet, maar ik heb hem die avond in de tuin gezien. Hij verschool zich in de struiken bij het hek. Nu Silas Rafe heeft verteld dat Oliver Zach bewusteloos sloeg en probeerde de politieke documenten van de Reform Party te stelen, kan ik tegen hem getuigen. Hij was dus bereid om zijn vader, Hawaï en

de goede oude Verenigde Staten te verraden? Laat hem dan in Londen gaan wonen!
Rafe heeft gezegd dat hij en Silas beiden tegen Oliver zullen getuigen als hij niet op de boot naar San Francisco stapt. En ik zal het genoegen smaken om hem dat te vertellen.

★

O *nee*, dacht Candace. Ze had het gevoel dat ze er iets aan moest doen. *Dit zou wel eens een veel groter drama kunnen worden dan dat incident in de tuin van Hunnewell. Ik moet iets doen, maar wat?*

★

Mijn lieve Candace, ik wil je spreken. Als je van me houdt, kom dan rond vijf uur naar het strand. Stel me alsjeblieft niet teleur.

★

Candace vouwde de brief dicht en liep naar haar bureau. Haar handen waren koud en klam. Ze pakte een pen, rechtte haar schouders en schreef met vastberaden hand.

★

Beste Oliver,
Ik moet je onmiddellijk spreken. Het is dringend. Kom naar Kea Lani. Ik wacht op je.
Candace.

★

Een paar tellen later riep ze Luna, de boodschappenjongen

die op Kea Lani werkte, en zond hem met haar brief naar het huis van de Hunnewells aan het strand.

★

Candace keek door het raam. Zou hij komen of niet? Bezorgd tuurde ze in de verte en na een paar minuten zag ze Oliver in een klein rijtuig aankomen. Snel wierp ze een blik over haar schouder naar de trap. Grootvader Ainsworth kon elk moment naar beneden komen voor zijn middagkoffie, een uurtje voor het diner.

Eerder had ze gedacht dat de familie in Honolulu zou zijn op het moment dat Oliver zou komen, omdat Nora en zelfs Zachary met oom Jerome mee waren gegaan naar koningin Liliuokalani in het Iolani-paleis. Eden moest al eerder naar Kalihi zijn vertrokken, om zich later bij de delegatie aan te sluiten. Hoe dan ook, de bijeenkomst moest inmiddels hebben plaatsgevonden, en de toestemming voor de langverwachte kliniek zou inmiddels binnen zijn. De kans dat de koningin de plannen had afgewezen, was klein. Oom Jerome kon dankbaar zijn voor de trouwe vriendschap van zijn tante Nora en haar steun voor de koningin. Zonder Nora zou de ontvangst in het paleis nog steeds op de lijst van uitgestelde afspraken staan. Oom Jerome en Herald Hartley waren ongetwijfeld bezig hun vertrek naar Molokai te plannen, samen met Eden.

Rafe zou zondag op de boot naar het vasteland stappen om te proberen Townsend te vinden. Ook grootvader Ainsworth vertrok, net als Zachary.

De familiekwesties zouden op Kea Lani door de afwezigheid van zovelen beslist een ander karakter krijgen. En als Candace het gesprek tussen Oliver en de Britse agent niet had gehoord, zou haar leven ook voor altijd veranderd zijn. Haar grootvader had gewild dat de verloving en de openbare ceremonie die avond zouden plaatsvinden, voordat hij naar Honolulu vertrok.

Ze liep de voordeur uit, die ze zacht dichttrok.

De late middag was aangenaam. De diepblauwe lucht was schoongewaaid en de vriendelijke golven van het lage tij rolden over het warme, witte zand.

Ze richtte haar ogen op Oliver, maar haar hart was bij Keno.

Olivers goudbruine teint stak af tegen zijn ongewoon donkere pak, zijn overhemd met kanten front en de bolhoed op zijn hoofd. Ze had een hekel aan zijn dunne snorretje met vakkundig met was omhoog gedraaide punten, naar de laatste stadse mode. Ze liep de trap af en haastte zich naar hem toe, terwijl hij van zijn mooie rijtuig met leren bank stapte.

'Tjonge, wat een enthousiaste begroeting,' glunderde hij. 'Mijn lieve Candace, wat zie je er prachtig uit vandaag.'

'We moeten praten. Zullen we naar het strand wandelen?'

Oliver keek naar zijn smetteloos gepoetste laarzen.

'Waarom maken we niet een fijn ritje met het rijtuig?'

'Liever niet, Oliver. Als je niet naar het strand wilt, nemen we het pad naar de weg. Ik voel me een beetje rusteloos en wil graag wat beweging voor het eten.'

Er verscheen een vage glimlach om zijn brede mond. 'Je was toch niet van plan om iemand te ontmoeten onderweg?'

'Hoe kom je op dat idee? Zoveel wantrouwen jegens de vrouw die je je echtgenote wilt maken.'

Hij lachte onbezorgd, keek op naar de felle zon aan de hemel en merkte op dat ze geen parasol bij zich had toen ze op weg gingen. 'De jonge dames in San Francisco hebben allemaal mooie parasols, ook al is het er altijd nevelig in de zomer. Zou jij er ook niet een ophalen als je zo nodig over de weg wilt lopen – niet de aangenaamste plek om te lopen, vind je niet?'

'Nee. Als ik het niet aangenaam zou vinden, Oliver, zou

ik het niet hebben voorgesteld. Of wel soms?'

Hij begon zich aan haar te ergeren. Ze perste opzettelijk haar lippen op elkaar en keek nors. 'Anders dan jij ben ik geboren en getogen in de tropen. Parasols zullen ongetwijfeld in de mode zijn in de stad, maar ik houd van het weer in Honolulu.' In werkelijkheid had ze bijna altijd een parasol bij zich als ze naar buiten ging. 'Jij bent meer een opgedirkt stadsmens dan een echte Hawaïaan,' zei ze fronsend. 'Denk je dat je ooit kunt wennen aan zand van het strand in je schoenen en loshangende overhemden, of zelfs maar overhemden met een los bovenste knoopje?'

'Mijn allerliefste Candace. Ik ben een Hunnewell, nietwaar? Natuurlijk ben ik een Hawaïaan.'

'O. Er gaat echter ook een gerucht dat je tamelijk Engels bent.'

Zijn karamelbruine ogen zochten onmiddellijk de hare op. Zijn intense blik zocht naar verborgen betekenissen achter haar woorden – betekenissen die zijn dubbelspel zouden kunnen ondermijnen.

'Trouwens, Keno is ook een Hunnewell,' merkte ze op. 'Wist je dat?'

Zijn glimlach verdween en zijn trekken werden stug. Hij hief zijn kin iets omhoog.

'Waar heb je die onzin gehoord?'

'Ik denk dat we ervoor moeten zorgen dat jouw vader Keno zijn rechtmatige deel van de Hunnewell-erfenis geeft, vind je niet? Ter compensatie van de respectloze manier waarop jouw familie hem vanaf zijn geboorte heeft behandeld. Jouw vader weet tenslotte heel goed dat zijn jongere broer Philip een zoon verwekte bij Noelani's jongere zuster.'

Candace liep snel over het pad naar de weg die langs Kea Lani en de zendingskerk naar Hawaiiana leidde – niet dat ze van plan was daar naartoe te gaan. Ze keek even op naar Oliver om te zien hoe hij op haar botte woorden reageerde.

Ging ze te ver om hem uit zijn tent te lokken?

Zoals te verwachten viel, ging zijn mond op slot. Onder zijn hoge jukbeenderen verscheen een rode blos. Met zwaaiende armen marcheerde hij naast haar.

'Vind je ook niet?' herhaalde ze, om hem een antwoord te ontlokken dat hij niet wilde geven. 'Ik bedoel, Keno P. Hunnewell is nu eenmaal je neef. Het zou alleen maar terecht zijn als jouw vader een beetje geld in zijn richting liet stromen, als een borrelend beekje.'

'Houd op. Je bent me opzettelijk aan het uitdagen, jongedame. Ik zeg je hier en nu dat ik geen echtgenoot word die zich een al te scherpe tong van zijn vrouw laat welgevallen.'

'Je meent het. Maar als je mijn echtgenoot wilt worden, kun je er maar beter aan wennen, jongeman, want ik sta erom bekend dat ik soms bijtend uit de hoek kan komen. Ik lijk veel op mijn oudtante Nora, weet je? En zij staat erom bekend dat ze de waarheid spreekt.'

Hij bleef staan en pakte haar arm vast. Zijn ogen schoten vuur. 'Waar gaat dit allemaal over? Wat probeer je te doen? Heb je me alleen hier naartoe laten komen om me te beledigen?'

Met een ruk draaide ze zich naar hem toe. 'Nee, omdat je een Britse spion bent. Ik heb geen zin om getrouwd te zijn met een man die zijn vader bedriegt en vervolgens tijdens het ontbijt schijnheilig grijnzend met hem over de annexatie praat. Jij was van plan om het politieke manifest van je vader te stelen en aan een Britse agent te geven die voor de regeringsvertegenwoordiger werkt.'

Hij keek verbijsterd. 'Wat is dit voor een onzin?'

'Je hoeft niet te doen alsof je niet weet waar ik het over heb. Ik was namelijk ook op het strand op de avond dat jullie over het manifest en Keno praatten.'

Zijn adem stokte en hij keek haar onderzoekend aan.

'O ja, ik heb alles gehoord. Je vertelde hem dat Keno's

komst naar de tuin die avond het gelukkige toeval was dat je nodig gehad om de aandacht van jezelf af te leiden, in het geval dat je de papieren had kunnen stelen. Maar helaas was iemand je voor geweest. Je beledigde Keno bewust om commotie uit te lokken. Hoe meer mensen er zouden komen kijken wat er met jou aan de hand was, hoe makkelijker je een van hen later zou kunnen beschuldigen van de diefstal.'

Zijn grijns werd sarcastisch. 'Tjonge, wat een slim grietje. Maar je hebt geen enkel bewijs. Wie zou je geloven? Ik betwijfel of iemand met een greintje gezond verstand dat verhaal serieus zou nemen. Ik? De zoon van de leider van de annexatiebeweging zou een spion zijn?'

'Precies wat je ook tegen die agent zei op die avond op het strand. Wie zou Keno geloven? En nu, wie zou mij geloven?'

'Exact. Mijn vader niet, in elk geval. En ook Ainsworth niet, als je zo onverstandig bent om hem met deze fabeltjes lastig te vallen'. Hij glimlachte spottend. 'Dus wat ben je nu van plan, mijn liefje? Je maakt het alleen maar moeilijk voor jezelf. Want ongeacht dit fantastische verhaal dat je met Keno hebt bedacht, zul je nog steeds mijn vrouw worden. Met dergelijke harde taal ondermijn je alleen je eigen positie.'

'Daar vergis je je in, Oliver.'

Hij probeerde haar ogen te lezen. 'Ik denk van niet.'

'Je zult de waarheid nog wel ondervinden. Keno heeft je bij het grote hek achter de bosjes zien hurken, klaar om mijn neef Zachary bewusteloos te slaan. Silas heeft je ook gezien.'

'Silas!'

Ze zag hoe zijn spottende blik betrok. 'Net als Keno en Rafe Easton is hij bereid om jouw vader de waarheid te vertellen, als je vast blijft houden aan deze onverstandige verbintenis tussen ons.'

'Wat heeft Rafe Easton hiermee te maken?' vroeg hij ongemakkelijk.

Candace zag een kans om haar zaak door te zetten. 'Keno is zijn vriend. Ze worden partners op Hawaiiana. Ook Parker Judson steunt Keno om zijn eigen plantage te verwerven. Keno en ik hebben deze mensen aan onze zijde en daarom adviseer ik je dringend om morgen met je vader op de boot te stappen en terug te keren naar de stad, waar je hoort. En jij bent degene die mijn grootvader en jouw vader gaat vertellen dat je onze verloving niet wilt doorzetten, omdat je niet van me houdt en niet met me wilt trouwen.'

De woede maakte zijn ogen klein en hij ademde zwaar. Even kreeg ze een ongemakkelijk gevoel omdat ze alleen waren, op een eenzame weg, tegen zonsondergang.

Hij rechtte zijn schouders en begon onverwachts te lachen.

'Eigenlijk ben ik opgelucht. En één ding wat je zei, is inderdaad waar.' Zijn lach verdween weer en zijn ogen werden kil. 'Ik houd inderdaad absoluut niet van je, Candace.'

Ze hief haar kin. 'Daar ben ik blij om. Dat maakt het allemaal veel makkelijker, nietwaar?'

'Ik zal morgen op de boot stappen, maar alleen omdat ik het zelf wil. En de beslissing om niet te trouwen is mij ook uit het hart gegrepen. Ik heb namelijk al een vrouw in San Francisco die met me wil trouwen. Ik wens u een goede dag, juffrouw.' Hij draaide zich om op zijn glanzende laarzen en liep terug naar zijn rijtuig.

Candace keek hem een poosje na met een ernstig gezicht. Ze zuchtte diep toen ze besefte hoe dicht ze langs het randje van de afgrond was gegaan. Maar toen het eenmaal tot haar doordrong dat ze weer helemaal vrij was, kwam er een golf van vreugde in haar op. Ze glimlachte en klapte in haar handen. Ze was vrij voor Keno! Snel draaide ze zich om op het pad en gaf zich over aan het geluksgevoel dat haar overspoelde. Ze trok haar jurk omhoog en rende naar het warme strand waar ze hem zou ontmoeten. Op het zand schopte ze als een jong meisje haar schoenen uit en rende naar de waterlijn om het water om haar enkels te voelen kabbelen.

Candace keek op naar de rotsen met palmbomen en zag haar prins naar haar staan kijken. Met wijdopen armen rende ze op hem af. Keno klom van de rotsen naar beneden.

Lachend wachtte ze op hem terwijl de wind met haar krullen speelde.

Een tel later had Keno haar bereikt. Zijn ogen zochten de hare en keken tot in haar hart. Snel trok hij haar tegen zich aan.

Candace smolt in zijn sterke armen en terwijl hun lippen de vreugdevolle hereniging vierden, zong haar hart op het ritme van de wind.

Eindelijk weer samen. En deze keer voor altijd.

23

Buiten de suikerplantage van Kea Lani sluimerde het gevaar dagenlang, loerend… verscholen in de duistere schaduwen.

Rafe zal betalen voor zijn bemoeizucht, dacht hij. Dit is allemaal zijn werk. Hij haatte me vanaf het begin en heeft Celestine tegen me opgezet. Hij heeft mijn recht op Hanalei en de parelbedden gestolen. Ik zal die zoon van Matt Easton een lesje leren! Dus hij denkt dat ik in San Francisco ben? Ik heb ze allemaal om de tuin geleid. Ik heb gezorgd dat Celestine en Parker Judson me zagen en ben er vervolgens tussenuit geknepen. Die dwazen gaan me daar zoeken. Maar ik ben in Honolulu om zoete wraak te nemen.
Matt is dood. Die geweldige vader van Rafe… ik heb het hem laten weten! Hij is dood. Ik zal het Rafe betaald zetten dat hij mijn leven op Hawaï heeft verwoest. Wil hij me opzoeken? Kom maar op, Rafe! Kom snel om Hanalei van de verwoestende vlammen te redden. Kom Eden redden, de liefde van je leven! Als ik klaar ben met hen, heb je niets meer – geen Matt, geen Hanalei en geen Eden. Dan zul je weten hoe het is om de rest van je leven te rouwen. Ze gaan allemaal op in vlammen en jij mag op de ashopen zitten. We zullen eens zien hoe jouw hooggeroemde christelijke geloof het uithoudt als alles wat je dierbaar was tot stof en as is vergaan. Mijn spottende stem zal de rest van je dagen in je hart weergalmen!

★

De toestemming voor de kliniek zou die dag worden gegeven en Edens missie op Molokai zou snel beginnen. Maar ondanks dat voelde ze geen vreugde. Er was een ongemakkelijk gevoel in haar hart, alsof er iets knaagde aan de rust. De laatste twee dagen voelde ze zich niet goed, hoewel ze niet kon zeggen waarom. Het was alsof ze met kwade bedoelingen werd geobserveerd.

Het was natuurlijk een gevoel waartegen ze moest vechten. *De engels des Heren waakt over hen die op Hem vertrouwen en verlost hen.*

Ze voelde een sterke drang om die ochtend even bij de bungalow van Ambrose te stoppen voordat ze naar het ziekenhuis in Kalihi reed. Ze zou een paar uur met tante Lana werken, om zich vervolgens om te kleden en met dokter Jerome en haar oudtante Nora op audiëntie te gaan bij de koningin.

'Ik heb het gevoel alsof iemand me volgt, Ambrose. Ik krijg zelfs de rillingen over mijn rug als ik in de tuin loop.'

Hij keek haar aandachtig aan. 'Dat is merkwaardig, en zorgelijk. Weet je zeker dat je je niet eenzaam voelt omdat Rafe morgen op de boot stapt?'

Ze glimlachte droevig. 'Ook dat. Maar dit is… iets anders.'

'Laten we erover bidden. Onze almachtige God is ook barmhartig. Hij heeft beloofd ons nooit in de steek te laten. In feite ben je dus nooit alleen.' Hij pakte zijn oude bijbel, sloeg Psalm 139 op en las met zijn rustige en zachte stem voor.

Nadat ze samen gebeden hadden voor haar werk in Kalihi en de ontmoeting met de koningin, liep hij met haar mee naar haar rijtuig.

Eden zette het onrustige gevoel van zich af en bedacht dat het pad vol obstakels nog steeds in de juiste richting liep wanneer Gods genade de weg vrij maakte.

Wat de toekomst ook in petto heeft, ik kom daar waar ik bedoeld ben te komen. En ook de anderen om wie ze zoveel gaf, kwamen daar als ze de weg van de Waarheid volgden en erkenden dat Christus de Weg was, de Waarheid en het Leven.

De beloften van Psalm 139 waren al genoeg om haar hart te ontdoen van duistere zorgen.

'Ga je met dokter Jerome mee naar de koningin?' vroeg Ambrose.

'Ja, en vanavond eet ik met Rafe in het Royal Hawaiian Hotel.' Ze wees naar de doos naast haar bankje. 'Ik heb mijn jurk en schoenen al bij me.'

'Zeg Rafe dan dat ik morgen in de stad ben. Ik kom langs in het hotel voordat de boot vertrekt.'

Ze nam afscheid, pakte de leidsels en liet het paard de weg opzoeken.

Ambrose keek haar na. Het was een stille morgen. De wind ruiste door de palmen boven zijn hoofd en Ambrose verviel in gedachten.

★

Rafe verliet de vergadering van de Reform Party. Tot verbazing en vreugde van alle aanwezigen, inclusief Ainsworth, had hij het manifest teruggegeven aan Thaddeus Hunnewell. Van alle kanten werd hij met vragen bestookt, die hij alle handig pareerde met een eenvoudig verhaal. Iemand had geprobeerd het document van het bureau te stelen, maar Silas had die poging verijdeld en het manifest bij dokter Jerome in bewaring gegeven. Dokter Jerome had het vervolgens door Rafe laten terugbezorgen aan de delegatie van de Reform Party die naar Washington zou reizen. Alleen Ainsworth had er het zwijgen toe gedaan. Hij had Hunnewell ernstig aangekeken. Rafe veronderstelde dat hij aan boord van de boot een lang gesprek met Hunnewell zou hebben, over diens zoon Oliver.

Na een paar laatste beslissingen over de politieke missie naar de Amerikaanse minister Blaine van Buitenlandse

Zaken, was de vergadering ten einde. Rafe nam snel een huurkoets naar het Iolani-paleis.

De klokken van de Kawaiahaokerk aan de overkant van de straat luidden.

Dokter Jerome, Nora en Eden zouden inmiddels bij koningin Liliuokalani zitten. De koets nam de gebruikelijke route langs de Kauikeaoulipoort aan King Street. Het was de ingang voor staatsbezoeken. Het gietijzeren hek was dicht. Twee geüniformeerde Hawaïaanse soldaten stonden in hun smalle huisjes op wacht en zagen de koets passeren. De rit voerde naar het midden van de meer dan drie meter hoge muur aan Richards Street, waar de koets door de Kinaupoort het binnenplein van het paleis op reed.

Het koninklijke paleis met Korinthische balkons en pilaren was volgens sommigen misplaatst in de tropen. Voor Rafe leken de pilaren temidden van de overvloedige flora, het oplichtende groen van de velden, de ruige bergen op de achtergrond en de diepblauwe lucht erboven volkomen op hun plaats. Ze waren niet te protserig, maar ook niet primitief.

Hij liep de trap achter de werkingang op en vroeg de Hawaïaanse wachter van dienst, een bekende van hem, of de groep van dokter Jerome Derrington de koningin al had gesproken. De wachter vertelde dat het gezelschap nog steeds in de statige Blauwe Kamer bij Liliuokalani was.

Rafe kon als lid van de Legislatuur de gang verder inlopen om tegenover de gesloten deuren van de Blauwe Kamer te wachten. Hij twijfelde er zo weinig aan dat de kliniek zou worden goedgekeurd dat hij de kwestie al als afgedaan beschouwde. Jerome zou die dag een blij man zijn. En Eden zou in de blijdschap delen. Hij was gekomen om met haar te praten en haar op te halen voor het afscheidsdiner in het Royal Hawaiian Hotel, voor zijn vertrek de volgende ochtend.

De deur ging open en Zachary kwam stil naar buiten. Hij wilde de vergadering niet verstoren. Rafe was een beetje verbaasd hem te zien, maar bedacht daarop dat Nora hem waarschijnlijk had meegetroond als verslaggever van de Gazette.

Zachary zag hem staan en liep naar hem toe.

Hij zag er weer beter uit. De ruzie over Silas tijdens de familiebijeenkomst had hem een ernstige terugval bezorgd. Achteraf was hij zo ontdaan over het incident met de wandelstok dat hij zich in zijn kamer had opgesloten.

Rafe had een briefje van Eden ontvangen en was daarop naar Kea Lani teruggekeerd om Zach ertoe te brengen op te staan en zijn weg met God te vervolgen.

Het was belangrijk om hem gerust te stellen, te bevestigen dat hij nog steeds geaccepteerd werd en dat ze nog altijd vrienden waren.

In zijn kamer had Rafe rustig uitgelegd dat Silas hem niet had aangevallen in de tuin van Hunnewell. Oliver was de dader. En de wandelstok was een dwaalspoor.

Ook had hij Zach uitgelegd dat hij op die bewuste avond niet Silas had gevolgd naar de goktent in Rat Alley, maar Herald Hartley. Het duurde even voordat de verklaringen doordrongen, maar met hulp van Eden liet Zach zich overtuigen. Ten slotte wisten ze hem uit zijn bed te krijgen en aan te moedigen om beneden te komen eten.

Eden had ervoor gezorgd dat Silas hen stond op te wachten. Hij stapte met een ontwapenende glimlach naar voren en stak zijn hand uit om vrede te sluiten met Zach. Een akelig ogenblik lang vreesde Rafe dat hij het gebaar zou afslaan. Maar hij pakte de uitgestoken hand vast en verontschuldigde zich kort voor zijn valse beschuldiging. Dat hij Silas zijn excuses aanbood, hoe beknopt ook, was een enorme verbetering.

Rafe leunde nu tegen de muur tegenover de Blauwe Kamer en wachtte Zachary op.

'Het is allemaal in kannen en kruiken. Er is toestemming voor de kliniek. Dokter Jerome vertrekt volgende week naar Molokai. Trouwens, Ambrose is in de stad. Hij zoekt je.'

Rafe nam aan dat hij afscheid van hem kwam nemen voordat hij op de boot zou stappen. 'Waarschijnlijk wacht hij in het hotel op mij. Zodra Eden naar buiten komt, zoek ik hem op.'

'Eden? Die is niet gekomen. Het zijn alleen oom Jerome, Nora en ik. Ik moet het verslag voor de *Gazette* maken voordat ik morgenochtend met jou en Ainsworth vertrek. Kom mee. Ik loop met je mee naar je koets.'

Rafe ging rechtop staan en fronste. 'Wacht eens even. Ze heeft maanden naar deze enorme overwinning uitgekeken. Dat had ze nooit willen missen. Ik dacht dat ze ook in de Blauwe Kamer zat.'

Zachary schudde zijn gouden lokken. 'Misschien was ze in het ziekenhuis en kon ze niet weg?'

'Nee. Dan zou ze met Jerome zijn meegekomen,' zei hij beslist.

Zachary keek hem aan en werd ernstig toen hij zag hoe bezorgd Rafe was. 'Ik dacht dat er misschien iets urgents tussen was gekomen.'

'Heeft niemand iets gezegd? Nora, Jerome?'

'Niemand leek zich erover te verbazen, dus ik dacht er niet meer aan. Wat is er aan de hand? Je lijkt je zorgen te maken.'

Rafe probeerde te kalmeren. Om een of andere reden was hij die dag gespannen. 'Ik weet het niet. Ik begrijp gewoon niet dat ze deze zeldzame gelegenheid zou missen. Misschien ben ik de enige die weet hoeveel die kliniek voor haar betekent. Zij en ik hebben er behoorlijk ruzie over gemaakt! Het betekende bijna het eind van onze verloving. Maar als Jerome en Nora zich geen zorgen maken, is mijn reactie misschien wat overdreven. Laten we gaan.'

'Ik slaap vannacht op de boot,' zei Zachary toen ze de trap afliepen naar het binnenplein. 'Ik heb gehoord dat er de laatste tijd iemand rondsluipt. Gisteravond brandde er licht in de boot.'

Ze stapten in de warme zonneschijn. 'Een paar Hawaiiaanse jongens hebben het gezien. Ze dachten dat ik aan boord was.'

'Is er iets gestolen?' vroeg Rafe afwezig. Hij was nog steeds met zijn gedachten bij Eden.

'Nee. Het is heel vreemd. Ik heb alles gecontroleerd, en er was niets overhoop gehaald. Ik zou haast zeggen dat ze een geest hebben gezien.'

Rafe keek hem misprijzend aan.

'Ja, ja, lach maar,' mopperde Zachary. 'Zelfs Eden zegt dat ze het gevoel heeft alsof er een geest naar haar kijkt. Ambrose had het erover. Ze is vanochtend onderweg naar Kalihi even bij de kerk gestopt om met hem te praten.'

Geesten! Rafe kon zich niet voorstellen dat Eden aan geesten dacht.

'Er zijn demonen en duivels, maar geesten bestaan niet,' merkte hij op. 'Een geest zou de dwalende ziel van een dode zijn, maar alle verlorenen die sterven gaan naar de onderwereld tot de Dag des Oordeels, en alle ware gelovigen zijn bij de Heer.'

Zachary haalde zijn schouders op. 'Jij weet meer van de Bijbel dan ik, maar zij was bang.'

Rafe bleef staan en zette zijn handen op zijn heupen. De zorgrimpels in zijn voorhoofd werden dieper. 'Meen je dat?'

'Natuurlijk!'

'Ik kan het niet geloven.' Hij liep snel door en Zachary gaf op zijn beurt geïrriteerd antwoord. 'Waarom zou ik dat verzinnen? En wat zeg je van mijn boot? Er is daar iemand geweest.'

'Iemand, ja.' *Misschien.* Rafe keek hem van opzij aan.

'Maar een geest in een wit laken… met een kaars in zijn hand? Zach, welke vorm demonen ook mogen aannemen, speel geen spelletje met hen.'

'Dat is wel het laatste wat ik zou willen,' antwoordde hij droog. 'Wat ik wil is een uitgebreid diner met Bunny – ik bedoel Bernice Judson – in San Francisco. Weet je, misschien wil Ambrose daar wel met jou over praten… over Eden en haar geest.'

'Ik eet vanavond samen met haar in het hotel. Dan reken ik wel af met alle zogenaamde geesten die haar willen lastigvallen.'

Zachary lachte. 'Dat geloof ik onmiddellijk.'

Het vreemde nieuws over Eden zat Rafe dwars. Waarom zou een verstandige vrouw als zij Ambrose – uitgerekend hem! – vertellen dat ze last had van iets als een 'geest'? Dat ging volkomen tegen haar aard in. Zach klopte het verhaal waarschijnlijk op omdat een of andere figuur op zijn boot had rondgehangen.

Hij bleef op het binnenplein staan en keek om naar het paleis. Het was niets voor Eden om die dag verstek te laten gaan. Had haar afwezigheid iets te maken met het verhaal van Zach?

'Ga je mee naar het hotel?' vroeg Rafe.

'Nee, ik ga naar mijn boot. Ik zie je morgen op de boot naar San Francisco. O ja! Heeft Keno het je verteld?'

'Wat is er nu weer aan de hand, waar ik niets van weet? Ik heb hem sinds gisteren op Hawaiiana niet meer gezien. Hij schreef een liefdesbrief voor Candace.'

Zachary lachte. 'Die is haar dan kennelijk heel goed bevallen. Ze vertelde grootvader vanochtend dat ze zich met Keno heeft verloofd en dat ze volgend jaar gaan trouwen. Een dubbele bruiloft, samen met jou en Eden. Als ik Bunny nu eens kon overhalen om hetzelfde te doen. Dan zou het een driedubbele bruiloft worden!'

Rafe was blij voor Keno en Candace. Hij moest die dag de koning te rijk zijn. 'Hoe nam Ainsworth het nieuws op?'

'Hij was sprakeloos, want Oliver had hem eerst al een bericht gestuurd dat hij de verloving verbrak. Er was iemand anders in San Francisco met wie hij wilde trouwen. Het nieuws trof hem als een mokerslag. Je weet hoe graag Ainsworth de verloving bekend wilde maken voordat hij naar het vasteland zou vertrekken. Nu is de hele kwestie afgeblazen. En dan komt Candace hem overvallen met haar onwrikbare besluit. Ze zegt dat ze gisteren een confrontatie had met Oliver. Ze heeft hem gezegd dat hij zelf de verloving moest verbreken en samen met Hunnewell op de boot moest stappen, anders zou ze regelrecht naar zijn vader stappen met het "Britse schandaal".'

Zachary nam met een korte groet afscheid en Rafe liep door. Hij verkneukelde zich een beetje over Olivers val van zijn berg van trots in het dal van de vernedering, vanwege zijn behandeling van Keno.

De overwinning van zijn vriend stemde Rafe tevreden terwijl hij met de huurkoets door King Street in de richting van het hotel reed. Deze keer had de betere man gewonnen.

Maar zijn glimlach verdween alweer snel toen zijn onrust terugkeerde. Geesten… de woonboot… heel vreemd. Hij verdrong de gedachte en liep het hotel in.

Even later zwaaide de deur van zijn hotelsuite open en Rafe stapte de stilte binnen. Zacht sloot hij de deur, in gedachten verzonken. De meeste vragen die hem hadden gekweld sinds het incident in de tuin van Hunnewell waren opgelost en de overige zou hij aan de sheriff overlaten. Hij zette ze van zich af en besloot te rusten tot hij met Eden ging dineren.

24

Een nieuwe dokter? dacht Eden. *Vreemd, daar heeft niemand iets over gezegd.* Ze bleef in de deuropening van de rustkamer voor de verpleging staan en keek onzeker over haar schouder terug naar de hal. *Verbeeld ik mij dingen?*

Ze was er bijna zeker van dat ze in het voorbijgaan een man in een witte doktersjas de kamer aan het eind van de gang zag binnenlopen. Ze kende alle dienstdoende artsen en hoewel ze zijn gezicht niet had gezien, had ze wel een indruk van zijn lengte en houding. Die kwamen niet overeen met die van de haar bekende medici.

Haar zintuigen speelden haar zeker parten. Ze hoorde geen geluid uit de onderzoekskamer. Een schaduw uit een stormachtige nacht in het maanlicht… in een witte doktersjas? Kom op zeg, Eden!

Ze glimlachte verontschuldigend. Een geest. Ze geloofde niet in geesten.

Ze keek op haar horloge. Nog vijf minuten en de dag zat erop voor haar. Ze zou die avond voor de laatste keer in lange tijd samen met Rafe eten, in het hotel. Het gaf haar een triest gevoel. *Ik moet er niet aan denken.* Ze probeerde zichzelf op te beuren. *Wie weet gaat mijn ontmoeting met Rebecca zo goed dat ik eerder terugkom. Misschien blijf ik niet een heel jaar. Of… stel dat Rafe en ik zouden trouwen en dat ik dan pas naar Rebecca zou gaan.*

Haar eigen gedachten verbaasden haar. Kennelijk leefden ze al heel lang onder de oppervlakte, vanaf het moment dat zij en Rafe hadden besloten dat haar verblijf op Molokai niet zo lang zou zijn als ze eerst had gewild. Ook al bleef ze niet lang, het werk zou doorgaan. En de toestemming voor de kliniek zou er die dag zeker komen, tijdens het onderhoud van Nora en haar vader met de koningin. Ten langen leste! Dokter Jerome was opgetogen, net als dokter Clifford Bolton en Lana. 'Nu hebben we een zaak om ons voor in te zetten die de moeite waard zou kunnen zijn,' had Lana gezegd.

Eden fronste. Een vreemd commentaar van haar tante. Hadden zij en dokter Bolton niet al een reden? Ze had het gezegd alsof het werk in Kalihi zou eindigen en een andere deur geopend moest worden om God te kunnen blijven dienen als medici. Nu ze erbij stilstond, dokter Bolton noch Lana zagen er de laatste tijd goed uit. Bolton leek ouder te zijn geworden, met meer grijs in zijn haar, en Lana was afgevallen en had donkere kringen onder haar ogen, alsof ze ongelukkig was. Vreemd, want ze zouden zondag over een week trouwen in de zendingskerk, met Ambrose als dominee.

Dokter Bolton was wel zeer geïnteresseerd in de kliniek en bracht uren door met haar vader om te bespreken wat er gedaan moest worden en hoe ze de uitrusting naar Molokai konden sturen. Rafe was bijzonder gul geweest met zijn steun en Ambrose zou de drukpers klaarmaken voor verscheping vanuit het kantoor van de *Gazette*. Keno zou hem naar de haven vervoeren en aan boord brengen van de *Minoa*, die koers zou zetten naar Molokai. Al die werkzaamheden zouden tijd vergen. En Rafe pakte vandaag zijn koffers om aan boord te gaan van de boot naar San Francisco. Ze vroeg zich af hoe lang het zou duren voordat hij met Townsend terug zou komen naar Honolulu.

Haar vader maakte al plannen om binnen een week naar Molokai te vertrekken. Na de audiëntie bij de koningin zou hij de rest van de dag naar Kea Lani gaan om de bestellingen van medicijnen en voorraden af te ronden.

Herald zou in Honolulu achterblijven, onder toezicht van de sheriff, totdat er nader bewijs uit San Francisco werd geleverd. De vragen rond de dood van dokter Chen en het gestolen dagboek waren in handen van de politie. Tot nu toe had niemand van Chens verwanten een aanklacht ingediend met betrekking tot het dagboek en dus zou Herald wellicht niet worden beschuldigd van een misdaad. Ze was zeer dankbaar dat dokter Jerome niet bij de zaak betrokken was. Haar liefde voor Rafe was zo mogelijk nog groter geworden vanwege de respectvolle manier waarop hij haar vader had behandeld. Hij had al het mogelijke gedaan om hem verre te houden van alle blaam en geruchten.

Ze keek de gang weer in naar de onderzoekskamer. Misschien had dokter Jerome een nieuwe assistent aangenomen.

Hij was al op weg om Rafe te accepteren. Dat kon ze aan zijn beleid zien. In plaats van te vechten om haar aan zijn zijde te houden, was hij al bezig iemand te vinden die haar positie zou kunnen innemen in de kliniek op Molokai. Dat was een grote verandering in zijn houding.

Eden eindigde met haar favoriete patiënte, een jong meisje, en bedacht dat ze moest opschieten als ze nog op tijd bij haar vader en Nora in het paleis wilde zijn. Ze meende dat Zachary ook zou komen. Haar hart bonkte van opwinding. Dit was het moment waarop ze zo lang had gewacht en waarvoor ze zoveel had gebeden.

Snel ging ze haar spullen ophalen, inclusief de doos met haar jurk en schoenen. Ze glimlachte. Naderhand zou ze genieten van een heerlijk romantisch etentje met Rafe in het Royal Hawaiian Hotel. Ze haalde haar bescheiden jurk tevoorschijn, lichtblauw, afgezet met kant, met een hoge halslijn en nauwsluitende, lange mouwen. Er hingen geen gordijnen voor de ramen die uitkeken op de hal. Ze besloot zich in het kleine kantoor van haar vader om te kleden, waar ze in zijn afwezigheid privacy had.

Terwijl ze door de gang naar het kantoor liep, neuriede ze in zichzelf. *Mevrouw Easton. Mevrouw Eden Easton…* goed, de namen vormden niet de beste combinatie, maar de man die ze erbij kreeg maakte veel goed voor haar nieuwe initialen *E.E.*

Ze naderde de onderzoekskamer en ging langzamer lopen. De indruk dat iemand daar eerder naar binnen was gestapt, stond haar nog levendig voor ogen. Gehaast liep ze door naar het kantoor van haar vader, om zo snel mogelijk op weg te kunnen gaan.

Ze sloot de deur achter zich en schoof de grendel dicht... gelukkig. Ze gedroeg zich dwaas, maar in elk geval kon ze nu haar rug naar de deur draaien zonder rillingen langs haar ruggengraat te voelen.

Ze schudde de jurk los en streek alle kreukels glad. Even keek ze in de kleine spiegel naar haar haar en besloot dat ze het voor het etentje in een baaierd van krullen in haar nek zou laten vallen, omdat Rafe dat mooi vond staan. Haar diamanten verlovingsring schitterde in het licht, alsof hij huiverde van schoonheid en opwinding.

Plotseling hoorde ze de deurkruk rammelen, waarna er op de deur werd geklopt. Ze hield haar adem in.

'Ja? Wie is daar?'

'Zach! Eden?'

'Ja, momentje.' Opgelucht schoof ze de grendel open en deed een stap achteruit. Toen de deur openzwaaide, knipperde ze met haar ogen. *Het kon niet waar zijn, maar toch was het zo.* Oom Townsend stond haar in een witte doktersjas welwillend toe te grijnzen.

Townsend was een grote man met brede schouders en een stevige borstkas. Hij was nog altijd knap voor zijn leeftijd, met zijn gouden haar en wilskrachtige kin.

Hij legde een vinger over zijn lippen, stapte haar voorbij en deed de deur dicht.

'*Sst*,' siste hij, bijna jongensachtig, met een grijns op zijn gezicht. 'Waar is die bovenste beste broer van mij, de grootste zwerver ter wereld?'

Haar angst zakte een beetje weg, maar hij had zojuist tegen haar gelogen en de stem van zijn zoon Zachary nagedaan. Waar was die misleiding goed voor? Misschien dacht hij dat ze de deur niet open had gedaan als hij zijn eigennaam had genoemd. *En wat doet hij hier in Honolulu?*

'Dokter Jerome is in het Iolani-paleis,' antwoordde ze, zonder enige nervositeit over zijn aanwezigheid te verraden.

'*Dokter* Jerome? Kun je hem nog steeds geen vader noemen?'

Ze aarzelde. *Kan Silas jou vader noemen?* had ze terug willen geven.

'Niet bang zijn. Lieve deugd, Eden, ik ben je oom. Ik heb je praktisch opgevoed vanaf dat je een peuter was.'

Dat klopte niet, maar natuurlijk was hij wel haar oom en in haar latere kindertijd was hij vaak aanwezig aan de ontbijttafel of bij het diner. Niettemin – zijn glimlach deed vreemd aan, bijna als die van een vreemdeling. En zijn ogen stonden hard, alsof hij haar niet zag als Eden. Hij was veranderd. Ze kreeg een koude rilling over haar rug. Was hij het geweest van wie ze gevoeld had dat er iemand naar haar keek?

'Wat doe je in Honolulu?' vroeg ze op rustige toon. 'We hoorden dat je in San Francisco was.'

Zijn glimlach had vreemd genoeg iets medelijdends, met een vleugje verdorvenheid. Een volgende rilling ging over haar rug.

'Slim van me, vind je niet? Dat was met opzet. Ik wilde dat Celestine en Parker Judson me zagen en ben onmiddellijk daarna naar huis gegaan.'

'Oom Townsend, je hebt hulp nodig. Je moet met grootvader gaan praten. Laat me iemand naar hem sturen.'

'Zodat Rafe me op mijn huid kan zitten vanwege Matt Easton en die arme Nora? Leugens, mijn beste Eden, allemaal leugens en misverstanden. Je arme, oude oom kan het bewijzen. Ik kan op dit moment niemand laten weten dat ik hier ben, zelfs Ainsworth niet. Maar ik heb contact opgenomen met Rafe en Zachary. Het verbaasde hun iets van mij te horen, maar ze waren er blij om, vooral Rafe. Hij wil me spreken en dus hebben we afgesproken dat Zach en ik elkaar op Zachs boot treffen. Daarna gaan we naar Hanalei. Als we daar zijn, kan ik alles tot Rafes tevredenheid uitleggen. Maar ik heb een beetje hulp van jou nodig. Er staat een rijtuig te wachten om ons naar de boot van Zach te brengen.'

Eden geloofde geen woord van wat hij over Rafe zei. Hij zou wel de laatste man ter wereld zijn die hij nu zou willen ontmoeten. 'Waar is Rafe nu?' vroeg ze vriendelijk. *Prikkel hem niet. Blijf rustig. Vertrouw op God.* Ze deed een schietgebedje, net als Petrus toen hij in het Meer van Galilei wegzonk – *Heer, red mij!*

'O, hij is al op Hanalei. Hij wacht op ons.'

Hij liegt. Rafe kan niet op Hanalei zijn. Hij had er heen willen gaan, had hij verteld, maar hij had er geen tijd meer voor gehad omdat hij de volgende dag zou vertrekken.

Haar hart begon te bonken. Ze mocht hem niets laten merken.

'*Mijn* Hanalei,' zei hij met onverwachte bitterheid. De gemaakte glimlach was verdwenen en zijn blauwe ogen waren koud. 'Ik heb het opgebouwd. Ik heb het gemaakt tot wat het nu is.'

Ze waagde het niet tegen hem in te gaan.

Zijn ogen werden groot en er verschenen zweetdruppels op zijn voorhoofd. 'Dat zal Rafe ook weten als dit allemaal voorbij is.'

Ik geloof niets van wat hij over Rafe of Zach zegt. Ze weten niet eens dat hij hier is. Dat weet ik alleen.

Hij is over de grens van de krankzinnigheid geschoten. Hij wil wraak op Rafe en hij zal mij en Hanalei verwoesten om hem te raken, net zoals hij Matt kapotmaakte.

'Oom Townsend,' zei ze rustig, 'ik ga met je mee. Maar laat me eerst mijn hoed pakken, want het waait buiten. En ik heb ook mijn handtas nodig.'

Ze draaide zich langzaam om en hoopte tegen beter weten in dat ze de deur zou kunnen bereiken. Als ze ook maar een schreeuw kon geven, zou dat misschien Lana's aandacht trekken.

Elke stap dichter naar de deur en de deurknop was ondraaglijk spannend. Hij keek en wachtte tot haar hand naar voren greep.

Plotseling sloeg hij zijn arm van achter om haar nek en trok haar met haar rug tegen zich aan, terwijl zijn andere hand een vochtige doek op haar neus en mond drukte. Ze kon niet anders dan de walm inademen. Ze herkende de sterke geur van chloroform. Dat was dus de reden voor de doktersjas en het bezoek aan de onderzoekskamer – haar bewustzijn ebde weg...

★

Rafe liep in zijn smoking op en neer en keek op zijn horloge. Eden had er al lang moeten zijn. Er was iets mis. Dat voelde hij.

Ik had naar Kalihi moeten gaan om haar op te halen, maar zij wilde hierheen komen.

Ongerust verliet hij zijn hotelkamers en ging naar de receptie in de hal. 'Weet u zeker dat er geen boodschappen zijn?'

'Heel zeker, meneer Easton. Wilt u een boodschap laten overbrengen?'

Hij dacht na en keek door de gloedvolle hal vol luchters, prachtige avondjurken, jassen en dassen.

'Nee, maar kunt u een koets laten komen?'

'Direct, meneer.'

Toen hij even later bij het ziekenhuis in Kalihi aankwam, moest hij vaststellen dat dokter Jerome naar Kea Lani was en dat zelfs dokter Bolton en Lana al naar huis waren voor de avond. Toen hij de dienstdoende verpleegster naar Eden Derrington vroeg, trok ze haar wenkbrauwen op.

'Ik hoorde dat ze ongeveer een uur geleden vertrok. Lana zei dat haar nicht vanavond uit eten ging met een knappe heer. O…' Ze begon te blozen. 'Dat moet u zijn.'

'Dat hoop ik,' antwoordde hij droog voordat hij naar buiten liep en de trap afdaalde.

Hij bleef voor het ziekenhuis staan terwijl de gedachten door zijn hoofd buitelden. Als Eden een uur eerder was vertrokken, moest ze om een of andere reden naar Kea Lani zijn gegaan en daar zijn opgehouden, misschien door dokter Jerome of haar grootvader Ainsworth. Hij kon daar ook naartoe gaan of terugkeren naar zijn hotel.

Hij besloot tot het laatste.

'Zijn er nog boodschappen?'

De receptionist keek hem gespannen aan. 'Nee, meneer, niets.'

Toen de klokken in de stad tien uur sloegen, keek Rafe op uit zijn fauteuil en legde het boek weg dat hij had gelezen – of had geprobeerd te lezen. Hij trommelde met zijn vingers op de armleuning. Hij was al eerder tot de conclusie gekomen dat Eden de afspraak voor het diner niet had nagekomen. Zij dacht kennelijk dat hij het niet erg zou vinden en dat het 'etentje met een knappe heer' kon wachten terwijl zij met dokter Jerome aan de aanstaande reis naar Molokai werkte.

Toegegeven, de conclusie die hij had getrokken was misschien niet volkomen rationeel, maar wat hij het afgelopen jaar met Eden had meegemaakt – althans waar het Molokai betrof – was ook niet altijd zo rationeel geweest. Niet dat hij haar dat ooit zou zeggen. En ook wilde hij zichzelf niet toegeven dat het hem buitengewoon irriteerde dat zij hun etentje op de vooravond van een afscheid voor een jaar had laten schieten!

Genoeg! Hij gooide het boek opzij en stond op.

Wacht even. Eden had dit laatste etentje samen even graag gewild als hij. Ze had hem de vorige avond nog een bericht gestuurd om hem eraan te herinneren – hoewel dat niet nodig was. Wat kon er dus gebeurd zijn?

Laat je niet verblinden door je mannelijke trots, Easton.

Wees rationeel en denk na.

Hij liep door zijn kamers op en neer en tikte tegen zijn kin. Ze was ook al niet voor de audiëntie met de koningin komen opdagen. Ook dat was heel ongewoon. Het was niets voor Eden, die zo hard had gewerkt om Nora een afspraak voor Jerome te laten regelen.

Er was iets niet in de haak, en hij moest uitvinden wat dat was voordat hij de volgende ochtend aan boord stapte van die boot. Hij kon niet vertrekken voordat hij zeker wist dat alles met haar in orde was. Maar waarom zou dat niet het geval zijn?

Er was geen enkele reden om iets anders aan te nemen, behalve Zachs onmogelijke verhalen over een geest die op zijn boot... op de loer lag?

Hij bleef staan. En het was niet alleen Zach. Eden had met Ambrose over een ongemakkelijk gevoel gepraat – nee, ze had hem niet gezegd dat ze een geest had gezien. Dat was Zachs spelletje met de woorden van de Hawaïaanse jongens die het over een licht, een insluiper of een 'geest' hadden gehad. Het was zijn manier om Edens onrust meer op de zijne te laten lijken.

Het ongemakkelijke gevoel dat Eden die ochtend naar Ambrose dreef, kon dus te maken hebben met echte angst dat iemand van vlees en bloed haar observeerde of achtervolgde.

Zijn gezicht vertrok. Dat veranderde alles. Waarom had hij dat niet eerder bedacht? Waarom was ze niet bij hem gekomen met haar angst? Ze wist dat hij die middag ook naar het paleis zou gaan. De enige logische verklaring was dat ze niet had *kunnen* komen. Het was een gedachte die zijn maag deed krimpen. Ze was *niet in staat* geweest om hun afspraak na te komen. En daar liep hij met zijn hoofd tegen de muur… omdat iemand haar observeerde en volgde?

Het enige wat hem enige rust verschafte, was dat de verpleegster had gezegd dat Eden een uur eerder was vertrokken. Ze was dus wel in het ziekenhuis geweest, misschien tot vijf uur in de middag. Maar waarom had ze dan de audiëntie bij de koningin gemist? Had de verpleegster haar echt zien vertrekken om vijf uur? Of had ze alleen maar Edens gebruikelijke vertrektijd genoemd? De verpleegster zei dat ze *hoorde* dat Eden rond vijf uur was vertrokken.

Rafe nam een besluit. Het schip vertrok niet voor elf uur in de ochtend. Het was nu iets over tienen in de avond. Hij zou niet gaan slapen voordat hij Eden gevonden had.

Dwaas, je hebt al veel te veel kostbare tijd verknoeid. Was het niet vanaf het begin duidelijk dat er iets aan de hand was?

Hij greep zijn smokingjasje en hoed en wilde vertrekken, maar bleef daarna staan. De nette kleding zou hem alleen maar belemmeren. Snel trok hij de comfortabele, slobberige kleding aan waarin hij zich thuisvoelde.

Als deze beproeving niet meer zou blijken te zijn dan een overdreven reactie omwille van de vrouw die hij liefhad, dan was dat maar zo. Als hij maar wist dat ze veilig was, stapte hij liever aan boord zonder geslapen te hebben, dan dat hij zich de hele weg naar San Francisco zorgen moest maken.

Hij liet een boodschap achter voor iedereen die bij de receptie naar hem zou vragen. Hij zou de volgende ochtend terugkomen om zijn bagage op te halen.

25

Rafe deed de voordeur van het huis op de ananasplantage Hawaiiana open, liep door de grote hal en ontstak de lampen terwijl hij naar de slaapkamer achter in het huis liep. De deur stond wijd open en Keno sliep vast.

Rafe liep naar binnen en schudde aan het bed. 'Wakker worden, Keno.'

'Huh… wat?'

'Ik heb je hulp nodig. Eden is verdwenen. Ik moet haar vinden voordat mijn boot morgenochtend vertrekt.'

Keno schoot overeind en knipperde tegen het licht van de lamp. Snel schudde hij de nevels uit zijn brein. 'Wat? Eden? Verdwenen?' Hij gooide de deken opzij en sprong uit bed.

Rafe liep op en neer, legde de vreemde omstandigheden uit en gaf lucht aan zijn bange hart terwijl Keno zich aankleedde.

'Heb je al met Ambrose gepraat?'

'Nog niet. Ga jij naar hem toe, dan ga ik het wespennest in Kea Lani opschudden.'

'En als ze daar ligt te slapen?'

Rafe kneep zijn ogen half dicht. 'Nadat ze me al deze ellende heeft bezorgd? Dan zal ik zorgen dat ze "wakker" wordt.'

Hij draaide zich om en liep snel naar buiten. 'Kom straks naar Kea Lani. Als ze daar niet is, moeten we actie ondernemen.'

Toen Rafe op de plantage aankwam, werd hij direct gevraagd om met dokter Jerome te praten. Zijn bezorgdheid nam alleen maar toe.

'Het is al na elven, en ze is nog steeds niet thuis! Ik dacht dat ze bij jou was,' riep Jerome uit. 'Ze zou met jou gaan dineren in het Royal Hawaiian. Wat kan er gebeurd zijn?'

'Ze is niet gekomen.'

Ainsworth hoorde de stemmen en kwam in zijn ochtendjas uit de bibliotheek, met een boek in zijn hand. Hij keek Rafe een Jerome afwisselend aan. 'Wat is er aan de hand?'

'Eden is verdwenen,' zei Rafe botweg. 'Misschien is ze in gevaar.'

De ontsteltenis tekende Ainsworths gezicht toen hij de kamer inliep. 'Verdwenen? Mijn kleindochter? Hoe kan dat?!' Hij keek Jerome aan. 'Heeft dat misbaksel van een Herald Hartley iets uitgehaald? Ik heb hem nooit vertrouwd vanaf het moment dat hij aankwam, met zijn giftige kruiden en rommel.'

'Hij heeft er niets mee te maken,' zei Rafe voordat Jerome kon antwoorden. 'Hij wordt nog in bewaring gehouden door de sheriff. Hebt u Eden vandaag nog gezien?'

'Nee. Ik nam aan dat ze met jou in Honolulu was.'

'Ze kwam niet opdagen voor het diner en ze was ook niet bij de audiëntie in het paleis. Daar maak ik me nog de meeste zorgen over. Ze had het moment dat de koningin toestemming gaf voor de kliniek voor geen goud willen missen.' Ainsworth trok zijn ochtendjas uit en gaf een bits bevel aan de butler om zijn geklede jas op te halen. 'We moeten naar Honolulu. Ik wil dat alle mannen van de sheriff naar haar gaan zoeken.'

Rafe keek Jerome weer aan. 'Waarom was Eden niet bij u en Nora in het paleis?'

'Ze was bij een van haar favoriete patiëntjes geweest, een jong meisje. Ze zou ons in het paleis opzoeken. Er stond een huurkoets voor de deur, dus ik nam aan dat ze makkelijk naar het paleis kon komen.'

Rafe voelde een sprankje hoop. 'Dus u hebt haar nog wel gezien vanmiddag, na de ontmoeting met de koningin?'

De dokter perste zijn lippen op elkaar en zuchtte. 'Niet echt, nee. Ze liet een briefje achter op mijn bureau waarin ze zei dat ze die middag bij jou zou zijn en dat jullie 's avonds uit eten gingen. Ik dacht...' Zijn gezicht verstrakte en de wenkbrauwen trokken samen.

De spanning in de kamer was om te snijden. Jerome kreunde en zakte weg in zijn stoel toen hij besefte dat het misschien *niet* Eden was die het briefje had geschreven.

Rafes bezorgdheid laaide op als een bosbrand. 'Zach zei dat er laatst iemand bij zijn boot scharrelde. En Eden vertelde Ambrose vanmorgen dat ze het gevoel had geobserveerd te worden.'

'Geobserveerd!' herhaalde Ainsworth gealarmeerd.

De deur ging open en Ambrose kwam binnen. Een windvlaag liet zijn lange domineesjas opbollen. Hij zette zijn hoed af en zijn donkere ogen namen de bezorgde mannen op. Keno stond achter hem bij de deur.

Rafe kende Ambrose zo goed dat hij aan zijn uitdrukking kon zien dat er iets aan de hand was. Hij stapte op hem af. 'Wat is er?'

'Heren, dit is niet makkelijk. Nadat ik vanochtend met Eden had gebeden, kreeg ik een sterke drang om naar Honolulu te gaan en Parker Judson een telegram te sturen om te vragen of de detective al iets had uitgevonden met betrekking tot Townsend. Ik ben in de stad gebleven en kreeg Parkers antwoord een halfuur geleden.' Hij haalde het telegram uit zijn zak en las het voor:

Heb dag en nacht naar T.D. gezocht. Zonder succes. Heb ontdekt dat hij 10 oktober de boot naar Honolulu nam. Gevaarlijke situatie. Alarmeer de autoriteiten in Honolulu.
Charles Morris, privédetective

Een sombere stilte vulde de kamer. Rafe was een paar tellen

als verlamd. Hij was in een nachtmerrie beland. *Townsend*. Zijn grootste angst, die hij steeds had proberen te ontkennen, maar die aldoor in zijn achterhoofd had gespeeld, was waarheid geworden. Het voelde alsof de grond onder zijn voeten begon te trillen en de hete lava elk moment kon opspuiten.

Hij sloeg zo hard met zijn vuist op tafel dat de lamp rinkelde.

Keno kwam naast hem staan. 'Rustig. Wij gaan hem tegenhouden. God staat aan onze kant. Eden is van Hem.'

Rafe probeerde zijn woede onder controle te krijgen. *Townsend*. De verdwijning van Eden droeg alle sporen van zijn verdorvenheid.

'Als ik hem in mijn handen krijg…'

Dokter Jerome en Ainsworth keken beiden snel op naar Ambrose.

'Als hij haar ook maar een haar heeft gekrenkt, breng ik hem om zeep.'

Ambrose stapte naar voren en Rafe voelde een ijzeren greep op zijn schouder.

'Nee, Rafe. Denk daar zelfs niet aan. Het is precies wat hij wil. Hij weet dat hij aan het einde is. Hij wil het op die manier. Hij wil jou met hem ten onder zien gaan. Het ging nooit om Celestine of om Kip, en het gaat ook niet om Eden, hoewel hij haar zal gebruiken. Het gaat hem om jou. Gun hem zijn overwinning niet, Rafe. Iemand "de nek omdraaien", zoals jullie jongelui het uitdrukken, betekent de verwoesting van je hele leven. Dat is het niet waard.'

'Hij heeft gelijk, Rafe,' zei dokter Jerome. 'Mijn broer heeft al wanen sinds we jongens waren. Hij was een pestkop, dominant, zelfzuchtig en nooit bereid om zijn eigen schuld voor wat dan ook te erkennen. Dat maakte het hem onmogelijk om zich klein te maken voor God. Hij zei dat hij geen Verlosser nodig had en als hij een zonde beging, was het volgens hem altijd de schuld van een ander.'

De oude Ainsworth liep nerveus op en neer en kreunde. 'Ik had onmiddellijk moeten ingrijpen. Ik heb de goede naam van Derrington boven de waarheid gesteld. Ik ben een dwaas geweest. O God, wat heb ik gedaan?'

Rafe liep naar het raam en duwde het open. Met zijn handen op zijn heupen tuurde hij de duisternis in en worstelde met zijn haat.

Waarom verwachtte ik dat hij in San Francisco zou blijven, terwijl alles wat hij wil vernietigen zich hier bevindt?

Keno begon zacht tegen hem te praten. 'Luister, Rafe, we kunnen Townsend met zijn eigen spelletje verslaan. We zijn hem nu op het spoor. De slang kruipt door de tuin, maar wij zullen hem tegenhouden. We moeten hem te slim af zijn.'

'Townsend heeft een fout gemaakt en die zal hem duur komen te staan. Hij verwachtte dat ik morgenochtend op de boot zou stappen en dacht dat het veilig genoeg was om nu al in actie te komen. Hij weet dat het twee weken duurt om San Francisco te bereiken. Tegen de tijd dat ik zou terugkeren na de ontdekking dat hij daar niet meer was, zou hij me te grazen hebben genomen door alles te vernietigen wat mij dierbaar is.'

'Maar hij heeft een blunder begaan,' beaamde Keno.

'Hij had moeten wachten tot de boot op zee was voordat hij Eden ontvoerde. Hij heeft haar geobserveerd, haar vaste ritme in Kalihi in kaart gebracht en uitgedokterd wat de beste tijd zou zijn om in actie te komen.'

'En toen Zach zich op Kea Lani vestigde, verbleef Townsend op zijn boot,' vulde Keno aan. 'Hij zorgde ervoor niets aan te raken en niets te eten, om zichzelf niet te verraden. Als die Hawaïaanse jongens op een avond dat licht niet hadden gezien, denk ik niet dat Zach in de gaten zou hebben gekregen wat er op zijn boot gebeurde.'

Rafe schudde zijn hoofd. 'Hij is sluw. Hoe meer hij in het nauw gedreven wordt, hoe meer hij de aard van Kaïn vertoont. Hij heeft bijna altijd gepakt wat hij wilde, en wat hij nu wil is wraak op mij voor het verlies van Celestine, Hanalei, de parelbedden en zijn positie als de erfgenaam van Ainsworth.'

'Dat is zoals het kwaad te werk gaat,' zei Keno. 'Het wil zoveel mogelijk slachtoffers met zich meesleuren in het verderf. Zelfs wanneer zijn dagen geteld zijn, slaat het kwaad verwoestend om zich heen. Geen ruimte voor berouw, alleen voor kwaadaardige wraak.'

Rafe keek snel op naar de anderen. 'Townsend zal mij daar willen raken waar het mij het meest pijn doet. Waar zou hij Eden mee naartoe nemen, en wat zou hij doen?'

Alle ogen waren op hem gericht. De wind rukte aan de ramen en huilde om het huis.

'Hanalei,' klonk het als uit één keel.

'Precies,' bevestigde Rafe. 'Hij neemt Eden mee naar het erfgoed van de Eastons. En als hij verder geen toekomst ziet voor zichzelf op de eilanden, zoals Ainsworth zei, zal hij de erfenis van Matt Easton en alles wat daarbij hoort willen vernietigen. Ik denk dat hij het wil platbranden, zoals hij ook met de hut van Ling deed.'

De anderen gromden instemmend en leken ook het ergste te verwachten.

'Dat is inderdaad zoals hij denkt,' zei Ambrose grimmig. 'Jaloezie en trots willen verwoesten en kwetsen.'

'Ik moet de boot van Zach doorzoeken om er zeker van te zijn dat hij daar niet meer is,' zei Rafe. 'Hij zou zich daar met Eden kunnen verstoppen, om bij het ochtendgloren naar het Grote Eiland te varen. Als hij daar niet is, vertrek ik vanavond nog.' Hij wendde zich tot Ainsworth en dokter Jerome. 'Kan een van u tweeën de autoriteiten hier in Honolulu inlichten en de sheriff vragen om een telegram te sturen naar de politie op het Grote Eiland? Ik wil graag dat Ling ook wordt gewaarschuwd. En Ambrose…'

Hij keek zijn oom aan, die hem met zijn armen over elkaar de weg versperde met zijn blik, zoals alleen hij dat kon.

'Ik ga met je mee,' zei Ambrose beslist.

'Het wordt misschien een behoorlijk ruige zeereis, vannacht.'

'Jij neemt de leiding, en maak je geen zorgen of ik je kan bijhouden. Ik red me wel. We weten niet wat er gebeurd is, of wat Gods bedoeling met Eden is. Het is daarom niet verstandig dat je deze beproeving alleen ondergaat.'

Rafe was liever alleen gegaan. Hij kon Townsend aan – maar dat wist Ambrose ook, en waarschijnlijk was dat de reden waarom hij erop stond om mee te gaan. Hij zou zijn oom en Keno dankbaar moeten zijn, maar was te bezorgd om daar nu bij stil te staan.

'Dan gaan we,' zei hij, alle details rusteloos en ongeduldig negerend.

De koets van het hotel stond op de oprijlaan. Ambrose stond met grootvader Ainsworth te praten op de trap voor het huis. Het zilvergrijze haar van het familiehoofd wapperde in de wind. Zijn magere, getekende gezicht stond ernstig.

Hij is bang, zag Rafe. *Bang omwille van Eden deze keer*, en niet voor de goede naam van de familie of het bedrijf.

Ainsworth nam het pad naar Rafe en Keno, die bij de koets stonden.

'Ik laat de sheriff al zijn mannen op pad sturen. Ik had het eerder moeten inzien. Townsend weet dat het voor hem hoe dan ook afgelopen is.'

Op de veranda aan de voorzijde praatte dokter Jerome met Nora. De statige dame zag er broos uit in de kille avondwind. Candace liep naar haar toe, sloeg een arm om haar schouder en nam haar mee naar binnen. Ze keek even op naar Keno en leek blij dat hij naast Rafe stond. *Steun hem door dik en dun*, leek ze te willen zeggen.

Dokter Jerome had zijn driekwart jas en hoed gepakt en

liep met Ambrose de trap af. De zachte woorden van Ainsworth dreven op de wind in Rafes richting, hoewel ze niet voor zijn oren bestemd waren – 'En Rafe, we moeten bij hem blijven. We kunnen niet toelaten dat hij zichzelf kapotmaakt, wat zou kunnen gebeuren als hij Townsend in handen krijgt. Townsend zou niets liever willen dan Rafe met hem ten onder te zien gaan.'

'Dat mag niet gebeuren,' antwoordde dokter Jerome. 'Keno kan hem tegenhouden.'

'Ja, Keno – ook een echte man van karakter. Candace heeft een goede keus gedaan. Dat zie ik nu ook in. Ik zie zoveel dingen in – als het te laat is.'

'Misschien nog niet, vader,' zei Jerome. 'Voor Townsend wel, als hij niet op tijd uit zijn waan wakker wordt. Maar voor Zachary en Silas is het nog niet te laat. En Candace blijft de familie trouw, nu je inziet wat voor man Keno is.'

'Daar dank ik God voor, mijn dierbare zoon Jerome.'

Rafe keek op naar Keno die de conversatie ook had gehoord. Ondanks de nood van het moment moesten ze even glimlachen.

Voor Rafe was dit moment het bewijs dat zelfs in het duisterste uur het licht nimmer geheel gedoofd was. Als de Almachtige beloofde om zelfs uit de ellendigste omstandigheden iets goeds voort te brengen, wie was hij dan om aan Hem te twijfelen? Tussen het hooi, het hout en de stoppels konden goud, zilver en edelstenen schuilgaan.

Rafe geloofde niet dat Townsend ergens over straat zwierf, hoewel hij ermee instemde dat sheriff Harper zijn mannen op pad zou sturen. Waarschijnlijk zat hij op de boot van Zach of hij was al onderweg naar Hanalei.

'Heeft jouw neef Liho zijn boot nog steeds?'

'Die ligt nu aan de werf. Ik zal hem inlichten, voor het geval de boot van Zach al onderweg is naar het Grote Eiland.'

'Zou Liho het risico willen nemen? De wind trekt flink aan.'

'Dat doet hij wel.'

'We gaan.'

★

Een paar minuten later vertrok de koets van Kea Lani en nam de weg naar Honolulu.

In King Street sprong Rafe snel naar buiten, met Keno en Ambrose in zijn kielzog.

'Wij gaan naar de boot van Zach,' zei hij tegen Ainsworth en dokter Jerome.

'Wij zullen de sheriff inlichten,' antwoordde Ainsworth.

'Wees voorzichtig,' riep Jerome terwijl de koets alweer verder reed naar het politiebureau.

Rafe holde door het nachtelijke duister over de kade langs de waterkant. Een stevige wind woei hem vanaf de oceaan in het gezicht.

'Er is storm op komst,' waarschuwde Ambrose.

Rafe bleef staan. Zijn blik gleed langs de schepen die aan de meerpalen lagen. De boot van Zach, die hij *Sterrenlelie* had gedoopt, was een wit met groen jacht dat was omgebouwd om erin te kunnen wonen. Eden was een paar maanden geleden met Zachary op deze boot van Tamarind House naar Hanalei gekomen.

Hij haalde opgelucht adem toen hij zag dat Zachs boot nog aan de kade lag. Binnen brandde een klein lichtje, symbool voor de hoop in zijn hart.

26

Rafe liep geruisloos over het dek van de *Sterrenlelie* naar de kajuit, waar een schemerlichtje achter het raam brandde. De deur stond een paar centimeter open en kraakte in de wind. Keno stond aan de andere kant van de deur in het donker, Ambrose stond iets verderop buiten het zicht. Voorzichtig duwde Rafe de deur naar binnen open. Niets.

De lamp boven de tafel slingerde heen en weer op het ritme van de deining die de boot liet schommelen. Voorzichtig inspecteerde hij de kleine ruimte, tot in de donkere hoeken en over de hele vloer. Niets. Hij duwde de deur tot tegen de wand open voordat hij naar binnen stapte, om er zeker van te zijn dat Townsend er niet achter stond om hem aan te vallen. Hij liep naar binnen, naar de tafel en keek erachter op de vloer. Nadat hij de olielamp van het plafond had gehaald, inspecteerde hij de vloer nog eens van dichtbij. Bloed... bruin en kleverig, een paar uur oud. Snel wierp hij een blik onder de tafel, half en half verwachtend dat er een lichaam zou liggen. Hij zag echter alleen een paar slippers, kennelijk van Zach.

Met een frons kwam hij overeind en zette zijn handen op zijn heupen toen Keno binnenkwam.

'Bloed,' zei hij. 'Niet veel, een paar druppels. Er is hier iemand weggesleept.'

'Naar het ruim?'

'Waarschijnlijk.'

Ze maakten een luik open en zagen voetstappen op de trap naar het ruim waar Zach wat voorraden had liggen.

'Voorzichtig op die trap,' fluisterde Ambrose.

Er stonden kratten in de kleine ruimte onder het luik.

Rafe moest bukken toen hij op de bodem stond, vanwege het lage plafond. Hij bleef bij een vat staan terwijl Keno een paar lampen hoger draaide.

'Niemand te zien,' mompelde Keno. 'Townsend zou ons als een grommende, kwade beer hebben aangevallen, als hij hier was geweest.'

Rafe knikte. 'Dit is slecht nieuws. We zijn te laat. Hij heeft Eden al meegenomen naar het Grote Eiland. Hij is geen beste schipper. Ik hoop dat hij overweg kan met de boot die hij gebruikt.'

Hoe zat het met die druppel bloed? Rafe weigerde erover na te denken dat het het bloed van Eden zou kunnen zijn. *God zal haar bewaren*, bleef hij zichzelf voorhouden. Maar steeds weer kwam de twijfel boven. Was dat zo? Ook anderen die Hem toebehoorden waren gestorven. Velen werden vermoord of stierven een andere, gewelddadige dood. Soms verloste Hij naar Zijn plan, soms was het Zijn bedoeling niet in te grijpen. Rafe moest dan altijd weer aan de apostelen Jacobus en Petrus denken. Petrus werd door een engel uit de gevangenis bevrijd. Jacobus werd gedood met het zwaard. Waarom? God had Zijn bedoelingen. Hield Hij meer van Petrus dan van Jacobus? Natuurlijk niet. De Goede Herder had Zijn leven voor elk individueel schaap gegeven en hield van hen allemaal.

Eden, mijn geliefde, je bent in Zijn hand. Wees sterk.

Een kreun! Een stompend geluid. Waar kwam het vandaan?

Keno keek achter de kisten en trok ze opzij. Ambrose boog zich snel over een grote canvaszak.

'Hij beweegt,' zei hij.

Rafe haalde een mes uit zijn jasje tevoorschijn en sneed de zak voorzichtig open.

'Zach!' zei Ambrose die snel de prop uit zijn mond haalde, terwijl Rafe zijn handen en voeten bevrijdde, die met touwen waren vastgebonden.

Even later probeerde Zachary op adem te komen en te praten. Zijn stem klonk hees. 'Townsend is hier.'

Rafe greep zijn schouder vast. 'We zitten achter hem aan. Wanneer was hij hier?'

'Vanmiddag. Hij besloop me. Ik zag hem op het moment dat hij mij met chloroform wilde verdoven. Ik rook het al voordat hij in actie kon komen.'

'Heb je Eden gezien?'

'Nee.'

'Van wie is dat bloed in de kajuit?'

'Waarschijnlijk van mij,' kreunde hij. Hij tastte naar zijn hoofd. 'Zoals ik al zei, ik zag hem, sprong op en we hebben gevochten. Hij is groter dan ik ben en gaf me ten slotte een dreun waarvan mijn kaak nog dik is.' Hij wreef over zijn kin en huiverde. 'Dat is zo ongeveer wat ik mij kan herinneren. Ik hoorde ook stemmen – ik ben er bijna zeker van dat het Laweoki was.'

'Jouw kapitein?'

Zachary knikte. 'Hij zou deze middag komen. Ik was van plan om hem de boot in Koko Head te laten leggen voor zolang ik naar San Francisco was… Wacht! Hoe laat is het eigenlijk? Die boot vertrekt om elf uur.'

'Wat is er met Laweoki gebeurd?'

'Ik weet het niet zeker. Ik geloof dat ze ruzie hadden en dat er nog een gevecht plaatsvond. Laweoki moet geweigerd hebben het schip voor hem te laten uitvaren. Ik herinner me iets over de Prinses Kaiulani.'

'Dat is de boot van mijn neef Liho,' zei Keno snel. 'Die ligt hier ook in Honolulu. Daar is Townsend zeker mee op weg.'

'Een snelle boot,' merkte Ambrose op. 'Liho heeft me heel snel naar Honolulu gebracht toen ik je over Townsend moest inlichten.'

'Laweoki heeft ons een grote dienst bewezen met zijn weigering om met Zachs boot uit te varen,' zei Rafe. 'We moeten vanavond nog naar het Grote Eiland. Akkoord, Zach?'

De aangesprokene onderdrukte een kreun, draaide zich op zijn knieën en kwam moeizaam overeind. Ambrose gaf hem een arm en zei hem rustig aan te doen. 'Je hebt weer een klap op je hoofd gekregen, arme jongen.'

'Maar in elk geval aan de andere kant,' zei Keno, die een scheve grijns van Zachary kreeg. 'Bedankt voor het medeleven.' Hij keek op naar Rafe. 'Townsend heeft Eden. We moeten hem tegenhouden.'

Rafe richtte een vragende blik op Keno, die zijn handen door zijn haar haalde. 'Kunnen we dit?'

'We hebben nota bene op de Caraïbische zee gevaren!' wees Rafe hem terecht. 'Herinner je je die storm nog?'

'Jazeker.'

Rafe ging verder naar Ambrose. 'Kun jij die zeilen aan, samen met Keno?'

'Het is een tijd geleden, maar dat zal wel lukken. En jij moet je rustig houden met je hoofd,' zei hij tegen Zachary. 'We zullen nog de hele nacht in touw zijn, vrees ik.'

Rafe klom de trap op naar het dek en liep naar het roer terwijl Keno en Ambrose de zeilen inspecteerden. Het magnetische kompas werkte en het roer was in orde. Laweoki was een goede kapitein.

Hij stak zijn hoofd onder het canvas afdak uit en keek op naar de hemel. De wolken rolden binnen vanaf de oceaan, maar de maan en sterren waren nog zichtbaar. De wind trok aan, maar was nog warm en aangenaam. *De stem van de Heer boven de wateren, de God vol majesteit!*

27

Als een voorbode van wat komen ging, sneed een verblindende bliksemschicht door de duisternis boven het plantershuis op Hanalei. De dreunende ontlading die erop volgde liet het glas in de ramen op de benedenverdieping rinkelen.

Eden hoorde voetstappen in de hal, die leken te vertragen om plotseling te stoppen voor de deur van de slaapkamer. Er werd een sleutel omgedraaid en de deur ging open. Ze wilde in elkaar duiken onder de ijzige blik van haar ooms blauwe ogen, maar toen hun blikken elkaar even ontmoetten, voelde ze een golf van woede opkomen die haar angst overtrof. De werkelijkheid drong met afschuwelijke helderheid tot haar door, maar ze kon niets anders doen dan blijven liggen, deels bedwelmd en misselijk van de ruige reis. De Bijbelverzen die ze in de loop van de jaren uit haar hoofd had geleerd gaven haar kracht en troost, zodat ze niet in paniek raakte. Toen ze wakker was geworden, lag ze in het donker vastgebonden op ruwe stapels touw die onophoudelijk heen en weer bleven bewegen. Ze had de dreigende stem van haar oom gehoord: 'Liho, als je dat zeil niet hijst, gooi ik je overboord.' Townsend had haar in het bekrompen vooronder van een boot gestopt!

De duisternis was een nachtmerrie. Maar ook daar kon ze al snel innerlijke vrede vinden. *Er bidden mensen voor mij,* dacht ze, meer dan één, onder wie haar geliefde Rafe. Nu ze hem misschien nooit meer zou zien, besefte ze pas ten volle hoe diep en dierbaar haar liefde voor hem was. Tranen vulden haar ogen. *Ik had maanden geleden al met hem moeten trouwen. Als God mij uit deze situatie redt, trouw ik onmiddellijk met hem! Een dubbele bruiloft, samen met tante Lana.*

Townsend had haar van de boot gehaald en liet haar polsen achter haar rug vastgebonden terwijl ze achter hem op een paard zat en probeerde de achterkant van het zadel vast te houden. Hij praatte onophoudelijk, maakte excuses, beweerde bij hoog en laag dat Eden altijd zijn favoriete nicht was geweest en dat het hem veel pijn deed om haar zo te moeten behandelen. Haar moeder Rebecca was een 'goede' vrouw geweest. 'Ik word tot deze extreme daden gedwongen door de jaloezie en haat van Rafe. Hij blijft volhouden dat ik verantwoordelijk was voor Matts ongelukkige val van de rotsen. Nonsens! Ik had er niets mee te maken. En Nora bevestigt hem in zijn dwalingen door regelrechte leugens in haar boek te noteren. Alsof ik mijn eigen tante zou vergiftigen. Ze is oud, dat is alles. Ze haalt zich dingen in haar hoofd en Rafe heeft haar tegen mij opgezet. Hij zet iedereen in de familie tegen mij op – zelfs Ainsworth heeft zich door hem tegen mij gekeerd.'

Nog half verdoofd en uitgeput viel Eden bijna in slaap. Het was onmogelijk haar hoofd niet tegen de rug van haar ontvoerder te laten steunen terwijl ze naar Hanalei reden.

Op de plantage smokkelde hij haar snel naar binnen en bracht haar naar een slaapkamer. Hij grinnikte. 'De slaapkamer van Rafe. Daar zal hij haar vinden,' mompelde hij. Op het moment dat hij de deur uitliep, was Eden weer in slaap gevallen.

Nu ze weer een beetje tot haar positieven was gekomen, was hij teruggekeerd en keek bedroefd op haar neer.

'Arm kind,' zei hij opnieuw. 'Het spijt me dat ik je zo moet behandelen. Het was jouw keuze voor Rafe die me ertoe dwong je te gebruiken. Candace had evengoed gekund, maar Keno heeft hier niets mee te maken. Het gaat om Rafe. Hij is arrogant en egoïstisch. Ik had iets aan hem moeten doen toen hij nog een jongen was.'

Hij hield iets in zijn hand. Ze zag nog niet helemaal scherp, maar het leek op een glas water.

'Drink op. Je hoeft niet bang te zijn. Doe wat ik je zeg en alles komt uiteindelijk goed.'

Ze geloofde hem niet en voelde de vreselijke angst dat hij Hanalei wilde vernietigen, met haar erbij. Maar toch had hij sinds hun aankomst tamelijk normaal geleken.

Hij glimlachte. 'De Hawaïaanse bedienden denken dat ik me aan Rafe kom overgeven om hem om vergiffenis te vragen. Ik heb een schitterend stukje toneel voor hen opgevoerd. Het was zeer overtuigend. Ik heb de kok zelfs een bijbel voor me laten halen.' Hij grijnsde opnieuw. 'Ze weten niet dat je hier bent, en dus moet je weer gaan slapen, liefje. We kunnen het niet hebben dat je gaat schreeuwen, op de deur gaat bonken of ramen ingooit. En geen van hen zou ooit op het idee komen om een blik te werpen in de slaapkamer van hun geweldige Makua Rafe.'

De glimlach verdween als sneeuw voor de zon. 'Maak je geen zorgen, dit is slechts een lichte verdovend middel. Je moet het opdrinken, of ik zie me gedwongen om de chloroform weer te gebruiken. En snel een beetje, Eden. Je begint te veel te bewegen. Stil!'

Ze draaide haar gezicht weg en hield haar mond stijf dicht. Zijn sterke vingers knepen pijnlijk in haar wangen terwijl ze halsstarrig bleef weigeren. Maar er was geen ontkomen aan en uit angst voor zijn woedeuitbarstingen besloot ze het glas leeg te drinken.

Daarna liep Townsend naar de kledingkast en haalde er een jasje uit dat hij haar gaf. Hij glimlachte weer. 'Hier, liefje. Hier is iets om troost bij te zoeken terwijl je uitrust. Zijn jasje.' Hij legde het voorzichtig over haar heen. 'Welterusten, Eden – en vaarwel. Zie je nu wel, alles komt goed. Ben je niet opgelucht?'

Zijn lichte wenkbrauwen trokken omhoog. 'Ja, ik vertrek vanavond. Ik zal Rafe en zijn egoïstische plannen niet langer dwarsbomen.'

Niemand die beter weet wat egoïstische plannen zijn dan jij. Als je denkt dat je naar San Francisco kunt terugkeren om Celestine met je leugens te heroveren, heb je het mis.

'Als je je zorgen maakt over Rafe, dan hoeft dat nu niet meer,' zei hij. 'Hij mag Hanalei hebben en er zal hem geen haar gekrenkt worden.'

Meende hij dat? Ze verbaasde zich erover hoe snel hij weer kon doen als de oude oom Townsend die ze uit haar jeugd kende. Arrogant, maar niet volkomen verdorven. Gebruikte hij opium? Was dat de verklaring voor zijn stemmingswisselingen?

'Ga je terug naar San Francisco?' vroeg ze met een schraperige stem.

'Ik ben niet van plan om naar Celestine terug te gaan.' Zijn uitdrukking werd hard en zijn blik ijzig. 'Ik ken haar goed genoeg. Ze zit achter Parker Judson aan. Daarom zit ze in dat luxe huis van hem op Nob Hill. Dat huis zou in puin en as moeten worden veranderd.'

Er liep een rilling over haar rug. 'Bedreig je Celestine?'

'Ik waarschuw je om je wilde speculaties voor jezelf te houden. Ainsworth en ik werken deze kwestie samen verder uit per brief. Ik heb besloten dat geld alles kan oplossen,' zei hij laatdunkend. 'Ainsworth is bereid een hoge prijs te betalen om mij voor altijd van het eiland te zien verdwijnen naar onbekende streken. Ik heb besloten hem tegemoet te komen. Ik ga naar het Caraïbische gebied en begin een nieuw leven, met een nieuwe naam. Ik bouw mijn eigen plantage op, beter dan Hanalei. De Derringtons zullen mij nooit meer zien, en Rafe ook niet.'

Hij denkt werkelijk dat hij weg kan komen met alles wat hij gedaan heeft. Maar ik geloof niet dat hij het meent als hij zegt dat hij Rafe niets zal aandoen. Hij is van plan om Hanalei plat te branden, dat weet ik zeker.

Houd je mond, hield ze zichzelf voor. Misschien is het

verstandig om hem te laten denken dat hij naar het Caraïbische gebied kan ontsnappen.

Er gleed een sluwe grijns over zijn ruige gezicht. 'En dat gezegd hebbende, wens ik je aloha.'

'Als grootvader Ainsworth je geld moet geven, hoe wil je dat dan krijgen als je nu vertrekt?'

Hij grinnikte opgewekt. 'Ik ben slimmer dan jullie allemaal denken, inclusief Rafe. Denk niet dat ik niet weet dat hij nu onderweg is hierheen. Hij verwacht me hier te vinden en denkt dat ik bereid ben hier te sterven. Om zelfmoord te plegen in een moment van opperste glorie. Als een kapitein op een zinkend schip, zogezegd. Ik heb er op rustige momenten over nagedacht en toch maar besloten om van het leven te gaan genieten. Ik ben nog steeds jong. In het Caraïbische gebied kan ik mijn naam veranderen, zelfs mijn uiterlijk. Ik zou kunnen trouwen. Waarom niet? Ik zou een grote *kahuna* kunnen worden, bijvoorbeeld op Jamaica of Barbados. Ik weet alles van suiker, koffie en ananas. Als hij dus hier komt, kom ik net aan op Kea Lani.' Hij grijnsde weer. 'Ik haal mijn rechtmatige erfdeel op van Ainsworth en wat sieraden van Nora en Candace. Daarna vertrek ik, om nooit meer terug te keren. Is dat niet precies wat je wilt?'

'Als dat zo is – waarom laat je mij dan niet gaan?'

'Je moet hier blijven totdat Rafe aankomt. Als ik je te snel vrijlaat, kun je hem misschien laten weten dat ik naar Kea Lani terugga. En ik kan nergens naartoe voordat ik het geld heb waarmee ik een nieuw leven kan beginnen.'

Hij liep de kamer uit en sloot de deur zacht achter zich. Zijn voetstappen stierven weg in de stilte. Ze hoorde hoe de wind de struiken buiten tegen de zijkant van het huis blies.

Hij gaat misschien wel naar Kea Lani om geld van grootvader te halen, maar hij is nog altijd even verbitterd over Rafe en even jaloers vanwege Hanalei. Hij zou me zijn plannen nooit hebben verteld als hij verwachtte dat ik het zou kunnen navertellen!

Was er maar een uitweg! De deur was niet op slot – hoe cynisch! Het idee moest hem veel plezier doen. Als ze er zeker van kon zijn dat hij was vertrokken, kon ze misschien hard genoeg schreeuwen om iemand opmerkzaam te maken op haar aanwezigheid, maar het verdovingsmiddel begon haar krachten al aan te tasten.

Met grote inspanning probeerde ze van het bed op te staan, maar toen haar voeten de vloer raakten, leek de kamer te gaan tollen.

De duizeligheid kreeg haar weer in haar greep. *Dus dit is zijn oplossing om te voorkomen dat ik ga schreeuwen of bonken – ik had het kunnen weten.*

★

Townsend stond buiten op de lanai en hield zich schuil in de schaduwen. Zijn paard had hij ver uit het zicht achtergelaten. Hij moest zijn plan snel uitvoeren. Zodra de arbeiders naar bed waren, ongeveer een uur later, zou hij de vuren ontsteken en op zijn paard ontsnappen. De volgende dag zou hij een boot zien te vinden, of misschien die nacht nog. Rafe zou hem niet zoeken. Hij zou aannemen dat zijn aartsvijand door de vlammen werd ingesloten en stikte in de rook.

Hij keek naar de oprijlaan en zag nergens een spoor van de Hawaïaanse bedienden. Dikke wolken pakten zich samen in de lucht. Een rivier stroomde donker en stil voorbij.

Terwijl Rafe en de anderen hun handen vol zouden hebben aan de ramp hier, zou hij teruggegaan naar Kea Lani.

★

Eden lag rusteloos te woelen en werd duf en kreunend wakker. Een felle bliksemflits liet haar schrikken en bracht haar bij haar positieven. Ze lag op de harde, koude vloer – ze moest gevallen zijn toen ze uit bed wilde stappen. Met veel moeite wist ze zich op haar elleboog op te richten en om te draaien. Ze keek naar het raam en haar hart sloeg over. Brand! Ze worstelde om de verdoving kwijt te raken. Hanalei stond in brand.

Wat was die stank? Rook! Het plantershuis zelf stond in brand!

De schrik en verwarring brachten haar op de been en ze wankelde naar de deur. Ze vond de klink en rukte de deur open. In de gang schreeuwde ze zo hard ze kon. Snel! Eruit! Brand! Naar buiten! Ze vroeg zich af of ze echt controle had over haar stem of dat ze de woorden alleen dacht.

Toen ze zwalkend, strompelend en kruipend de trap bereikte, hoorde ze in een van de kamers glas breken. Ze bleef staan en zag tot haar grote schrik dat de salon en het kantoor van Rafe in lichterlaaie stonden. De rook kroop als een kwaadaardige mist door de hal, klaar om te smoren en te verblinden. Eden schreeuwde naar de bedienden beneden, elke naam die haar te binnen schoot, ongeacht of ze er waren of niet. Ze hoorde niets. Hadden ze door de achterdeur kunnen ontsnappen?'

Alstublieft, God! Help ons, in Jezus naam!

Ze draaide zich om en wilde weer bij de trap wegkruipen toen ze een ijl stemmetje hoorde, ergens uit de rook onder haar.

De stem van een kind! En hulpeloos jongetje dat zijn doodsangst uitschreeuwde!

Haar maag kromp samen. Waarom zat die jongen opgesloten? Waarom was hij niet bij de bedienden, die al ontsnapt moesten zijn voordat zij wakker werd?

Ze greep zich aan de balustrade vast en tuurde naar beneden. 'Waar ben je?' schreeuwde ze. 'Kun je me horen?'

Niets. Alleen het knetteren van het vuur, giftige rook, het spetteren van de dikke gordijnen die in vlammen opgingen, het geluid van de kristallen luchter die op de grond viel. De dure schilderijen en de portretten van de Easton-dynastie aan de wanden in de salon sisten en kraakten van de hitte.

Het einde van de wereld, schoot er door haar koortsachtige brein, *alles, elke kostbare schat en elk gekoesterd aandenken vergaat tot as. Alles vergaat – hoe zouden we als mens moeten zijn?*

O, Rafe, mijn lieveling!

'Ik zit opgesloten!' schreeuwde de jongen huilend en jammerend. 'Hier! Ik zit opgesloten!'

De stem kwam uit de salon.

Eden weigerde te bedenken hoe hopeloos haar missie was. Het doodsbange huilen van de jongen eiste dat haar hart reageerde. Met haar jurk voor haar mond en neus wist ze de laatste treden van de trap te nemen.

Hanalei was inmiddels klaarwakker. Achter de vuur-zee klonken schreeuwende stemmen vanuit de hutten van de arbeiders en vanaf het gazon. Paardenhoeven kwamen dreunend dichterbij. Ze hoorde de vertrouwde Hawaïaanse angstkreet, *auwe, auwe,* gevolgd door het angstige schreeuwen van vogels in de bomen en struiken.

Vlieg weg, vlieg weg, galmde het in haar half verdoofde hart. *Schiet op, schiet op…*

Ergens bij de hal kraakte er iets. Een ogenblik later hoorde ze de jongen buiten schreeuwen: 'Er is nog iemand binnen, in de salon!'

Het geluid van knappend hout – de hitte werd ondraaglijk. *De jongen is veilig buiten,* dacht Eden, *maar ik zit opgesloten.*

Ze probeerde weer weg te komen in de richting van de trap, maar de rook was nu zo dik dat ze niets meer kon zien en niet wist welke kant ze op moest. Haar ogen en longen brandden. Ze kroop over de vloer, stootte tegen iets wat voelde als een divan en worstelde verder in de richting waar ze de voordeur vermoedde. Alles was te heet.

Ze stak haar hand uit. *God, troost Rafe als ik er niet meer ben.*

Laat deze tragedie zijn leven niet verwoesten en zijn geloof in U niet aantasten...

★

Rafe, Keno en Ambrose reden op paarden die ze in de stad hadden gehuurd. De doorsteek vanaf de weg naar de plantage was vlakker en Rafe gaf zijn paard de sporen. Ambrose naast hem kreunde en Keno wees. 'Kijk.'

De nachtelijke lucht rook naar brand. Vlammen laaiden op in de duisternis en tartten het zachte regentje dat net was begonnen te vallen.

Eden. Rafe stormde met zijn paard over de oprijlaan naar zijn huis terwijl zijn ogen wanhopig op zoek waren naar Eden tussen de mensen op het gras. Zijn angst laaide op met de vlammen die een helse dans uitvoerden door de gaten in het dak. Even voelde hij een vlaag van paniek.

Hij manoeuvreerde zijn paard tussen de menigte door. Ze was er niet!

Een jongen rende op hem af, zijn gezicht smerig en betraand, zijn kleding donker van rook en roet.

'Makua Rafe! Wahine binnen!' Hij gebaarde wild. 'Binnen, ze kwam voor mij! Ik kwam buiten, maar zij nog binnen, in salon.'

Rafe dwong het bange paard naar de ingang van het huis. De deur was verdwenen en de rook sloeg naar buiten en brandde in zijn keel. *Pure waanzin*, dacht hij, maar hij rende naar binnen.

'Eden!'

★

Ambrose en Keno kwamen op hun paarden aanrijden. Ze zagen mannen op paarden en arbeiders naar alle kanten wegrennen. Ambrose kon alleen op God hopen en bidden dat hij niet zowel Rafe als Eden zou verliezen. Met een wanhopig gezicht sprong Keno van zijn paard en wilde de vuurzee inlopen, maar Ambrose sloeg met zijn paardenzweep op zijn arm.

'Nee! Niet naar binnen gaan! Je kunt niets doen! Je moet aan Candace denken.'

De bliksem lichtte fel op tegen de donkere lucht. 'Kijk,' riep Keno met een gesmoorde stem van opluchting. Hij wijst naar de inktzwarte lucht. 'Het begint te regenen, heerlijke, prachtige regen.' Het water stroomde over zijn gezicht.

Het onweer liet zijn machtige stem horen. Een hoosbui brak los en geselde het land, de bomen, het huis – en de vlammen door de gaten in het dak. Ambrose schreeuwde het uit naar de wolken: 'God van de schepping! Ik dank U!'

Er kwamen paarden voorbij, de wolkbreuk zette door en kalmeerde de woedende vlammen, terwijl de rook sissend bleef ontsnappen.

★

Eden hoorde Rafe haar naam roepen en het geluid van zijn harde, gealarmeerde stem trof haar als een pijl. Ze vond de hoop en de kracht om vooruit te kruipen in de richting van zijn stem, hoewel ze niets zag dan rook die haar longen verzengde en haar keel uitdroogde.

'Rafe! Rafe! Hier!' Haar schreeuw klonk zwakjes. Hoorde hij haar?

Ze hoorde zijn voetstappen en worstelde om in zijn richting te bewegen.

'Rafe…'

Hij kwam dichterbij. 'Waar ben je?'

'Hier…'

Hij bewoog naar haar toe. Door de rook kon ze net zijn

silhouet uitmaken en ze stak haar beide armen in zijn richting. 'Rafe!' schreeuwde ze opnieuw.

Hij tilde haar als een veertje op in zijn armen en rende terug in de richting waaruit hij gekomen was. Een seconde later stormden ze verhit en dampend naar buiten, in de stromende regen.

Rafe droeg zijn geliefde weg van het huis naar de struiken en liet zich met haar op het grasveld vallen, waar ze beiden hoestend en kokhalzend hun longen met frisse lucht vulden.

De regen bleef neerstromen.

Rafe draaide zich naar Eden toe en liet haar hoofd en schouders op zijn armen rusten. 'Alles komt goed, lieveling.'

'Ja… nu wel.'

Ze keek in zijn indringende, donkere ogen en was zich nauwelijks meer bewust van de anderen op het grasveld.

De regen doorweekte haar tot op haar huid en waste de stank van de rook uit haar haren en van haar gezicht. Zijn sterke, ondersteunende arm onder haar hoofd leek haar nieuwe kracht te geven. Ze draaide haar hoofd naar hem toe. De schittering van het vuur danste over zijn natte huid en haar ogen verrieden overgave.

'Rafe,' fluisterde ze terwijl ze een hand tegen zijn donkere, natte wang legde. 'Ik heb geproefd hoe bitter het zou zijn om jou voor altijd in dit leven te verliezen. Ik wil je nooit meer verlaten, nooit meer. Ik wil bij je blijven, hier op Hanalei en je helpen bij de wederopbouw. Ik wil nu met je trouwen,' fluisterde ze, terwijl ze hem bleef aankijken. 'Misschien kan ik later naar Molokai gaan – alleen om Rebecca op te zoeken en haar verhaal te horen, maar niet om te blijven. Nee, zeker geen jaar… ik heb je *nu* nodig, Rafe.'

Hij keek haar overrompeld aan en zij genoot van de warme glans in de diepte van zijn ogen. Hij streek een natte lok haar uit haar gezicht en van haar hals.

'Weet je het zeker? Weet je wat je zegt?'

'Ja. Ik ben er zeker van en ik weet precies wat ik zeg.'

Even kwam de twijfel op. 'En je vader? Dokter Jerome heeft je nodig. Dat zal hij ook zeggen. Wat doe je dan?'

Ze streelde zijn wang en mond met haar vingers. 'Hij heeft me niet nodig. Niet zo hard als ik jou nodig heb. Na alles wat er gebeurd is, zal hij dat begrijpen. Hij zou willen dat ik bij je blijf. Bovendien, dokter Bolton en Lana gaan met hem mee. Ik verlaat je niet, Rafe. Ik blijf.'

Hij sloeg zijn arm strakker om haar heen. 'Dan ga ik ervoor zorgen dat wij de drukpers met de *Minoa* gaan afleveren. Je kunt met me meegaan naar Molokai om Rebecca te ontmoeten en te spreken. Zou dat een oplossing zijn?'

Ze glimlachte uitgeput maar verheugd. 'Een heel goede oplossing, lieverd.'

'Dat is dan afgesproken. Ik heb nu geen dringende reden meer om naar San Francisco te gaan. Ik ga wel iets later om de adoptie van Kip te regelen – en om Keno zijn plantage te bezorgen.'

Ze keek hem aan met het hart in haar ogen. 'Dat zou ik graag willen,' zei Rafe. 'Misschien... misschien kunnen we hier en nu trouwen. Kijk! Niet alle kamers van het huis zijn uitgebrand. De regen dooft het vuur. Je hebt alle puin en as uit mijn hart verwijderd en het gevuld met nieuw leven en vreugde. Als je mijn vrouw wordt, kan ik met de hulp van God en van jou alles aan wat een mens mij kan aandoen, ongeacht hoeveel moeite en worsteling we nog zullen krijgen bij het opnieuw opbouwen van Hanalei. Zolang ik jou heb, lieveling, valt al het andere op zijn plaats. We gaan herbouwen wat verwoest is.'

Tranen vermengden zich met de regen op haar gezicht. 'Maar ik zie er niet uit als een bruid, en zo voel ik me ook niet.'

Hij glimlachte. 'Dat komt wel. Ik garandeer het je.'

Zijn lippen vonden de hare... en verspreidden een intensere warmte dan de resterende vlammen. Alles om hen heen vervaagde, de regen, de hinnikende paarden, de schreeuwende stemmen.

★

'God is goed voor ons vannacht, Keno,' zei Ambrose op enige afstand. 'Eden is gered en ze is bij Rafe. De regen dooft het vuur, zodat het zich niet verspreidt. Niet alles is in de as gelegd! Uit wat er over is, kunnen ze de plantage zeker herbouwen.'

'Als ik dat zo zie, zal dokter Bolton niet de enige zijn die volgende week trouwt. Je gaat het nog druk krijgen, oom Ambrose.'

Ambrose glimlachte vermoeid terwijl het eerste ochtendlicht aan de oostelijke horizon verscheen.

'Ik heb het idee dat ik misschien wel drie bruiloften zal hebben. En de eerste zou wel eens hier op Hanalei kunnen zijn, vandaag nog.'

Keno keek naar Rafe die Eden overeind hielp en haar weer omhelsde. Toen hij zag hoe juffrouw Groenoog zijn vriend vasthield en diens kus beantwoordde, wist hij zeker dat Ambrose gelijk had.